ANALOGIA

The Emergence of Technology
Beyond Programmable Control

ジョージ・ダイソン
George Dyson

服部 桂 監訳／橋本大也 訳

アナロジア

AIの次に来るもの

早川書房

アナロジア　ＡＩの次に来るもの

ANALOGIA

The Emergence of Technology Beyond Programmable Control

by

George Dyson

Japanese edition supervised by
Katsura Hattori
Translated by
Daiya Hashimoto
First published 2023 in Japan by
Hayakawa Publishing, Inc.
This book is published in Japan by
direct arrangement with
Brockman, Inc.

装幀／水戸部 功

かつて私は、風のように動き回った。

――ゴヤスレイ（ジェロニモ）、一八八六年

目次

訳注は〔　〕で示した

第0章　ライプニッツ群島
――アナログからデジタルへ、そしてまたアナログへ

ロシア皇帝にシベリア探検やデジタル計算機を提案したライプニッツから始まり、その後の米大陸の先住民の運命や、二〇世紀のテクノロジー革新、著者のカナダでの野生の生活を通して、デジタル世界が次はアナログな自然世界へ回帰すると論じる本書の展望

一七一六年七月に、七〇歳の法律家、哲学者で数学者でもあり「科学よりも先に法律に出会ってしまった悲劇」を抱えるゴットフリート・ヴィルヘルム・ライプニッツは、四四歳のロシア皇帝ピョートル大帝の一行に加わり、ザクセン地方にあるバート・ピルモントの温泉地に療養に赴いた。八日の滞在の間、酒ではなくミネラルウォーターを飲んで過ごした[1]。

ライプニッツは、この年に死ぬことになるのだが、三つの壮大な計画を皇帝に提案した。ひとつ目は、シベリア経由でカムチャツカ半島と太平洋まで陸路の探検隊を送り、そこから一隻もしくは複数の外洋船を出して、アジアとアメリカはつながっているのか離れているのか、離れているとすればどの地点でかを調査させる計画だった。住民はどのような言語を話しているのか、それを調べることで人類の起源と進化の謎に光を当てることはできるのか？　河川は航行可能なのか？　磁場は場所によって差があるのか、または時間によって変化するのか？　ロシアの極東の地とアメリカの北西部の間には何があるのか？　ロシアは領有権を主張できるの

N 40 W.

火山が北北東2東に、オネマク南部が
北40西7リーグの距離にある時のアメリカ大陸沿岸の景観

か？

ふたつ目はロシア科学アカデミー創設の提案だった。これは既存のヨーロッパのアカデミーの成功例を、欠点を除く形で手本としていた。

三つ目は、デジタル・コンピューターを使い「正確な計算によって、人生に最も有用な原理、すなわち道徳と形而上学を徹底的に解明する」計画だった。自然言語とその根底にある概念に対して素数を割り当てて計算を行なう、ライプニッツ考案の「思考のアルファベット」を使うものだった。[2] ライプニッツはこの計算推論（calculus ratiocinator）を、二進法の発明で知られる中国の哲学者たちに伝えたいと考え、皇帝にその支援を求め、同時に計算推論を、ロシアの近代化と拡大を推進する皇帝の政策に取り入れることを進言した。ライプニッツの目には、ロシアは何も書かれていないまっさらな石板（タブラ・ラーサ）のように見えており、その上に科学と論理、そして機械の知性に基づく合理社会という彼の理想を描き出せると考えていた。

ライプニッツは「人類は光学レンズが視力を強化する以上の、精神力を増大させる新しい種類の道具を手に入れることになるだろう。理性は、これまで算術のみが成し遂げたような、すべてが明確で確実な形になることによってのみ、疑いもなく正しいものになる」と主張した。[3] そして二進法の計算は“and”“or”“not”という論理演算に対応すると考えた。〇と一、あるいは白と黒の玉で表現される二進数の文字列を使えば、どんな曖昧で複雑な概念も、明確な形で記号化し、論理的に操作することができる。この普遍言語は人類に新しい時代を開くのだ。ライプニッツはピョートル大帝の野心を、この革命を推進する手段ととらえた。ロシアを建物に喩え、基礎がぐらついた古い建物を改修するよりも、補修すべき箇所は放置し新しい建物を建ててしまう方が簡単だと論じた。

ロシア科学アカデミーは一七二四年に設立された。北方大探検は一七二五年に始まり、その後の一七四一年のベーリングとチリコフのアメリカ到達から一八六七年のアラスカの米国への移譲まで、一二六年間にわたるロシアのアメリカ駐留が続くことになる。ライプニッツの三つ目の計画は、何の支援も得られなかった。ピョートル大帝は「大変面白がり半時間も眺めまわし」、鉛筆を突っ込んで仕組みを調べようともしたが、それ以上はライプニッツの機械式コンピューターに関心を持つことはなかった。[4] デジタル・コンピューターの威力は、皇帝には伝わらなかったのだ。

ロシア、中国、そして世界中の国々が、ライプニッツのタブラ・ラーサの役割を果たすには、まだ二〇〇年の時間と電子工学の発明を待つ必要があった。そして突然、真空管で作られた最初の原始的な電子式デジタル・コンピューターが現れ、パンチカードと紙テープをパンチする速度で、コード化された数列をやりとりする時代が始まり、それから五〇年も経たないうちに、光の速度でコードが増殖する時代へと躍進した。デジタル・コンピューターが非デジタル世界を複製する能力があることは、今日では当然のこととみなされている。ライプニッツの説明を信じがたいと思ったピョートル大帝の時代の人々がこの力の優位性に疑問を持ったのとは対照的だ。

アナログ・コンピューティングとデジタル・コンピューティングの違いは、根本的だが絶対的なものではない。アナログ・コンピューティングは、時間の経過とともに値がなめらかに変化する連続関数を扱う。デジタル・コンピューティングは、ある瞬間と次の瞬間の間に精確に値が変化する離散的な関数を扱う。迷路状の管の中に液体を流し、全開とその中間の開き具合を連続的に変化させることが可能な弁で制御することで計算を行なうようなアナログ・コンピューターをライプニッツが思いつく可能性もあった。微積分学の創始者の一人である彼は、そのような装置の評価と制御に使う連続関数を知らないわけではなかった。しかし彼はアナログではなく複数の経路を転がるビー玉の進路を、オン／オフのゲートを開閉させることで変化させ、その結果で二進数の計算を実行するデジタル方式のコンピューターを夢見ていた。

ビー玉は、黒か白のどちらかであり、灰色のようなどっちつかずの玉はない。また、ビー玉を小さく分割したり、大きなビー玉と合体させたりすることはできない。ビー玉はゲートに到着したら、どちらかの道を進まなければならず、中間の道はない。ビー玉の配列を取り出して他の配列と比べる時は、ふたつの配列は必ず完全に一致するか、異なるかのどちらかになる。コンピューターへの質問はすべて曖昧さがないように記述しなければならず、同じ質問を繰り返した時には、その答えは毎回同じになる。このライプニッツの想像上のコンピューターが作られることはなかったものの、われわれの存在のあらゆる局面に浸透している二進数、つまりビットこそは、ライプニッツのビー玉に電子という形を与えたものだ。

自然はデジタル・コードを採用している。代表的な例はＤＮＡの鎖であり、ある世代から次の世代へと受け継がれる命令の保存、変異、エラー訂正を行なう。同時に自然はアナログ・コード、アナログ・コンピューティングも採用している。その代表例は脳と神経系で、リアルタイムな情報処理と制御に使われる。ヌクレオチドのコード配列には脳を成長させる命令が保存されているが、脳自体は、デジタル・コンピューターのようにデジタル・コードを保存したり処理するわけではない。ジョン・フォン・ノイマンは一九四八年に、脳がデジタル・コードを使わない理由について「デジタル・システムの拡張には、規模が大きくなるほど論理的複雑性が増すという唯一の欠点がある。しかし、ただそれだけの理由で自然がデジタル・コードの採用を拒絶したわけではないだろう」と述べている。[5]

デジタル・コンピューターでは、一度にひとつのことが起こる。アナログ・コンピューターでは、すべてが同時に起こる。脳は三次元の地図を情報処理する際に、アルゴリズムに従って一歩ずつ一次元的に処理するわけではなく、連続的に処理している。情報は、精確な論理的順序でデジタル的にコード化されてはおらず、パルス周波数として、何がどことつながっているかを表す位相の形式でコード化される。デジタル・マイクロプロセッサーの先駆者のカーヴァー・ミードは一九八九年に、「きわめて単純な動物の神経系でさえ、人間が構築するシステムよりも数段効果的なコンピューティングパラダイムを備えている」と述べて、アナログ・コンピューティングを再発明すべきだと主張した。[6] 真の機械知能の進化と制御において、テクノロジーは自然を手本にすることになるだろう。

電子工学は過去一〇〇年間に「アナログからデジタルへ」「高電圧で高温の真空管から低電圧で低温のシリコン半導体へ」というふたつの大きな変化を経験した。ふたつの変化が同時に起きたからといって両者に必然のつながりがあったとは言えない。デジタル・コンピューターが最初に真空管を使って実装されたのとまさに同じように、アナログ・コンピューターを、今日われわれがデジタル・マイクロプロセッサーを作るのと同じやり方で、固体回路を使ってボトムアップに実装することもできる。あるいはデジタル・プロセッサーを組み合わせて、真空管が電子の流れを扱うように、もしくはニューロンが脳のパルスの流れを扱うように、ビットの流れを論理的にではなく統計的に処理するアナログ・ネットワークとしてトップダウンで実装することもできる。

ライプニッツのデジタル宇宙は強力ではあるがまだ不完全なままで、ちょうど、微積分の発明でライプニッツのライバルとなったアイザック・ニュートンの功績と同じだ。ニュートンの発見のおかげでわれわれは、自然を数学的に記述して、あらゆる物事を予測することができるようになったが、精度はある程度までしか得られない。次の革命は、プログラム可能なマシンを、プログラム制御を超えたシステムに融合させることだ。

自然と人間とマシンの絡み合う運命には、これまで四つの時代区分がある。第一の時代は、工業化以前の時代で、テクノロジーは人間が自分の手で作り出せる道具や構造物に限られていた。自然が支配権を握っていた。

第二の時代は工業の時代だ。機械が導入された。単純な工作機械から始まり、他の機械を再生産できる機械が登場した。自然は機械の支配下に置かれ始めた。

第三のデジタル論理の時代はパンチカードと紙テープに始まり、情報が自らを複製するようになった。それまで生物学に限られていた自己複製や自己増殖は、マシンが担うようになった。自然が支配権を手放したかのように思われた。この第三の時代の後半、ネットワーク機器が増殖し、多細胞的な複雑な情報が溢れかえった時、それまでとは逆の展開が起きた。

第四の時代には、緩やかな進みだったのでほぼ誰も気がつかなかったが、マシンは自然の側に、自然はマシンの側に歩み寄り始めた。人類はまだその関係の輪の中にいたが、もはや主導権を握ってはいなかった。主体性の喪失に直面した人々は、「アルゴリズム」やそれをコントロールしている人々を非難し始めたが、もはや明確な支配者のアルゴリズムなど存在しないことに気づいていない。アルゴリズムの時代は終わったのだ。未来は別の何かが握っている。

人工知能をプログラムして思い通りに動かすことができると信じることは、神と話すことができる人がいるとか、ある人は生まれつきの奴隷だと信じるぐらい、根拠のないものであることがはっきりするだろう。第四の時代はわれわれを、もはや手に負えない、あるいは完全には理解できないテクノロジーと人間が共存していた第一の時代、スピリチュアルだらけの原風景へと引き戻そうとしている。そこは人類の心が形成された場所だ。われわれは種として、どこを向いても心や知能のあるものに囲まれて育ってきた。テクノロジーの黎明期から、われわれは道具とそこそこの関係を続けてきた。クラウドで人工知能が提供されるというのは何も新しい話ではない。第四の時代にふさわしい生き方をするためには、第一の時代を振り返ることが役立つ。

本書の始まりは第一の時代の終わりに、終わりは第四の時代の始まりに設定した。第二の時代と第三の時代はその中間にある。以後の章では、この三〇〇年間の時代の変遷を様々な視点から明らかにする。ライプニッツのデジタル宇宙の夢とアメリカ北西海岸の探検ミッションは、何がきっかけで結びついたのか？　ふたつのプロジェクトはどのようにして始まり、どのように交差したのか？　アナログ・コンピューティングとデジタル・コンピューティングの違いとは何か、そして、アナログ・コンピューティングを時代遅れにしたかのように見えるこの世界にとって、なぜそれが問題になるのか？　第三の時代に育ちながら、第一の時代のやり方に魅了されてしまった人間は、アメリカの教育制度が強制する頭脳労働者と肉体労働者という区別とどのように折り合いをつければよいのか？　デジタル革命を謳歌する時代に、アナログのために戦った人たちはどうなってしまうのか？

一七四一年、ベーリング－チリコフ探検隊が北米に到達した。文字を持たず、高度な技術と芸術を持つ先住民に発見されたロシア人は、北西海岸とそこに住む人々の記録を残した。先住民の異文化から隔絶された時代が終わった。探検隊のうち一五人が上陸したが、仲間に置き去りにされた。彼らのその後を知る者はいない。

一九世紀末、かつてアジアからやってきたアラスカ先住民族の末裔であるチリカウア・アパッチ族は、最後まで他者に征服されることに抵抗した。アパッチ族の最後の生き残りを追跡するために、アメリカ政府は北米初の大規模な高速全光デジタル通信ネットワークを導入した。デジタル革命の最初の一撃と、アメリカ軍の正規軍兵士に対して戦闘で引かれた最後の弓矢は、時を同じくした。

真空管と呼ばれる熱電子管の発明によって、電子以外の動く部分を持たないマシンを作ることができるようになり、音速以下でしか情報を伝達できなかった従来の機械式装置に代わって、光の速度で動作する装置が生まれた。理論物理と数学論理という、ともすれば抽象的な分野の成果が、戦争景気で成熟したエレクトロニクス産業と結合して、普遍的論理としての二進法というライプニッツの構想が現実のものとなった。真空管は電子の流れを連続関数として扱うアナログ装置だった。アナログ装置の上で離散的な（デジタルの）電子パルスの論理演算が無理やり行なわれていたが、トランジスターの出現によって、この爬虫類の時代が終焉を迎えた。

ハンガリーの物理学者レオ・シラードは、核兵器の発明に貢献した後、残りの人生を核兵器に反対を表明することに費やしたが、核を宇宙探査に使うという目的においては別だった。四〇〇〇トンの宇宙船に一〇〇人の乗員を乗せ、一九七〇年までに土星に到達するミッションを掲げた政府助成の民間プロジェクト「オリオン計画」がその可能性を探り、ダーウィンのビーグル号の航海を彷彿とさせるこの航海は四年間で旅程を終えるはずだった。結局オリオン計画はアメリカ政府によって放棄されてしまったが、シラードが書いた小説『イルカ放送』は、私が北西海岸でのシャチに囲まれた冒険へ旅立つきっかけになった。

その冒険のうち三年間は、ブリティッシュ・コロンビア州のバラード入り江（かつて西洋人が、正当な所有者であるツレイル・ワウタス族から奪った土地だ）に立つベイマツの上、地上約三〇メートルにあるツリーハウスで暮らすことになった。樹木は外界からの一連の連続的インプットを、一年に一本ずつ増える年輪という単一のチャネルのデジタルのアウトプットに変換する。私は一四二六年まで遡れる年輪に囲まれて暮らしていた。

私は独自の「ひも理論」を提唱しているのだが、それは、これまで見過ごされてきたが、ひもを結ぶことと糸で縫うことが、人類のテクノロジーの進歩の原動力だったとするものだ。アメリカ北西部の海岸では、ロシア系アメリカ人の入植者たちは、先住民の皮舟を作る技術を何か別のものに置き換えるのではなく、そのまま取り入れた。この本では、ロシア人がアリュート族のカヤック、すなわち「バイダルカ」を取り入れたという事実を取り上げるが、それは単に私の舟作りの話をしたいのではなく、テクノロジーがあらゆる面で生物のデザインと戦術を模倣していることを示すためだ。

一八六三年にニュージーランドの原野から突如として現れたサミュエル・バトラーの小論『機械の中のダーウィン』は、一八七二年の予言的ディストピア小説『エレホン』に結実した。バトラーは『エレホン再訪』の覚書の中で、人工的な知能の進歩は人の注意を引くことによって推進され、神もダーウィンも、結局はマシンの側に立つことになると警告した。

一九世紀のアパッチ族追討作戦では光による諜報活動と識別番号タグが駆使されたが、近年、国家安全保障局（ＮＳＡ）がその近くの砂漠に建設した太陽光利用のデータセンターはその子孫だ。アナログの世界では時間は連続体だ。デジタルの世界での時間は、時間とは関係のない、離散的な数列として表現される幻想だ。そこに本来の時間は存在しない。人類の活動のすべてがマシンで読み取れ、追跡可能になった時、ライプニッツの見たデジタル的なビジョンには何が起きるのだろうか？

一八九〇年にチリカウア・アパッチ族が戦争捕虜としてフロリダに流され追放された後、パイユート族の預言者ウォボカが見た神の啓示が、北米ファーストネイション〔カナダに住む米大陸先住民の呼称〕の間に、死んだ戦士たちの復活と原点回帰を叫ぶ草の根運動を巻き起こした。連続体仮説と呼ばれる数学的推論による予言がある。アナログ・コンピューティングの力が、アルゴリズムや逐次実行手順の制約から解き放たれてデジタル・コンピューティングを凌駕し、支配権を取り戻すという予言だ。電子はデジタル的に扱われてビットになり、ビットは統計的に扱われて電子へと戻る。真空管の亡霊たちがよみがえるのだ。

ライプニッツのアイデアは二〇世紀のデジタル・コンピューターと、一八世紀のベーリング＝チリコフ探検隊によって、二度にわたって北米に到達した。ピョートル大帝の命令でアメリカ北西部の海岸に到達した航海士たちを発見したのは、約一万五〇〇〇年前の最後のテクノロジー革命以来ずっとうまくやってきた人々だった。

そこはタブラ・ラーサではなかったのだ。

第1章　一七四一年

ライプニッツの提言を受けてシベリアの果てを目指したベーリング・チリコフ探検隊は、寒さと栄養不足に苦しみながらも、ついに一七四一年にカムチャツカで先住民に遭遇するが、彼らはどんな文化を持っていたのか？　ロシアとアメリカはつながっていたのか？

一七四一年八月三〇日、壊血病で最初に死んだのは二等船員のニキータ・シュマージンだった。[1] 新鮮な空気と水で命を救うべく陸に上げられたが、願いも空しくまもなく絶命した。シュマージンは「甲板に頭を出すや鼠のように死んでいった」仲間の乗組員たちの最初の一人になった。[2] 彼の遺体は、今日シュマージン諸島として知られるアラスカ半島沖の群島のひとつナガイ島に、浅い墓が掘られ埋葬された。シュマージンの死により七六人の乗組員の男たちと一一歳の少年がアメリカからカムチャツカまでを全長約二四メートルの壊れかけの船で引き返すことになった。

探検に同行した経験豊富な博物学者ゲオルク・ヴィルヘルム・ステラーは、この樹木のない島の低地に豊かに茂る植生が船員たちの健康を回復させることを知っていたが、忠告は無視された。「私は幾人かの人間に抗壊血病植物をできる限りたくさん採集するよう頼んだが、彼らは鼻で笑っただけだった」とステラーは残念そうに書いている。ステラーはひとりで壊血病草（Cochlearia）Lapathum などの植物を島の上で採集した。船の薬品庫は「激しい戦闘で負っ

シュマージン海峡の北にある島々と本土を通過中の景観

た傷を治療するための薬品、石膏、軟膏、油脂、四〇〇～五〇〇人分の手術用具等で満たされていたが、壊血病と喘息が主な課題である大洋航海に役立つものは皆無だった」[3]。

ピョートル大帝崩御のわずか数カ月前、一七二四年に立ち上げた発見航海プロジェクトの一環として、一七三三年八月、サンクトペテルブルクを学者の一団が出発した。船上でただ一人の自然科学者であるステラーは乗船する学者のリストに遅れて加えられた。ライプニッツの皇帝への提案が発端になった大プロジェクトは、いまや風の吹く海岸を一人で歩く三二歳の植物学者が命運を握っているのだった。ロシアには、アメリカへの航海に必要な太平洋艦隊がなく、つくる必要があった。皇帝は船の建造に無上の喜びを感じた。若かったなら自身で艦隊を率いたかもしれない。

ピョートルは一六八二年、九歳にして皇帝となった。その三週間後、彼は宮廷のバルコニーから、母方の叔父イヴァン・ナルイシキンと彼の保護者アルタモン・マトヴェーエフが武装した群衆に斬殺されるのを目撃することになった。残忍さと不信感を募らせたピョートルは一七一八年に自身の息子アレクシスを反逆罪で拷問にかけ死刑を宣告するに至る。一五歳の時、皇帝は皇族と姻戚関係にあるオランダの航海士フランツ・ティマーマンからアストロラーベ（天体観測用機器）を贈られ使い方を伝授された。一六歳の時、モスクワの郊外にあるイズマイロヴォの皇帝領地で倉庫に放置されボロボロになった小さな帆船を発見した。

「陛下が亜麻園にいらっしゃり、倉庫の前を通られたとき、たまたま大叔父ニケタ・イヴァノウイチ・ロマノフの家財道具が広げられていた」と、一七二〇年の「ロシア海軍法令」の序文に説明がある。「陛下は品々の中から小さな外国の舟を見つけられた。陛下は偉大な好奇心をお持ちだったので調査せずにいることなどできない。即座にフランシス・ティマーマン（当時、陛下と一緒に生活し幾何学と築城法の指導にあたった）にこれは何かとお尋ねになった。ティマーマンは、これはイギリスの帆船でありますと答えた……この船は風と同じ方向へ進みますが風に逆らうこともありますという言葉に大いに驚かれ、信じられないかのようで、陛下の好奇心は証明をお求めになった」[4]。ティマーマンはよく知る船大工カーステン・ブラントと共に船を修理し、それが既存のロシア製船舶と異なり、逆風を進むことができることを実演して見せた。ピョートルの心が躍った。当時のロシアには白海沿岸のアルハンゲリスクにしか海港がなかったが、皇帝は造船術と航海術に取りつかれた。

ピョートルは近代的な港の建設を監督し、ロシア海軍を創設し、バルト海にロシア艦隊の本拠地としてサンクトペテルブルクを築いた。トルコやスウェーデンとの海戦を始めるための軍事演習を自ら指揮し、ネヴァ川では十分な風があるのに手で漕いだ舟にはオール一本につき五ルーブルの罰金を制定した。一六九七年にはお忍びでオランダを旅行し、東インド会社の作業場で船大工として働いた後ロンドンへ行った。そこではテムズ河畔デプトフォードの王立造船所に隣接して建つ、ジョン・イヴリン所有のセイズコートの大邸宅を借り上げ、三カ月を過ごした。「船の建造を見てみたい」という皇帝を最初は歓迎したイヴリンだったが、造船所と勝手口でつながっている自分の邸宅が「人がいっぱいで汚らしくなっており、皇帝はあなたの書庫の横で寝て、あなたの書斎の横の小部屋で食事をしています」という報告を受けて考え直すようになった。ピョートルは「丸一日屋敷にいることは滅多になく」ほとんどの時間を造船所か、海の上で平民の服を着て過ごしていた[5]。

「皇帝は船乗りのような無遠慮な者たちをこよなく愛された。汚らしい厄介者たちを夕食に招き酒に酔わせると、眠ってしまう者もいれば、踊り出したり、喧嘩を始める者までいた。皇帝もそんな中の一人になっていた。誰もこのどんちゃん騒ぎを諌めることができなかった。なぜなら先頭を切るのが皇帝だったのだから」とイギリス商人トーマス・ヘイルは証言した。[6] 一六九八年四月二一日にピョートルが出発する頃には、イヴリン邸の損傷は極めて甚大になっており、一六六六年のロンドン大火の際に復興を指揮したクリストファー・レン卿が、修理代の見積もりをするために招聘された。

ライプニッツが皇帝に話をする間、ミネラルウォーターがブランデーやウォッカの代わりだった。「ピルモントでは偉大なロシア大公の御供としてほぼ丸八日間を鉱泉風呂で過ごした。大公のお人柄を知れば知るほど深く敬愛するようになった」とライプニッツはヨハン・ベルヌーイに報告している。ライプニッツによれば、皇帝の実験科学への傾倒ぶりは、療養の前と後に連れの者全員の血液を採取していたことからも明らかだ。「ただ一人、ロシア人司祭の血が青白くてどろどろしていて最悪だった」という。ピョートルは医療行為にも興味を持ち、自身で抜歯を含む軽い手術を行なったことでも知られている。「大公は創意に富んでおり、ミネラルウォーターを飲んだ後で効果を検証する実験のため同じ司祭から再び採血をした。大公は拍手喝采をされたが、それには理由があった。短時間にそこまでの顕著な変化が起こるには食事療法以外の原因があるはずだから採取されたのは真っ赤で完全に健康な者の血液だった。私もその場にいたのだが採取されたのは真っ赤で完全に健康な者の血液だった。大公は拍手喝采をされたが、それには理由があった。短時間にそこまでの顕著な変化が起こるには食事療法以外の原因があるはずだからだ」[7]

ライプニッツは皇帝から依頼されたウィーンでの秘密外交業務によって、毎年一〇〇〇ターレルの報酬を受け取っていた。ロシア科学アカデミーの創設から皇帝の麻痺した腕を補助する機械の製作に至るまで様々なプロジェクトに貢献し、ライプニッツの宮廷における役割は日増しに大きくなっていった。ライプニッツは「私はロシアのソロン〔古代ギリシャの政治家、立法者〕のような存在になろうとしている」とハノーバー選帝侯妃ゾフィアに書き送っている。「神が与えた十戒や古代ローマの十二表法のような短い法律こそ最良なのだ」と彼は解説した。[8] ライプニッツの哲学では、私たちの宇宙は、最小限の自然法則が最大の多様性を生み出すように、無限の可能性のある宇宙の中から選ばれたものだった。アメリカ探検開始の命令書は、簡潔さと視野がいかにもライプニッツ的である。

一　カムチャツカまたはその他の場所で甲板のある船を一隻か二隻建造せよ。
二　その船で北へと広がる陸地の近くを航行せよ（陸地がどこに行きつくかは未知であるがアメリカの一部であると考えられる）。
三　アメリカと陸地がつながる場所を発見せよ。そしてヨーロッパ勢力に属する町まで進める限り行け。もし何らかのヨーロッパ船舶を発見したら、その船から最寄りの沿岸の名前を聞いて記録し、秘密裏に上陸し、ひと通りの情報を集めた後、地図上の位置を確定したらここに戻れ。[9]

この命令はピョートルが世を去った一七二五年一月にエカチェリーナ一世によって発令された。

金に糸目は付けなかった。ステラーが船員たちを死なせずに約束の報告を持ち帰るため、浜辺の植物を採集するのはその一六年後のことである。ステラーの出発の八年前にあたる一七三三年にもサンクトペテルブルクを出発した旅団があった。この旅団には、天文学者ルイ・ドリスル・ド・ラ・クロワイヤル、植物学者ヨハン・ゲオルク・グメリン、歴史学者で民族学者ゲルハルト・フリードリヒ・ミュラー、二人の芸術家、外科医、通訳、道具製作者、五人の測量技師、六人の科学助手、一四人の護衛が参加し、「極めて贅沢な装備」を誇った[10]。大量の本を運搬し、教授陣の研究を支援するために必要に応じて地元の宿泊施設を利用する権限も与えられていた。

ラ・クロワイヤルだけでもサンクトペテルブルクを発つ際に全長約四メートルと約四・五メートルの望遠鏡を含む馬車九台分の機材を持っていた。グメリンの一行は特定銘柄のドイツワイン数樽を運ばせた。学者たちは一二の川船に分乗したが船室は教授たちでぎゅう詰めとなった。レナ川からヤクーツクへの航行では快適さはおざなりにされ、公的な船旅の限界といえる有り様であった。

第二次カムチャツカ探検としてよく知られる北方大探検は史上最も浪費の激しい探検だった。デンマーク人ヴィトゥス・ベーリングとロシア人アレクセイ・チリコフが率いたこの探検は、同じくベーリングとチリコフによる六年間に及ぶ第一次カムチャツカ探検に続いてのもので、九年間に及んだ。第二次探検には一〇〇〇人以上の人員が任命された上、少なくとも二〇〇〇人以上の放浪者とその他の市民が徴用されて規模が膨らんだ。

シベリアを越えオホーツク先端の海港までの約九七〇〇キロ、食糧と装備を輸送する重労働を動物と人間が分け合った。夏季には荷馬が約八〇キロの荷を背負いながら泥地を進み、冬季には人間が凍りついた道で橇を引いた。人も馬も重労働で死んでいった。「労働者たちは、いわば追放者みたいな者たちだったが大規模に脱走するので、われわれは厳しい規律を作ることでさらなる損失を減らそうとした。レナ川に沿って二〇ベルスト（約二〇キロ）ごとに絞首台を設置したところてきめんの効果を上げた」と、ベーリングの副官で、一一歳のローレンツの父親でもあるスヴェン・ワクセルは書いている。[11]

遠征隊は四二八〇組の馬鞍を徴発し、年間約八〇トンのライ麦粉を消費し、イナゴの大群のように地元住民を襲いながら太平洋沿岸に向かった。探検隊本隊の旅程は三年を要した。ヤクーツクの先へ進むために何百もの粗雑なつくりの川船が造られた。アルダン川、マヤ川、イウドマ川など、虫や危険の多い川岸を、下りなら数日で下れるような距離ながらも、男たちが何カ月もかけて上流へと船を人力で引いて運んだ。イウドマ川の源流からウラク川の源流まで、無人の荒野を行くのが最後の陸路である。「四〇〇〜五〇〇人の隊列を絶え間なく往復させた。人員は馬のように橇につながれ、国が与えるものといえばライ麦粉と挽き割りの穀類くらいであった」と一七三七年にこの経路で六〇〇トンの物資輸送を完了させた後にワクセルは報告した。[12]

イウドマ陸路の終点では、さらに粗雑なつくりの船が造られ、その船団でウラク川がオホーツク海に到達するまでの急流に挑んだ。川下りに成功した船はそこで解体され、薪として燃やされた。船の錨、約三三〇キロの重量の一八門の大砲、約三〇〇キロの大砲一〇門、そして中央シベリアのトボルスク近郊のカメンスキーで鋳造された大砲弾一万四四〇〇発が重い貨物に含まれていた。ここからオホーツクまでさらに五六〇〇キロあった。オホーツクの即席造船所では、七年間の苦労の末、ピョートルが修業時代に心酔していたオランダの荷船を手本にした二隻の航海船が完成し、一七四〇年九月八日、カムチャツカとアメリカへの航海が開始された。ベーリングはセント・ピーター号、チリコフはセント・ポール号の舵を取った。

グメリンとミュラーはカムチャツカからアメリカへ出発する前に探検隊を降りた。チリコフと共にセント・ポール号に乗ったラ・クロワイヤルは天体観察を行なうことはできず、壊血病を驚嘆の目で見ながら自らはすり抜けた。匿名の報告には「ラ・クロワイヤルは毎日大量のブランデーをがぶ飲みしており強力な感染防止効果があった」とある。航海を生き延びたが、カムチャツカに戻ってくる寸前で死んだ。上陸に向けて着替えながら、無事の帰還にひとり思いきり祝杯をあげている最中だった[13]。学者の一団の中では、一七三五年に二六歳の若さで助手的な役割として探検に参加したステラーだけが、身の回りのもの以外は持たず、コサックのライフル射撃手一人を従者として連れて、アメリカ大陸から観察結果と標本、ノートを生きて持ち帰った。

一七四一年六月四日に隊がカムチャツカを出発する時点でベーリングはすでに腑抜けのようであり、副官のワクセルと船の運航を監督する艦隊長ソフロン・キトロフに任せっきりになっていた。セント・ピーター号とセント・ポール号は六月二〇日の嵐で離ればなれになり、二度と合流することはなかった。両船ともあらかじめ取り決めた信号法に従って一定の時間間隔で大砲を撃ったが、三日間行なっても応答がなかったため諦め、どこに続くか知れない東への海路を別々に進むことになった。一七四一年七月一六日にセント・ピーター号はカイアック島のセントイライアス岬に接岸した。二〇日早朝、島陰に錨を下ろすと、最初に陸地を見つけたステラーが上陸を許された。

ステラーはまだ暖かい焚火と銅製ナイフを研ぐのに使われた跡のある石と先住民の地下貯蔵庫を発見した。貯蔵庫には「カムチャツカでさえ見たことがないくらい見事に調理され、味もずっと美味しかった」というスモークサーモンを見つけた[14]。発見物の見本が届くと司令官ベーリングは、緑の中国シルク生地一二ヤード分と、鉄製ナイフ二本と、鉄製ヤカン一個、ガラス製ビーズ二〇本を発見場所に置いてくるように命じた。「交換」といいながらも貯蔵庫をひどく略奪することになり、「われわれが将来ここを訪れることがあっても住民たちは今回と同じように逃げてしまうだろう」とステラーは書いた[15]。

ステラーは島の探検を始めた。ところがまもなくキトロフから船に戻れという命令があった。翌朝、「夜明けの二時間前に総司令官が珍しく起きて甲板に上がってきて、誰に相談することもなく錨を上げろと命令したのだ[16]」。ベーリングは、結局自身は生きて見ることがなかったのだが、故国に向かう航海を始めた。探検隊はアメリカ本土の地を踏むことはなかった。皇帝の命令は大部分が果たされぬままであった。「この大プロジェクトは準備に一〇年を費やしたのに、仕事をしたのは一〇時間だった」とステラーは嘆いた[17]。

ベーリングの名は島と海と海峡の名前として残っている。ステラーの名はカイギュウとアシカとカケスの名の一部として残った。ステラーは、船の士官たち、特にキトロフと敵対的な関係を築いた。一行の最初の災難はキトロフがオホーツクからカムチャツカまで運んだ船用ビスケットをすべて紛失したことだった。キトロフが指揮する浅喫水の補給船「ナデジダ」が出港時に座礁したのだったが、これから起こることとの不吉な前兆になった。

ビスケットの代わりの積み荷を、カムチャツカで現地徴用した約五〇〇〇頭の犬橇に引かせて、冬の間に半島を陸路で送らなければならなかった。ワクセルによると「飼い主がこよなく愛する」犬たちを確保するためにロシア人一部隊が派遣された。そのうち七人は、カムチャダル族から奪った半地下の宿舎に火のついた薪を投げ込まれ、窒息死した。[18] ロシア人は手りゅう弾で無差別に報復した。ビスケット紛失による遅れにより探検隊は予定していたアメリカではなくカムチャツカで越冬することになった。

セント・ピーター号がシュマージン島に偶然たどり着いた九月には、残っていたビスケットは腐って真水も使いきっていた。ステラーは島の高台に泉を見つけていたが、キトロフは空になった水用の樽を、ボートを上陸させたラグーンの汽水で満たせと命令した。ロシア海軍の慣行では重要な判断は船の士官たちの海路会議を必要とし、どんな異議も記録され、検討されるはずだった。しかし海路会議はそのずっと前からステラーの意見を聞かなくなっていた。ステラーが間違っているからではなく、ステラーの意見が常に正しいとわかっていたからだ。「この紳士方は帰りたいと思っているわけだが、最短距離でなく最長距離でなのだ」。探検隊は汚染された水を積み込み、ステラーが間違っていると主張している方角へ出発してしまった。[19] ステラーはキトロフのせいで、発見のための航海が、本来の知識の収集活動ではなく、考えうる最悪の犠牲を払いながらアメリカの水を飲む活動に変わってしまったと非難した。

一七四一年九月四日にセント・ピーター号は海洋へ戻る途中、バード島の島陰で退避を強いられた。その際に「期せずして探すこともなしにわれわれはアメリカ先住民と出会った」とステラーは書いている。「われわれはまだほとんど錨を下ろしていなかったが、南側の岩の方から大きな叫び声を聞いた。本土から約三二キロ離れた不毛の島に人間がいるとは思いもよらなかったから、最初はアシカの鳴き声だと思い込んでいた。だが、しばらくすると陸からわれわれの船の方へ小さな二隻の舟が手漕ぎで向かってくるのが見えた[20]」

二人の漕ぎ手は、ロシア人が「バイダルカ」と呼ぶ、骨組みのある皮張りカヤックで接近してきて「漕ぐ手を止めることなく、我が通訳には一語も理解できない言葉を使って大声で途切れることのない長広舌を始めた」。漕ぎ手の一人は、光沢のある鉱物顔料で「鼻の横から頰を塗った」後、カヤックの後部甲板に収納された長さ約一・四メートルの赤塗りの槍を一本手に取った。「その軸に二枚の鷹の翼を鯨骨でしっかりと固定して、こちらに誇示してから、笑いながらそれをわれわれに向けて投げ、水面に落とした」。ロシア人はガラス製ビーズ数組と中国製キセル二本を板の上にのせて、水の上へ放ったところ、この贈り物は受け取られて、もう一方のカヤックの甲板に引き上げられた。すると最初のカヤックの漕ぎ手は「警戒を解くことはないが、なにやら元気になって、なおわれわれに接近してきて、内臓を取り除いた一羽の鷹を丸ごと棒に縛り付けて我が方のコリャック族通訳に差し出してきた。こちらからは中国産のシルクと鏡を与えた[21]」。

島民たちは訪問者たちに陸地へついてくるよう合図を送ってきた。ワクセルとステラー、そしてカムチャダル族通訳アレクセイ・ラズコフは、槍、剣、銃を防水帆布の下に隠しつつ、合わせて九人の水夫や兵士と一緒に、上陸用ロングボートを降ろしカヤックの後を追った。しかし岩礁と高波で接岸することができなかった。ラズコフと二人のロシア人は服を脱いで浅瀬から岸までを歩いて渡った。彼らは「まるで偉大な人物であるかのような特別な歓迎を受け」、クジラの脂身を御馳走され、水を汲める場所を教わり、先住民との一時間の対話を試みた。ステラーとワクセルはロングボートに残っていたが、明らかに島民の指導者と思われる人物がカヤックに戻ってきて二人を訪問した。この特使はカヤックを「片手で持ち上げ、腕の下に入れて水に入ると、こちらへ向かって漕いできた」。そして「ブランデーでもてなされた。われわれが飲むところを見せると彼は一気に飲んでしまった。すぐに吐き出していたが[22]」。

二時間後、風が強くなり上陸隊は船に戻れという指示が出されたが、島民たちは訪問者たちに留まるように説得を始めた。最初は贈り物を使った引き留めだったが、次にはラズコフを捕まえた上でロングボートを岸へ引っ張ろうとした。「九人のアメリカ先住民が彼を捕まえており、放そうとはしなかった。彼らはラズコフを、カムチャツカ人であるにもかかわらず、自分たちと同じ民族だとみなしているようだった」とキトロフは書いている[23]。ロングボートの乗組員はマスケット銃を二発空に向けて撃った。すると島民たちは通訳から手を離し地面に倒れこんだ。ロシア人たちは逃げることができた。島民たちは「手振りでこれ以上われわれと関わりたくないので早く立ち去れと伝えてきたが、中には起き上がって石を拾い手に握っている者もいた」とステラーは記している[24]。

これがヨーロッパ人と、その島々において少なくとも一万年は存在を遡ることのできる人々との最初の接触の記録である。一万五〇〇〇年前、更新世氷床が後退し、海面は現在よりも一〇〇メートル低かった。縮小したベーリング海が、アジアとアメリカを約九六五キロの長さで結ぶ、低標高で広大な陸地ベーリンジアの南岸に沿って広がっていた。

人類がアメリカ大陸に到達した時、大半の氷床はまだ存在していたので、彼らは内陸の氷のない回廊か、沿岸部のいずれかの経路をたどった。沿岸を進む経路は、現在は海に沈んでしまっているが、近年「ケルプ・ハイウェイ（海藻の道）」説を裏付ける証拠が増えている。最初にアメリカ大陸に到達した人類はベーリンジアの縁に沿って東へ広がっていき、その後急速に南へ移動したとする、クヌート・フラドマルクとジョン・アーランドソンが提唱する仮説だ。[25] 最終氷期極大期でさえ沿岸部外周にはレフュジア〔氷河期に局所的に生物が生き残った地域〕が存在した。干潮時には貝類が採取可能であり、何百万羽もの水鳥が集まり、陸に上がった海棲哺乳類は彼らの格好の獲物だった。

この最初のアメリカ先住民は、皮舟の作り手としてアジアを出たか、あるいは旅の途中で作り方を覚えた。海棲哺乳類を解体して食糧、燃料、家の材料にできる部分は取る。後に残る皮と流木の骨組みがあれば、皮舟を組み立てることができた。移住者たちの一派が、アリューシャン列島に棲みつき、ロシア人が命名した「ウナンガン族」になり、すぐ隣に住む「アリュート族」になった。

アリューシャン列島に樹木がないのは寒さではなく風が原因である。陸は胸の高さの草で覆われている。森の成長を妨げる風は流木を浜辺に堆積させる。こうした環境に対するアリュート族の適応方法は、半地下の家屋と下半分が喫水する舟を造るというものだった。大型の共同家屋とほぼ無限にある海洋資源により前農業時代としては珍しいほど高い人口密度が可能になった。アリューシャン列島の東端にあるウムナク島の沖合、かつての半島の先端部、現在は小さな島になったアナングラ集落では二〇〇万点以上の遺物が発掘され、そこに九八〇〇年前から海獣類の狩猟者が定住していたことが分かっている。一九三八年にアナングラの調査を開始した人類学者ウィリアム・S・ラフリンによればアリュート族が「進化のプロセスを早回し」できたのは、開放水域で海棲哺乳類の狩猟活動を行なうのに必要な肉体的、知的な試練のおかげであった[26]。

全長約二四〇〇キロのアリューシャン列島は、島から島へ手で漕いで渡るのが可能な距離ではあるが、連なる島々に面として定住するには卓越した技術を必要とした。地域の文化とカヤックのデザインは多様だったが、他と孤立した集団はいなかった。常に競争があり、時折の戦争があり、デザインの着想の相互受粉があった。先端に毒を塗った銛で武装した単独カヤック乗りたちが、約一六〇〇キロの外洋航行と捕鯨活動を日々行なっていた。アリュート族の身体はカヤックと一体化しているという点で、彼らが獲物にしている両棲哺乳類のようだった。アパッチ族やコマンチ族が野生の子馬を乗れるよう調教してそれと一体化したのと似ていた。

「iqyax̂」（ハッチひとつ）や「uluxtax̂」（ハッチふたつ）と呼ばれるウナンガン族のカヤックは、他所では見られない技術革新の証明である。骨格はアーティキュレート、船尾は複合ワイドテール、船首は二股に分かれた尖鋭形、パドルは近年のレーシングカヤックのウィングパドルのような複雑な揚力突起を持つリーフ型である。「このカヤックで漕ぎ手は右に左に交互に波を打ち、高波の時でさえとても器用に舟を操った」とステラーがアリュート族との最初の接触の後に記している。漕ぎ手は油を塗ったクジラの腸をらせん状に縫い合わせた防水ジャケットを着用し、腰の部分の出入り口を二次ガスケットで密閉していた。ワクセルの観察記録によると「ひどい悪天候でも……高波がうねっているときでも、一度カヤックに座り固定したなら一滴の水も内部に入ることはなかった[27]」。

セント・ピーター号は波により手荒く扱われた。ベーリングの部下たちは、容赦のない風に逆らいながら、船を西へと進めていった。甲板を波が洗う。平時は月並みの言葉が並ぶ日誌に「凄まじい」「恐ろしい」という言葉が書かれた。帆と索具が壊れ始めた。航海士補カラム・ユーシンの手になる日誌によると九月二三日午後五時に「神の御心によりアンドレイ・トレチャコフが壊血病で天に召され」、二四日午前一一時に「遺体を海に流した[28]」。

「乗員の精神状態が再び、壊血病で弱る歯と同じようにぐらぐら不安定になった」とステラーが一〇月二日に書いた。一〇月一〇日には雨が雪に変わった[29]。「すべての手足が重たく疲れやすくなるのがその病の初期症状で、一日中眠っていたいと思うようになり、一度座り込んだら二度と立ち上がりたくなくなる」とワクセルは書いている。「ますます気持ちが落ち込んでいった」。ウォッカの在庫がなくなった。「それが続く限り男たちは元気をだせたのだが。死が蔓延り船員の誰かの遺体を海に放らないで過ぎる日はほとんどなくなった[30]」

一〇月一三日までに乗組員の二一人が働けなくなった。一〇月一九日には「神の御心によりアレクセイ・キセレフが天に召された。病人のリストには二九名が載っている」。翌日には「神の御心によりニキータ・ハリトノフが天に召された」。そして二日後「神の御心により海軍兵ルカ・ザビアコフが天に召された。遺体は布に包み海に流した」。日誌はここから一人称に変わり「今日、私が壊血病にかかり体調が極めて悪い」となり、二七日には「見張り立ち番が難しくなってきた[31]」。

一一月三日から四日までの一七時間で三人が死んだ。生き残っている者たちがすべての希望を失った四日の午前八時に、北に陸地が見えた。「陸が見えた時のわれわれの喜びの大きさ、とてつもなさは筆舌に尽くしがたい」とステラーは書いた。「半死の者たちが陸を見るために這い出てきた。あちこちに隠していたブランデーを取り出して小さなカップで祝杯をあげていた[32]」

五カ月前に出発したアバチャ港へ向かい続けるべきか、キトロフが絶対にカムチャツカだと主張する前方の陸地へ向かうべきかを判断するという時に「右舷の大きなメインステイがすべて折れており修理できる者がいないことが判明した」とワクセルは書いている。調査を進めると「左舷のメインシュラウドも同様に折れていた[33]」。乗組員四九人は満足に作業することができない状態で、何らかの操船技術を持つのはたった一四人だった。アバチャ港へ向かう案を主張するベーリングは、自分の船室で会議を開いたが、そこではワクセルとキトロフの声が大きく、短く一方的な議論が展開された。ステラー以外に異議を唱える声を上げる者が一人いたのだが、キトロフの「黙れ、くそ犬、馬鹿ったれが」という怒鳴り声に打ち消されてしまった[34]。「見つけた陸地に向かい人命を救う手立てを探す」ことが決定した。セント・ピーター号は折れて短くなった帆を張り、陸に接近し、夜になって錨を下ろそうとした。そこに次の嵐がやってきた[35]。メインと予備の錨の両方のロープが切れ、大波が船を岩に叩きつけた。自分の命を守る以外なすすべもない乗組員たちだったが、それが助けになると考えて、死んだ仲間たちの遺体を「弔いの儀式なしに頭から海へ投げ込んで」いった。「恐怖が支配し海が荒れたのは死者のせいだと考える迷信深い者がいたからだ[36]」。遺体を波間に投げ込んでいると船は無傷のまま岩礁の上を押し流されていった。そして水深四・五尋（ひろ）（八メートル）の海上にくると、船は最後の予備の錨を使って「静かな湖上にいるかのように」停泊することができた[37]。

一一月七日は凪(なぎ)で快晴の夜が明け、ステラーと彼の召使いのコサック族トマ・レプキン、ワクセル親子、ベーリングの執事で芸術家のフリードリヒ・プレニズナー、その他数名が上陸の準備をした。彼らは、最寄りの集落を発見し、身動きのできない者たちを安全な場所へ運ぶための馬を調達し、船を守る新たな乗員を見つける手はずだった。「われわれが浜辺に近づこうとしていると奇妙なものが見えた」「幾頭かのラッコが岸から海中へ入りわれわれの方へ向かってきたのだ」とステラーは書いている。[38] カムチャツカではラッコは人間を避けるので、陸にいるのを見たことはなかった。

プレニズナーは五、六羽のライチョウを撃ち、その一部をステラーが採集した野菜のサラダと一緒にベーリング司令官と副官ワクセルに届けた。ベーリングとキトロフと生存者たちはすぐに上陸し、いる上陸班のために残りをスープにした。ステラーは即席の流木小屋で一夜を過ごして砂地に穴を掘り、船から回収した帆布を被せただけの掘立小屋を住処とした。ワクセルは一二人の生き残った乗組員と五人の遺体とともに船上に残ったが、船は波に襲われ「両側から水が流れ込んできた」。一一月二〇日に彼らは陸上での生活に不安を覚えつつも船を捨てた。「誰も遺体を引きずって外に出す力がなかったし、起きて遺体から離れる力のある者もおらず、かなり長い間、死者が生者に囲まれて横たわる悲惨な状況だった」[39]「われわれが遺体を埋葬する前にホッキョクギツネの群れがやってきて死者の手や足を食べていた」[40]。ステラーとプレニズナーはたった一日で六〇頭のキツネを殺し、その遺骸を小屋の壁の穴を塞ぐのに使った。

一一月二三日、海路会議が開かれ、セント・ピーター号を維持すること、あるいはせめて残してきた物を回収することを決めたが、錨を上げる作業に人員が足らず断念した。五日後、夜の嵐の後、船が浜辺に自然の力で打ち上げられているのを発見し「人間の力よりもうまく事が運ばれた」とステラーは記している[41]。

一一月と一二月には二一人の死者が出た。そのうちの一人がベーリングで「一二月八日、吹きさらしの空の下、虱に食い尽くされた惨めな状態で死んだ」[42]。新鮮な食料と水はベーリングの命を救うのには間に合わなかった。「司令官は浅い窪みに横たわっていた。両側から少しずつ砂が崩れ落ち、終いには窪みが半分埋まってしまった。司令官は窪みの中央に横たわっていたので、その体も崩れ落ちる砂で半分覆われてしまった。仮に彼の体を引き上げることができたとしても、彼は反対したかもしれなかった。『地面に深く埋まるほど暖かくなるんだ、地表に出ているところは寒くてな』と言っていたからだ」とワクセルは記している[43]。

ベーリングは粗末な棺で埋葬され、安らかな眠りについたのだったが、一九八一年になってロシアの人類学者のチームが彼の遺体を掘り起こした。このチームは船の打ち上げられた場所で砂と砂利に埋まったセント・ピーター号の大砲一四門のうち七門も発掘した。これらの重火器はシベリアからカムチャツカおよびアメリカまでの輸送に多くの人命を犠牲にしたが、信号を送る際に使われただけで、戦闘で使われることはなかった。

ステラーは活気を取り戻した。無人島に座礁したことで彼の本領が発揮されるようになった。ステラーは一〇人兄弟姉妹の四番目として生まれ、最初はルター派神父、次に医師、最後に植物学者としての教育を受けた。公式にはステラーに与えられていたのはまだ、アメリカとそこに至る道程で発見されるすべての地質資源を報告する鉱物学者の役割だけだった。だが本来の隊員の植物学者、民族誌学者、医師、さらには聖職者までもが航海を断念することになったので、彼がそれらすべての役割を引き受けていた。ステラーの食事指導が、生き残った者の健康を回復させた。ステラーは神への信仰とともに、ラッコの毛皮を集めて一財産を築く実業家としての側面も併せ持っていた。かつて船上で抱かれた不信感も難破によって一転し、乗組員たちから厚く信頼されるようになり、古い確執は立ち消えになった。しかしステラーはキトロフとは同じ小屋に入ることを拒み、ワクセル班の世話をした。理由のひとつには一一歳のローレンツを可愛がっていたからだが、もしも現司令官のワクセルが死んだらキトロフが指揮権を握ることになるからでもあった。ステラーは「われわれに緑色の薬草を見せた。それを口にすると健康が目覚ましく回復した。緑色のものを食べるまでは、誰も体調を回復させ完全に力を取り戻すことはできなかった」とワクセルは記している。[44] 一月八日の下士官イヴァン・ラグノフの死が、壊血病の犠牲者の最後になった。

「われわれは肩書、学歴、その他の違いがここでは何の役にも立たないのだと思い知った。そして以前は少しも注意を払っていなかった物を宝物のようにみなし始めた。斧、ナイフ、錐(きり)、針、糸、靴ひも、靴、シャツ、靴下、棒、ひものような物であり、かつての日々では立ち止まって手に取ることのなかった物だった」[45]。いつ反乱を起こしてもおかしくない乗組員たちの士気を高めるため、「全員に姓と名で礼儀正しく呼びかけることを決めた。『ペトルーシャ』よりも『ピーター・マキシモビッチ』と呼んでやる方が、士気が上がることがわかった」[46]。燃料の流木拾い、食料を得る狩猟、植物の採集、周囲の探索の作業を全員で分担した。探索によってそこが島であることが分かり、ベーリングの死後にベーリング島と名づけた。

ベーリング島は時を止めた島であった。ベーリンジアの海岸沿いを最初に冒険した者が見つけていたかもしれない生きた遺跡だった。「ラッコが大群で海岸を覆っていた。人間を恐れていないため、われわれの火のそばまでやってきた。最初は、追い払えなかったが、われわれが多くのラッコを殺すと敵の正体を知って逃げ出していった」とステラーは書いている。遭難者たちは九〇〇枚を超える毛皮を集め、「その肉のおかげで壊血病から救われた。毎日半分生で食べていたが、具合が悪くなる者はいなかった[47]」。カムチャダル族から抗壊血病植物について学んでいたステラーは、殺した直後の生肉に火を通すと肉に含まれるビタミンCが壊れてしまうことも知っていたのかもしれない。島には捕食者がおらず、ラッコは陸上を歩き回り、島の内陸部の淡水の湖にさえ上がってきた。「暖かい日には谷間や山の陰を探しにきてそこで猿のように騒いでいた[48]」。早春にはオットセイが姿を見せ、四月二〇日には体長約二七メートルのクジラが浜に打ち上げられた。「海獣を糧として、海で難破したわれわれ人間が力を蓄えることを神はお喜びになった[49]」

四月九日、セント・ピーター号を解体して残る資材から小さな複数の船に組み直すことが決定した。竜骨はセント・ピーター号のメインマストから切り出され、五月六日に横たえられた。狩猟担当者たちは労働者の食事と航海の継続に必要な食糧備蓄のため、海岸沿いの藻場で海藻を食べるカイギュウ数頭を銛で仕留め解体した。「潮が満ちるとカイギュウは岸のすぐ近くまでやってきた。カイギュウの背中を手で叩いたことさえあった」とステラーは書いた[50]。この個体群はウランゲリ島で三七〇〇年前まで生き残っていた最後のケナガマンモスと同様に、人類の到達で終わりを告げた大型動物相の時代の名残だった。「この島ひとつだけでもカムチャツカの民全員を養えるほど多くの数の動物が生息していた」とステラーは記している。[51]

大人のカイギュウの個体は体長約九～一〇・五メートルで体重は約三・六トンだった。カイギュウは海藻を主な餌としており、食べたものは咀嚼板で嚙み砕いた後、消化管に送られる。ステラーが解剖した大人の雌の個体ではその消化管は食道から肛門まで一五一メートルに及んでいた。胃袋は長さ一・八メートル、幅一・五メートルの「とてつもない」もので、食べ物や海藻がぎっしりと詰まっていて、四人の屈強な男がロープを使って何とかそこから引きずり出した。[52] ステラーは解剖助手たちの手を借りるため個人所有のタバコの備蓄から手当を支払わねばならなかった。

このステラーカイギュウ（Hydrodamalis gigas）は絶滅の運命にあった。肉が「牛肉と比べても遜色のないような極上の味」で、カイギュウの子どもの肉はまるで「仔牛」のようで、脂肪は「甘く上質な味わいなのでバターを欲しがる者がいなくなった」。毛皮は大型の皮舟の皮張りに重宝された。油はランプに使われ「煙もにおいもなく明るく燃える」。肉は保存が利き、「どんなに暑い日でも屋外で長持ちした」[53]。ベーリング島の上陸者たちは一頭のカイギュウがあれば全員を二週間食べさせることができることを知った。そして「カイギュウを食べた者は皆、精力と健康が顕著に向上した」[54]。

一七四二年八月九日、全長一一メートルに小さく造り直されたセント・ピーター号は、満潮を待ち、進水台代わりの廃砲の上を滑って進水した。八月一三日、四六人の生存者は交代で寝なければならないほど窮屈な船でベーリング島を離れ、八月二六日にアバチャ湾に到着した。彼らを迎えたカムチャダル族の舟の漕ぎ手は、セント・ピーター号の乗員にはすでに死亡認定が出され、給与支給が停止され、残してきた持ち物も売り払われていることを伝えた。

ローレンツ・ワクセルは一二歳になっていた。

ステラーはペトロパブロフスクで個人秘蔵のラッコの毛皮三〇〇枚を含む収集物を荷から降ろし、徒歩でカムチャツカ半島を横断してボルシェレツクに向かった。「ステラーほど運が強い者はいなかった」と探検を途中で諦めたものの顚末（てんまつ）を出版することにかけては一番乗りだったミュラーが書いている。「ステラーは医師として多数の毛皮を謝礼として受け取っていた。生きて再び世に戻ることはないかもしれぬという不安で物への執着をなくした仲間たちからも、様々な物品を受け取っていた」[55]。ヤクーツクで毛皮は一枚三〇～四〇ルーブルで売れた。

まもなくステラーはボルシェレツクの海軍行政官であったヴァシリ・フメテフスキーと、カムチャダル族を不当に扱ったとして激しい論争を繰り広げるようになった。フメテフスキーは、自らの影響力を駆使して、無実のカムチャダル族が囚人として拘束されていると主張し釈放させたステラーを、反乱を煽った罪で告発し、その告発と反訴は同じ郵便でサンクトペテルブルクの元老院に転送されることになった。その後二年間、ステラーはカムチャツカとクリル列島を探検し、自分の海棲哺乳類コレクションにシャチを加えようとしたが失敗した。一七四四年八月にステラーは一六箱の標本ケースと共にサンクトペテルブルクへの長い帰路に就いた。一〇月にヤクーツクに着いてそこで冬を過ごし、一七四五年五月にレナ川が解氷すると出発し、秋にはイルクーツクに到着した。彼はカムチャダルの情報提供者のために弁護を続けたが、ミュラーに言わせれば、ステラーは「善意とはいえ自分の管轄外の問題に必要もなく没頭し」新たな告訴を次々と申し立てていた[56]。

ステラーは、一七四五年一二月、宿敵フメテフスキーの思惑通りに逮捕された。しかし、イルクーツクの副知事によってすぐに釈放された。ステラーが、夜に大酒を飲んで「スロヴォ・イ・ディエロ」（言葉と行ないのもとに）という言葉で、この副知事を反逆罪で告発したからだ。反逆罪の告発があると、原告と被告の両者がモスクワの皇帝の秘密法廷に出廷しなければならなくなる。両者が皮ひもつきの鞭の拷問によって証言を強制されるかもしれなかったのだ。ステラーは朝になって告発の撤回が認められ、クリスマスイブに郵便馬が引く橇で出発した。しかしフメテフスキーの告発が取り下げになったという知らせはサンクトペテルブルクには届いておらず、シベリアを去ろうとする彼を阻止してイルクーツクに連れ戻す命令が出されるのを防げなかった。

一七四六年八月一六日、ソリカムスクに到着したステラーに元老院の命令が届いた。彼は二四時間以内に手元の植物標本コレクションを発送、保管する手はずを整え「コート一枚と六〇ルーブルだけを持って」シベリアの奥地に護送されることになった[57]。彼と彼を連行する役割を与えられた護衛はどちらも遺憾な思いのままタラに到着した。一〇月初旬のシベリアの冬の始まりに元老院の特使がトロイカでやってきて逮捕を無効とした。ステラーは極寒の中、来た道を戻り西へ向かった。祝杯をあげるべくトボリスクに逗留し酒を飲みすぎた。高熱を出し体調を崩したが強行を続け、シベリアのチュメニで止まって医者を探した。一七四六年一一月一二日、ステラーはこの地で亡くなった。

凍土に掘られたステラーの浅い墓はすぐに泥棒と野犬に掘り返され略奪された。彼の唯一の形見は死後にサンクトペテルブルクのアカデミーに届けられた全コレクションだった。ステラーは「アメリカの海岸はわれわれがよく知るものになるだろう」とベーリング島滞在中に執筆し死後の一七五一年に出版された海棲哺乳類の論文で予想していた。[58] ステラーの個人所蔵のラッコの毛皮コレクションが、毛皮ハンターたちによるアラスカラッシュを引き起こした。ハンターたちは、カイギュウを絶滅させ、ラッコを絶滅寸前に追い込んだ。服従の強制という魔の手がアリュート族に向かっていった。ステラーはカムチャダル族を強制的な服従から守ろうとしたが、アリュート族を守ることができなかった。

多くの探検者がベーリング島を訪れ動物を大規模に狩った。生きたステラーカイギュウが最後に目撃されたのは一七六八年のことだ。「もしあれ（カイギュウ）がわれわれに捕まらず、われわれも知られぬままにしておこうと決めて沈黙していたなら。きっと間にある大海が発見の邪魔になって、今日まで未知で未調査のままであったとしてもおかしくないのだが」とこの動物を観察した唯一の博物学者であるステラーは、絶滅の危険を警告していた。[59]

セント・ポール号のアメリカへの航海はまったく違う展開になった。一七四一年七月一五日、ステラーがセントイライアス岬にたどり着くわずか一日前、チリコフとセント・ポール号は約八〇〇キロ南東のアディントン岬付近で接岸を果たしていた。緑濃く山がちの海岸線を北西に進みながら上陸隊を送る準備をした。対になるセント・ピーター号と同様に、セント・ポール号も切実に水を必要としていたが、安全に錨を下ろせる場所が見つからなかった。七月一八日、岸から数キロ沖合で水深七〇尋、幾度かの正午観測で北緯五七度五〇分と確認した場所に停泊した。船団長アブラム・デメンテフが率いる上陸隊は、三人の水夫、四人の兵士、砲手、二人のカムチャダル族通訳とともに、ロングボートで岸に向かった。上陸地点は不詳だがリシアンスキ海峡のタカニス湾（別名サージ湾）にあるヤコビ島かチチャゴフ島であると考えられる。[60]

デメンテフ一行は銃、剣、小型銅製の大砲一門、信号弾二門を装備し、上陸後速やかに信号弾を発射し、夜間には焚き火を燃やし続けるように指示を与えられていた。彼らが持ち込んだのは、一週間分の糧食と、陸上で見つけた水を入れる樽二本、これに加え交易品として「銅製と鉄製のヤカン、二〇〇本のビーズ、中国製タバコ三包装分、南京錠一個、ダマスク織一枚、ガラガラ五個、針一式」、これにチリコフが寄付した一〇枚の一ルーブル貨幣で、これは「一番位の高そうな先住民に与える」ためだった。[61] 七月一八日快晴の午後四時に岸に向かったのを最後に上陸隊の姿を見た者はいない。セント・ポール号は変化する風と潮に逆らい位置を維持しようとしたが、二〇日の悪天候で沖合へ流された。七月二三日、元の場所へ戻り銃を発砲すると浜辺に火が見えた。夜七時に七発の信号弾を撃った。「われわれが大砲を撃つと毎回陸上に火が見えた」[62]

二四日、シドル・サヴェレフを船頭とし水夫ディミトリ・ファデエフが残された小舟を使って上陸することになった。ロングボートを修理する道具と、大工ナリアチェフ（あるいはフェドル）・ポルコフニコフ、塡隙工（てんげき）エリストラート・ゴリンを同行させた。彼らは上陸したら信号を送り、修理工を陸に置いて、デメンテフを船へ連れて戻るよう指示された。少し風が吹いて彼らの舟は「荒波の洗う岸のすぐ近く」に流されてしまった。[63] 小舟は六時に陸へ近づいていく様子が確認されていたが、指示された信号を発することはなく以降は消息不明となった。セント・ポール号は翌日午後一時まで動かずにいた。すると二隻の小さな舟が湾から彼らの方へと近づいてきた。

行方不明の乗組員たちだと思い、帆が上げられ、全員が甲板に上がったが、「その舟はわれわれの舟ではなかった。舳先（へさき）が尖っており、船上の男たちはオールを漕ぐのではなくパドリングをしていたからだ[64]」。

小さい方のカヌーには四人が乗っているのが見えた。三人の男がパドリングし、赤をまとった男が船尾に立っていた。「彼らは立ち上がり、手を動かし、二回『アガイ！　アガイ！』と叫ぶと、向きを変えて岸へパドリングしていった[65]」とチリコフは記している。

ヤコビ・チチャゴフ諸島の外海岸は迷路状の岩に囲まれ帆船には危険だったが、デメンテフの上陸隊の小舟が晴天時に通るのは容易だった。危険なのは砕け波と海藻だ。彼らはこれから上陸する場所は小型船の格好の停泊場になるだろうと想像した。危険なのは砕け波と海藻だ。真水はすぐに見つかるだろう。湾と河口には魚、鳥、獲物がいっぱいだろう。サケが産卵のために川へ戻ってくるだろう。ベリー類はきっと熟している。食料も水もないまま洋上で、他の六四人と狭い場所に押し込められてきた九人のロシア人と二人のカムチャダル族の上陸隊は、ゴツゴツした岩場を抜けて静かな入り江に入った。セント・ポール号は視界から消えた。低木の繁る海岸線を滑るように進みながら地上の真夏の午後の楽園に入った。上陸の一歩を踏むとカラスが警告するかのように鳴いた。六週間もセント・ポール号の揺れる甲板の上にいた彼らの足元はおぼつかないものだったろう。

彼らが上陸したのはトリンギット族の居住地だった。この部族は社会的遺伝的に複雑な関係で絡み合い、地理的には一八の小部族に分かれていた。一八〇〇キロに及ぶ海岸線を居住地とし、冬場は中央の村に集まって過ごす。夏になると外周に分散し野営して暮らす。トリンギット族は獰猛な戦士であり、洗練された商人であり、熟達した技術者であった。彼らは富を奴隷の数で測っており、他の部族との間では、捕虜の交換によって安全通航や交易条件の交渉を行なう慣習を持っていた。原産の銅と、アジアからの漂流物の木材部分を燃やして採取される鉄を扱うことに長けていた。彼らの母系社会構造は、ふたつの恒常的な半族と部族間の結婚を基盤としており強固で規模が変わっても維持できるものだった。一七四一年に海岸の氷河が後退した時、トリンギット族は北西方向へと勢力を拡大し、皮舟を作る部族の支配地にまで入り込んだ。このずっと後になるが一七七五年、トリンギット族はスペイン人の訪問によって始まったと推測される天然痘の感染爆発によって壊滅的打撃を被ることになった。

ヤコビ島とチチャゴフ島の外海岸はフーナ族またはクアン族と呼ばれる部族が支配していた。この部族はアラスカ湾やプリンス・ウィリアム湾からやって来るエイアック族やチュガック族と季節性の交易をするために他部族が北方へ通航する道の「通航権」を支配していた。一七八六年七月にフーナ族の支配地の北西境界にあるリトゥヤ湾を訪れたフランス人航海士ラ・ペルーズは「われわれは毎日新しいカヤックが湾に入るのを見た。そして毎日村の全員が外へ出ていくのを見た」。たった二七日の間に「七〇〇〜八〇〇人」がそこを通過したと推測される[66]。

セント・ポール号は三日間行きつ戻りつ上陸可能な場所を探した。トリンギット族は彼らの接近を意識していたはずだ。晴天の凪いだ夏の日の午後の海で操縦性の良いロングボートが自然の不運に見舞われたとは考えにくい。デメンテフの一行は無事岸に上がったものの、そこには武装したトリンギットの代表団がおり窮地に立たされたと考えるのが自然だろう。デメンテフの受けていた指示は「上陸したら速やかに信号弾を撃て」だったが「人間を探せ。もし見つけたら、穏やかに対応し、何か小さな贈り物を渡せ。怒らせることをしてはならない」という指示も受けていた。[67]

トリンギット族は敵対する意図を持っておらず、沖合に浮かぶ大きな船との交易交渉の準備として、上陸隊を捕虜にしようとしたのかもしれない。上陸班は捕虜になったかもしれないし、荒波に呑み込まれたのかもしれない。チリコフは、セント・ポール号に接近してきた二隻のカヌーについて、無人だと思った船を略奪しに来て、現れたロシア人の数に驚いたのではないかと疑っていた。だが、その二隻のカヌーは訪問者を陸に招待すべく送り出されたと考えるのがより自然である。

われわれがトリンギット族側について知っているのは「アガイ！　アガイ！」だけだ。初めて記録されたトリンギット族の言葉だった。トリンギット族の歴史を研究するノラとリヒャルト・ダウエンハウエルの解説によると「この綴りはロシア人が初めて聞く言葉の聞き取り、書き取り能力に影響されており、本当はトリンギット族の言葉で『パドルを漕げ！』という意味の『Axáa!』あるいは『Ayxáa!』」だった。[68]

トリンギット族には帆船の訪問という伝承が伝わっている。あるとても勇敢な男が「白のカラス」の翼だと思い込んだ船の帆に接近したという話である。カラスはトリンギット族の宇宙観の中心に位置している。言い伝えではカラスは、世界の始まりに水を盗んで煙突から脱出する際に黒くなったもので、それまでは白い色をしていた。そして「白のカラス」が舞い戻った時、それを直接目で見たものは石になると信じられていた。セント・ポール号が帆を広げた際、先住民のカヌーは突然撤退したが、チリコフの側の重大な誤解にもとづく行動のせいだったのかもしれない。「彼らに乗船を促すようにハンカチを振らせたものの、まったく効果がなかった」ともチリコフは記している[69]。

セント・ポール号はその日はそのままその場に停まっていた。天候は変わらず凪だった。ロングボートが上陸して八日が経過した。「先住民の振る舞いや、彼らが恐れて近づいてこないことから察するに、上陸班の乗組員は殺されたか、囚われの身になっていると思うようになった」とチリコフは書いている。セント・ポール号は、夜間は陸から安全な距離を置き、装備のランタンを吊るした。二六日午前一一時に船はその地を離れ、岸沿いにゆっくりと北へ向かった。七月二七日、船上会議で飲料水の不足と調達方法がないことが重大な議題となった。直ちにセント・ピョートル号とセント・ポール号の出発した元の港へ戻ることが決定した[70]。陸には生存者がいたかもしれないが、置き去りにされた。

チリコフ隊の上陸班の消息に関して決定的なことは何も明らかではない。一八世紀にトリンギット族の恒常的定住地だったサージ湾で一つのペトログリフ〔古代の岩面彫刻〕が見つかっている。そのペトログリフには小舟のようなものが描かれており、側面に四本のオール、船尾に三人の男が描かれ、一人は舵を握っている。ふたつの四角形の物体が見えるがこれはマストと帆であると解釈されている。しかし私の目には作者は船上で水を入れる大きな樽を描こうとしているように見えた。四人のオールの漕ぎ手が両側にいるから合計で八人、それに船尾にいる三人を足せば一一人になり、まさにデメンテフ上陸班の描写になる。

トリンギット族の口承ではこの時ロシア人は自らの意思で脱走したと語られている。「上陸班の隊員たちはロシア船の側の厳しい状況から逃げ出すチャンスと考えていた。彼らがセント・ポール号を離れた時、自分たちはどうせ北太平洋の危険な海で死ぬことになるのだと覚悟していただろう。なぜそれまでの間、過酷な命令に従い続けねばならないだろうか？　逃亡するという決断をするのは容易だった。彼らはロシア側の歴史では先住民に殺害されたと伝えられているが、本当はそうではなくて、先住民に受け入れられ敬意を持ってもてなされたのだ。彼らはトリンギット族の女性と結婚し、すべてうまく運んだ。船で水を補給するのに使われていた鉄のヤカンは特に財宝扱いされ、アシカの油の貯蔵に使われた。舟は燃やして釘が回収された」とシトカのマーク・ジェイコブス・ジュニアは記している。[71]

セント・ポール号は無事にカムチャツカに戻った。帰路に壊血病で命を失ったのは六人だけだったが一〇月九日にアバチャ湾に錨を下ろした後でラ・クロワイヤルが死んだ。八月一日には彼らは一日一回、茹でたライ麦粥を食べていたが、それが二日に一回になり、九月一四日以降は週一回に減った。通常であれば乗組員の食事は冷たいビスケットと海水に浸した塩漬け牛肉だった。水代わりに一日二杯に増やされたウォッカの備蓄もなくなってしまった。海水を蒸留したり、帆から雨水を集めていた。

九月九日、セント・ポール号はアダック島の沖合でアリュート族七人の舟の訪問を受けた。この時、乗組員たちはアリュート族に陸で水を樽に入れてきてほしいと頼んだ。「アリュート族は彼らの言うことを理解したが、樽は受け取らずに、そのためには革袋を持っていると言って見せた。アリュート族のうち三人が島まで漕いでいき水を取ってきた。近くまで来ると革袋を持ち上げ、ナイフ一本の支払いを望むと身振りで示した。ナイフはこの男に与えられたが男は革袋を渡さず、隣の男に渡し、その男がまたナイフを要求した。この男もナイフを受け取ると、隣の三人目の男に渡し、その男もまたナイフを要求した」。言い値を払った後、「これはアリュート族には良心があまり発達していないことの証明だ」とチリコフは書き残している。[72]

彼らが命拾いした水と交換したナイフは、北西海岸ですでに流通していた先住民の原産の銅のナイフや、再利用鉄で作られた鉄製ナイフと大した違いはないものだった。ロシア人が乗っていった船は先住民の皮舟や丸木舟よりも大きかったが機動性では劣っていた。ロシア人の火器も、小舟に乗って海洋上で戦闘や狩猟をするには、アトラトル（投槍器）や槍と比べると実用性で劣っていた。ロシア人の良心、あるいは知性がトリンギット族やアリュート族より発達していたということはなかった。歴史がロシア人に味方をするのは彼らの文字とそれで書かれた言葉の中だけなのである。

第2章　最後のアパッチ族

米政府は先住民族を居住地から追い出して保留地に囲い、抵抗し続けるアパッチ族の指導者ジェロニモを降伏させる最終的な戦いのために、太陽光反射による大規模なヘリオグラフ通信システムを作ったが、それはまるで現在の光デジタル通信網の祖先のようだ

一八八六年五月一日、北米初の大規模高速無線データ通信ネットワークが運用を開始した。ニューメキシコ州とアリゾナ州の約一五万平方キロに広がる、二七の基地局で構成された全光ネットワークは、その後の五カ月間で一通あたり平均五〇単語から成るメッセージ二二六四通を伝送した。

メッセージは約八〇キロも離れた基地間を、モールス信号に変換された太陽光線によって中継された。送信されるデータにはそれ以上の高度な論理処理が行なわれてはいなかったので、ライプニッツの大構想の実現に向けての控えめな第一歩に過ぎなかったが、一七四一年にロシア人がアルファベットの文字を携えてアメリカ大陸に到着した時と同じくらいに大きな時代の転換を告げるものだった。

作戦のターゲットは野放しのアパッチ族「インディアン」の最後の生き残りだった。ナイチとジェロニモという名の戦士がこの集団を率いており、一九人の男性、一三人の女性、六人の子どもで構成されていた。一八八六年九月四日、彼らはアメリカ陸軍将軍ネルソン・アップル

Pinnacle P^t

ピナクル岬が北1/2西6リーグの距離にある時の陸地の景観

トン・マイルズに降伏した。マイルズは新しいデータネットワークの構築と、終結が近づく一連の残虐なインディアン戦争の作戦の設計者を自称していた。「インディアンは呪われた種族であり、彼ら自身がそれを最もよく理解している」とマイルズは一八九一年に書き残している。[1]

ジェロニモたち反逆者の小さな一団は、戦争捕虜としてフロリダへ流刑になった。保留地に住んでいた四〇〇人以上の戦う意思がない親族たちと、捕まらない逃亡者たちを追跡するアメリカ陸軍を手伝ったアパッチ族の斥候（せっこう）たちも一緒だった。アメリカ側が斥候たちと交わした合意、保留地を定めた条約、そしてジェロニモおよびナイチとの約束は反故にされた。マラリア、結核、望郷の念、寄宿学校に子どもたちを奪われる苦しみを耐え抜いた彼らがアリゾナに戻るまでには、それから二七年の歳月を要した。故郷の家を取り戻すことはなかった。「マイルズ将軍が話していた土地に私は送ってもらえるのだと信じていたが無駄だった。将軍が約束してくれた道具、家、家畜の返却を待ち望んだが無駄だった」と流刑中のジェロニモは嘆いた。[2]

その四年前の一八八二年七月一七日、アリゾナ州キャニョン・ディアブロのシェブロンズフォークで、アパッチ族はアメリカの正規軍と公式には最後の戦闘を行なった。戦士ナ・ティオ・ティッシュが率いる、その数五四人のホワイト・マウンテン・アパッチの一団は、サン・カルロス保留地でインディアン警察署長と三人の斥候を殺害した後、一四人のアメリカ騎兵隊とアリゾナ州グローブの酒場から飛び出してきた民間人の集団の猛追を受けトント盆地へと逃走した。

グローブの追跡部隊は、夜間のアパッチ族の攪乱（かくらん）によって追跡の手がかりばかりか馬まで失った。騎兵隊は、モゴロン断崖を通り、北のナバホ族の領土に抜ける峡谷のひとつに姿を消した逃亡者たちのすぐ後ろを追った。「この台地を横切るように、火山の割れ目が、幅約六四〇メートル、深さ約三〇〇メートルの巨大な地表の裂け目として広がり、険しい道の両側には、ほぼ垂直の壁が何マイルも続いていた」と当時二二歳のブリットン・デイヴィス大尉は描写している。[3]

ナ・ティオ・ティッシュは追っ手の力量を見誤っていた。待ち伏せ作戦は失敗し、アパッチ族は、五つの部隊によって両側から挟み撃ちされて捕らえられた。デイヴィスによると、政府側の死者はわずか二名だったが、アパッチ側は二一名がその場で死亡し、五名が負傷の悪化により後に死亡した。デイヴィスは一八日の早朝に到着したので、戦闘には間に合わなかったが、現地で一八歳か一九歳のアパッチ族の女を武装解除した。夜明けに岩場の見晴らしのいい場所から、手元に残った三本の弾薬筒を使って兵士に発砲を仕掛けたこの女は、ライフルの弾丸を浴びて片足を骨折し、腕に生後六カ月の乳児を抱えていた。彼女の足は麻酔なしで膝から上のところで切断された。一週間後、この女は幼子を連れて政府軍のラバでアパッチ砦へと力なく戻っていった。

「ナンタン・グリーンホーン」の名で知られる第六騎兵隊E部隊のトーマス・クルーズ少尉は、ジェロニモの甥のアサ・〝エース〟・ダクルギーによると「アパッチ族に対して無知であったおかげで」戦闘で果たした勇敢な役割に対して名誉勲章を授与されることになった。[4] クルーズは、反対側の峡谷に待ち受けるアパッチの戦士たちと戦うため前衛部隊を率いて、午後三時に谷を横断した。「われわれが峡谷の底を流れる美しい小川に向かって断崖絶壁を降りていく間、明るい陽光がわれわれを照らしていた。誰かが上を指さしたので見上げると、昼下がりなのに星が見えたのだ！」[5]

アリゾナの空では、他の場所ならば大気中の水分により太陽光が散乱して見えなくなる昼間の星が見えるのだった。太陽光の減衰がほとんどないので、気温は摂氏四八度を超え、野外に放置された銃は素手で拾えないほど熱くなった。マイルズ将軍は、アパッチ族をアメリカ南西部の拠点から追い出すために、この遮るもののない熱放射を利用した。「具体的には高い山並み、まぶしく燃えるような日光、水分のない大気という、アパッチ族がこの国を征服する上で最も大きな障害だった要素をそのまま、われわれの利益、彼らの不利益として活用することを考えたのだ」とマイルズは解説した。「アパッチ族は火と煙、反射する金属片の閃光で短距離の信号を送ることができたが、われわれだって同じことができるだけでなく、すぐに彼らをはるかに凌駕することができると考えていた」[6]

その九年前、マイルズはネズパース族との真冬の作戦を指揮し、ジョセフ酋長の降伏とルッキンググラス酋長の死という戦果を挙げて終えた。ルッキンググラス酋長はその名前と、光を反射する首輪を父親から受け継いでいた。父親は「作戦行動を光線の反射を使って指揮する」戦闘指導者だった。[7]アパッチ族の戦士たちも信号用の小さな手鏡を持っていた。アパッチ族が、自分たちに向けて配備された通信網を得体の知れぬものとして恐れおののいたというのはマイルズ将軍の作り話である。ジェロニモとナイチは、嘘の約束によって降伏するように誘導されたのであって、光線によって伝達される暗号メッセージに敗北したのではなかった。

マイルズは、ニューメキシコ州とアリゾナ州の要所にヘリオグラフ（太陽光反射通信）の基地を設置し、散開する部隊に対して戦況と命令を伝達した。ジョージ・W・ベアードは《センチュリーマガジン》誌上でマイルズの功績を紹介する記事で「インディアンたちは峡谷をこそこそと忍び足で歩くか、馬などで迅速に移動していたが、山の峰から峰へと鏡を使って運ばれる光のメッセージを見て、どんな小細工をしても自分たちの痕跡を隠せないのだと悟って落胆した」と書いている。[8] 追撃されても敗れなかった反逆者たちだったが、アリゾナとニューメキシコから撤退し、ヘリオグラフ・ネットワークが届かないメキシコのシエラ・マドレに追いやられた。「ジェロニモと仲間たちは、すべての山の峰々にヘリオグラフの光が瞬くのを見て、ナチェ（ナイチ）に、直ちに出てきて降伏すべきだと伝えた」とマイルズは作戦終了時の陸軍長官への報告に書いている。しかしマイルズは、ジェロニモとナイチが武器を置いたのは、米国への安全な移動の確保と、降伏後五日以内の家族との再会と、二年間のフロリダでの禁固刑後の帰郷、アリゾナ当局からのすべての刑事責任の無罪放免を彼が保証したからだという説明はしなかった。[9]

マイルズ将軍がジェロニモたちゲリラの一団を追跡した全期間にわたって、アパッチ族は一〇〇対一以上の劣勢にもかかわらず、一人も殺されていなかった。降伏するまで捕虜になった者は一人もいなかった。ジェロニモの〝捕獲〟は神話である。

アパッチ族は遊牧民的な自律集団の緩やかな連合体だった。共通の言語と戦略的な部族間結婚の絆で結ばれ、一六世紀にスペイン人の征服者（コンキスタドール）がこの地に現れてからは彼らを共通の敵とした。アサバスカ族の末裔であるアパッチ族は北方よりこの地にやってきた。彼らの祖先は一万五〇〇〇年前にアジアからアメリカに渡り太平洋岸北西部に定住したが、後にアパッチ族と呼ばれることになる人々は南進を続けた。彼らはディネ（人々の意）と呼ばれ、様々な部族に分かれており、流動性を強みとしていた。砂漠のサボテンは小さな枝をいくつも伸ばし、枝が折れて落ちることで新しいサボテンが生まれ繁栄する。これと同じようにアパッチ族は小さな自治組織をスピンオフさせることに長けていた。

アパッチ族は大きく七つの部族に分かれていた。西部アパッチ族は七つの部族のうちのひとつで、さらに五つの下位部族、地理的に整理すれば一〇以上の小さな集団、親族関係では六二の氏族に分類できた。現代の大衆文学では「アパッチ」という語は時の権力者と対立する集団の意味で使われている。彼らは初歩的な農業しか行なわず、土着の植物、略奪した家畜、野生の鳥獣を主な食料としていた。乾燥した南西部では肉は腐らず乾ききってしまうので、彼らは狩った獲物を一頭ずつ日干しにして携行食にすることで、時間を無駄にすることなく長距離を移動することができた。アパッチ族は、その土地の動物を追い払い定住した人々が育てている肉牛を、躊躇うことなく狩りの対象にした。

アパッチという名前は定住農耕民のズニ族から、部外者または敵（apachu）と呼ばれていたことに由来するようだ。アパッチ族はズニ族の家畜や貯蔵穀物を略奪の対象にしていた。南西部プエブロ文化の特徴は、大量の考古学的記録が残る、要塞化された集落である。アパッチ族が周囲の土地を放浪したため、プエブロ族は手の込んだ防御の建設を強いられた。要塞集落はその状況の明らかな物証である。アパッチの活動領域は現在のメキシコのチワワとソノラの山々の奥深くまで広がっていた。その奥地はジェロニモやナイチのような、アメリカに捕獲されることを拒否した人々の最後の隠れ場所になった場所だ。

アパッチの領土を訪れた最初のヨーロッパ人の記録は、エステバン（またはエステバニコ）・デ・ドランテスという名前のモロッコ出身の黒人に関するものである。彼はイスラム教徒からキリスト教徒に改宗した奴隷でアラビア語を話した。一五二八年四月に六〇〇人と八〇頭の馬を率いてフロリダ西海岸に上陸した不運なナルバエス遠征隊の生き残りだった。ナルバエス遠征隊のうち三〇〇人は四〇頭の馬を連れて内陸へ探検に向かった。しかし彼らが海岸に戻ってくると、残りの隊員と船は彼らを無情に見捨てて出発した後だった。病気、先住民の襲撃、ミシシッピ河口を越えて西へ進むために造った粗末な船の難破、人肉食に至るほどの飢餓が彼らを襲った。捕虜として生き残った二人と、脱走して太平洋岸に向かった四人を除いて全員が死亡したと記録されている。

エステバン、その主人アンドレス・ドランテス、そして二人の仲間アルバル・ヌニェス・カベサ・デ・バッカとアロンソ・デル・カスティージョ・マルドナードは、テキサス海岸で捕らえられ五年間奴隷にされた。彼らは脱走し、信仰治療師や放浪の預言者の姿に扮した。すると行く先々の部族から広い支持を集めた。四人は約二年後にカリフォルニア湾に到達した。彼らはそこでシナロア出身の奴隷狩り組織集団に遭遇した。奴隷商人たちは地元の集落の住民を収奪していたが、この四人の遭難者を捕まえて、すでに鎖でつながれている数百人の捕囚者に加えようとした。

カベサ・デ・バッカによると、先住民の奴隷仲間たちは四人が奴隷商人と同じ人種であることを信じようとしなかった。「われわれは日が昇る方角から来たが、奴隷商人たちは日が沈む方角から来たからだ。われわれは病気を治したが、奴隷商人たちは健康な者を殺した。われわれは裸で靴もなくしていたが、奴隷商人たちは服を着て馬に乗っていたから」[10]。四人の生存者は一五三六年七月にメキシコシティに到着した。彼らはヌーニョ・デ・グスマン総督から衣服を支給されたが、カベサ・デ・バッカの記述によれば「私は長い間、衣服なしでも耐えられたし、何も敷かない床の上以外に寝る場所がなくても平気だった[11]」。

一五三七年、ニュー・スペイン副王のアントニオ・デ・メンドーサがエステバンを買って自由にした。エステバンは一五三九年に、フランス生まれの修道士マルコス・デ・ニサと共に伝説の黄金の七都市シボラへの偵察に派遣された。マルコスだけがペルーから裸足で歩いて帰ってきた。北方のプエブロにある富についてかなり誇張した説明をしたが、エステバンは一緒に帰ってこなかった。エステバンはマルコス一行の中で黄金の七都市に到達した唯一のメンバーだったが、この頃にはバラバラ死体の姿になっていたのである。

コロナド遠征隊の一員で、シボラへの旅には参加しなかったが、後に記録をまとめたペドロ・デ・カスタニェダ・デ・ナヘラによると、エステバンは牧歌的な旅の始まりの時期に「インディアンが与えた女を抱き、トルコ石を集め、女と石の両方を大量に蓄える」ことに夢中になっていた。修道士たちはこのような行為に不快感を示したが、それでもエステバンにシボラへの道案内を任せた。「到着すれば報告材料を集めること以外に考えることはなくなるだろう」。エステバンはアパッチの領土を無事に通過した。だが「多数のトルコ石と数人の美女を積んで」ズニの要塞に到着すると、彼は集落の壁の外に隔離され、身分証明を要求された。丸三日間、エステバンは釈明を続けたが、ズニ族の議会は彼の処刑を決めた。「白人の土地から白人によって送られてきたと言うが、彼が黒人であることが、筋が通らないように思われたからだ[12]」

その一年後、一五四〇年六月二四日に、マルコス修道士の報告を受けて、フランシスコ・バスケス・デ・コロナドの率いる武装した一団は、七五人の部下と共に、現在のアリゾナ州の南東端、アパッチ・パス近郊のサルファースプリングス谷にある、チリカウア・アパッチの領土の廃村チチルティカレから北へ向かって出発した。彼らは、かつてシボラの集落の外砦であったチチルティカレのことを「前代未聞なほど野蛮なこの地区の住民が破壊したに違いない要塞」と表現している。[13]その遊牧民はまだアパッチ族とは命名されておらず、スペイン人が興味を持つような固定資産を持たず、狩猟で生活し、あちこちに散らばって野営生活をしていた。スペイン人は、ここから北のズニ族プエブロまでの土地を「消滅集落」(despoblado)と呼んだが、消滅とはいっても人が住んでいないという意味ではなかった。コロナド遠征隊は先住民によってよく利用される交易路をたどっていたのだ。

エステバンとは対照的にコロナドは人が住まない土地で多くの馬と人命を失った。遠征隊は、飢餓に近い状態でズニ族の集落の門の前に到着したところで住民と膠着状態に陥った。コロナドらがスペイン国王の名を告げた時、ズニ族から矢が一本放たれて「修道士ルイスのガウンを貫いたが、神の祝福により害は及ばなかった」。[14]ズニ族の敵意がさらに明らかになると、修道士たちは空腹のあまり判断力が低下し、外交重視の指示を取り下げ、攻撃を許可してしまった。

ズニ族は矢の雨で応戦し、続いて屋根から石を投げてきた。コロナドによると「私の鎧が金色に輝いていたので、攻撃が私に向けられた。このため私は他の者よりもひどく負傷した」。コロナドは戦いの最中に意識を失って安全な場所に運ばれた。「石が当たったところが少し痛み」はしたが生き延びた。スペイン人は石弓と火縄銃で応戦し勝利した。ズニ族の守備隊をプエブロから追い出し、彼らが残した物品で宴会を開いた。コロナドによると、ズニ族は「今まで見た中で最高のトウモロコシパン」と、ズニ族が「単に羽根を取るために」飼っていたにもかかわらず

「非常に美味で、メキシコのものより良い」野生の七面鳥を発見した。コロナド隊の将校の一人は、この略奪品を「金銀よりもわれわれに必要なもの、それは多くのトウモロコシ、豆、家禽、そして塩で、私がこれまで見た中で最も良質で白いものだった」と描写している。[15]

「消滅集落」に住むアパッチ族は、侵略者たちを監視していたが、彼らが通行する時には姿を消した。「初日の行進においてインディアンは目撃されていない」とコロナドは副王に報告した。「その後、四人のインディアンが平和の印を持って出てきて、その寂れた土地でわれわれに歓迎の意を表するために派遣されてきたという意図を告げた。翌日には部族から全軍に食料を提供すると言った」[16]。スペイン人は、アパッチ族が道のひとつで待ち伏せを準備していると疑ったが、発見されて挑まれるとアパッチ族は逃げ出した。

コロナドと将校たちはアパッチの発煙信号の使い方に驚嘆した。「彼らの発煙は遠距離と応答し、われわれが知っているやり方と同じ水準の部隊連携を実現していた」[17]。アパッチ族とズニ族がコロナドの遠征隊の追跡と反撃にどの程度連携していたかは不明である。しかし、ズニ族は後にコロナドに、エステバンが処刑されたのは「チチルティカレのインディアン（アパッチ族）が彼は悪い男で、彼らが何よりも愛する女性たちに暴行したと言ったせいだ」と説明した。[18] エステバンの骨は集落の住民に配られた。侵入者が不死ではなく、死んでいることを知らしめるためだった。そしてズニ族はチチルティカレに使者を送り、住民たちにまた侵入者が来たら殺してしまえと忠告した。彼ら自身が殺さないのであれば、ズニ族に助けを求めよ、「すぐにやってきてわれわれがやってやる」と約束した。[19]

チリカウア族は最初に外国人と出会い「白眼」と呼んだ最初のアパッチ支族であり、この三四六年後、戦いを最後まで戦った部族になった。彼らはスペイン人、メキシコ人と不穏な共存を始めた。外国人は要塞化された町に閉じこもった。一方でアパッチ族は奥地を支配し、植民地の前哨基地と待ち伏せしやすい補給貨車を襲い、銃器、織物、蒸留酒の材料になるメスカルなどの貴重品を手に入れた。このチリカウア族の領土の中心部は最後まで占領されることはなく、三〇〇年の間、すべての入植の試みは追い払われた。メキシコ政府は、戦いでアパッチ族を倒すことができなかったので、一八三五年からアパッチ族の頭皮に子ども二五ペソ、女性五〇ペソ、男性一〇〇ペソの懸賞金をかけた。多くのアパッチ族とアパッチ族でないインディアンが頭皮のために殺された。

一八四六年から一八四八年の米墨戦争と一八五四年のガズデン購入の後、アパッチの伝統的な領土のほとんどがメキシコからアメリカ合衆国に譲渡された。新しい境界線は依然として自由に通り抜けが可能だった。国境を越えて双方向を襲撃するアパッチ族だけでなく、「アパッチ」の頭皮をメキシコの銀と換金するアメリカのフリーランスの賞金稼ぎや、国境を越えてアメリカに侵入するメキシコのフリーランスの奴隷商人も通り抜けることができた。

南からやってくるメキシコ人に加えて、開拓者、鉱脈探しの試掘者、軍事遠征の兵隊とその随行者が、ゴールドラッシュ時代のカリフォルニアから追い出された無法者や放浪者と共に、西からアパッチ族の領土に押し寄せた。この新参者たちは短髪で髭を伸ばしていた。髪を肩まで伸ばし、顔の毛をすべて抜いているアパッチ族の戦士たちの好みと反対だった。

アメリカ人の振る舞いはメキシコ人よりも改善されたように見え、当初は歓迎された。しかし、入植者が水源、鉱物、放牧地を専有するようになると、アパッチ族は考えを変え、反撃に転じた。開拓者の荒くれ者たちが正規軍兵士の支援を受けて抵抗勢力に対抗したので、双方で残虐行為がエスカレートした。正規軍と非正規軍はアパッチの野営地だけでなく、彼らの食料供給路も破壊したので、生存者はさらに攻撃的になるか、飢えるかを余儀なくされた。多くの入植者が殺された。そしてアメリカ人の兵士が南北戦争のために撤退を始めた時、アパッチ族には自分たちが侵略者を追い返したかのように見えた。

アリゾナとニューメキシコは、北軍と南軍の陣営に分かれて忠誠を誓った。アパッチ族は両陣営から被害を受けた。南軍のアリゾナ州知事ジョン・R・ベイラー中佐は、アリゾナ州警備隊長に「アパッチ族や他の部族を説得し、和平交渉の場に参加させるためにあらゆる手段を尽くせ。もし彼らがやってきたら全員を捕らえて、大人のインディアンは皆殺しにし、子どもの囚人は売り飛ばして費用の足しにせよ」と指示した[20]。ジェファーソン・デイヴィスと陸軍長官G・W・ランドルフは、この命令を取り消しベイラーの指揮権を解いた。一方ニューメキシコの南軍司令官であったH・H・シブリー准将は「ナバホ族とアパッチ族の奴隷化を合法化する」政策を打ち出し、反インディアン活動への民間組織の参入を奨励した[21]。北軍側のジェームズ・H・カールトン将軍は、ニューメキシコ州の指揮を執った後、キット・カーソン大佐に「指示があるまで、メスカレロ族とメスカレロ地域にいる他のすべてのインディアンに対して戦争を仕掛けろ。その部族のインディアンの男は、いつでもどこでも、見つけ次第すべて殺せ。女と子どもには危害を加えず捕虜にすること」と命じた[22]。

ジェロニモが戦争指導者に昇格するのは、一八六三年にミンブレニョス族の族長マンガス・コロラダスがアメリカ兵によって超法規的に処刑された事件の後のことである。このマンガスという人物は一七九〇年代初頭に生まれ、メキシコ人との戦争を目にしながら育った。最初はアメリカ人に協力しようとしたが、捕虜になって鞭打たれる事件があって以来、アメリカ人に敵意を持つようになり、チリカウア族とその指導者コーチセと同盟を結んだといわれている。この同盟は、アメリカ人との戦いをよく持ちこたえていたが、榴弾砲を配備したカールトンのカリフォルニア義勇軍の一隊がやってきて、この「荷馬車砲」を使ってアパッチ・パスの防御拠点を砲撃すると状況が変わった。マンガスは他の戦士たちの反対を押し切って、ジョセフ・レッドフォード・ウォーカーが率いる入植者と探鉱者のグループとそれに同伴するエドモンド・D・シャーランド率いる騎兵隊そしてカリフォルニアの義勇兵団が掲げた停戦の旗に応じて交渉に臨むことを決めた。

ダニエル・エリス・コナーが語るところによれば、一八六三年一月一九日、彼らは廃鉱の町ピノス・アルトスの近くで野営していた時に、「白旗を掲げて見せることで、何人かのインディアンをわれわれの前に引き寄せることに成功した」。アパッチ族を射程距離に捉えたウォーカーたちは「銃を突きつけ、マンガスに動かずに降伏するよう命じた」[23]。マンガスはマクレーン砦に連行され、ジョセフ・R・ウエスト将軍の保護下に置かれ、公式記録によると「何らかの逃げようという素振りがあれば射殺せよ」という指示を受けた二人の警備兵の監視下に置かれた。「あの荒涼とした草原は、厳しい寒さだった」とコナーは書いている。「マンガスが横たわっているのは二人の警備兵の持ち場が交差する場所だった。そこ以外には火の気がなかった。真夜中の少し前に、私はマンガスが時折身体を動かしているのに気づいた。警備兵たちが銃剣を火で熱して、マンガスの足やむき出しの脚の部分に突きつけているのが、火の光ではっきりと見えた。マンガスは時々、熱い鉄から自分の手足を守ろうとしていた」。真夜中直前、遠くから見ていたコナーは「マンガスが左肘をついて立ち上がり、歩哨にスペイン語で、自分は遊び相手の子どもではないと威勢よくまくし立てた」のを目撃した。警備兵はそれを合図にした。「彼が叫び始めると、歩哨たちはすぐにミニエー銃を彼に向け、ほぼ同時に発砲した」[24]

夜が明けると、カリフォルニアから来たジョン・T・ライトという兵士がマンガスの遺体の頭皮を剝いでから、浅い墓に埋葬した。数日後、死体は掘り起こされ、首を切られた後、頭部は大きな鉄鍋で煮込まれた。ウエスト将軍は、マンガスは逃亡の末に殺されたと報告書を提出した。陸軍外科医D・B・スタージョンは、この頭蓋骨を骨相学者オーソン・S・ファウラーに渡した。ファウラーは「今まで見た中で最も幅が広い人間の頭蓋骨」で「狡猾さ、破壊衝動、知覚能力に関して比類ない」ものだと報告した。スタージョン博士は「私はこのインディアンが撃たれた数分後にこの目で見ており、私のために頭蓋骨を特別に処理させたものだから出所は保証できる」と付け加えた[25]。この頭蓋骨はニューヨークで展示された。

南北戦争が終わると、国の政策は殲滅から集中に移行した。軍隊は残ったアパッチ族を四つの保留地へ移動させるために配備された。保留地では民間企業や請負業者がインディアンの福祉に責任を負っていたが、彼らは皆、自分たちの金儲けにしか関心を持たなかった。アパッチ族の悲劇の歴史は、合衆国陸軍と対立するアパッチ族の物語であると同時に合衆国陸軍（陸軍長官の管轄）対インディアン事務局（内務大臣の管轄）の物語でもある。地方のインディアン事務局は汚職にまみれていた。事務局の人間の保留地のインディアンに対する扱いは、逃亡時に殺害または再捕獲するために雇われた職業兵士や斥候よりもひどいものだった。

アパッチ族は三〇〇年にわたるスペインの支配から馬以外ほとんど得たものはなく、アメリカからも「西部を制した銃」ウィンチェスター・リピーティング・ライフルを除いてほとんど得たものはなかった。ブリットン・デイヴィスによると、南北戦争後、ブリーチ装塡式ライフルが流通するようになると、アパッチ族は「最新型のウィンチェスター・マガジン・ライフルを装備していた。われわれの兵士やスカウトが装備していた単発のスプリングフィールドよりも優れた武器だった」[26]。奇襲が必要なとき、弾薬が切れたとき、あるいは夜間に火器が使用できない時、アパッチの戦士は弓、矢、槍に回帰した。槍は軍用サーベルよりも遠くまで届き、引き抜きやすいため、接近戦ではより効果的な武器であった。「われわれは槍の長い鋭利な刃先が、簡単に引き抜けるので好んだ」とダクルギーは説明する。アパッチ族の弓矢による攻撃は、銃による攻撃よりも、アリゾナ入植者に恐れられていた。「最初に放たれた矢が地に落ちるまでに、七本の矢を放つことができる者を知っている」とダクルギーは回想する。「自分もかつてはそんなことができたものさ[27]」

アパッチ族は、最初の保留地への封じ込め政策にも、「永久に」約束された土地が取り消されて幾度も移転を命じられた時にも、抵抗した。一八七三年から一八七七年にかけて、ウォーム・スプリングスやその他の地域に住んでいた人々は、人が住まないサン・カルロス保留地へと強制行進させられた。保留地では長年の敵の部族と一緒に住まわされた。彼らの不満を生み出すように仕組まれたシステムだった。「サン・カルロスか！　アパッチ族から奪った広大な領土の中で、最悪の場所だった。そこにかつて長く住んでいた者がいたのかどうか、アパッチ族だって知らなかった」とダクルギーは回想している。「草がなく、獲物がいない。暑さはひどかった。虫もひどかった。水もひどかった[28]」

捕虜は自給自足で生活し、首から番号IDタグを下げさせられた。「平和的な非戦闘員だったわれわれが保留地を追い出されてから、一八八六年にアリゾナのホルブルックで列車に乗せられフロリダに運ばれるまで、われわれは自分たちの土地の森や平原で、まるで野生動物のように狩られてきた」と、当時少年で後にナイチの娘婿になるジェームズ・カイウェイクラは説明している。「一〇歳くらいになるまで、暴力以外で人が死ぬということを知らなかった[29]」。水が悪く、作物が育たず、獲物が少ない保留地に彼らが閉じ込められていたのは偶然ではなかった。ジョン・グレゴリー・バークによれば、「アパッチは征服するのが難しい敵であった。それは彼らが策略や奇策が得意で、戦争に関するあらゆることに精通していたからというわけではなく、物質的欲求をほとんど持たず、偉大な母なる自然が与えてくれるものにほぼ完全に依存していたからである。我が国の政府は、彼らを、ある保留地に移すまで、誰一人として飢えさせることができなかったのだ[30]」。

バークは、アパッチ族の勇気と誠実さに心を動かされ、彼らを守るために発言するようになった陸軍将校の一人であった。「裏切り、高官の約束違反、嘘、窃盗、無防備な女や子どもの虐殺など、人間の非人道的行為に関わるあらゆる犯罪において、インディアンはズブの素人だった」と、不満から軍を去ったブリットン・デイヴィスは回想している。「インディアンを犯罪の小売店だとすれば、われわれは犯罪の卸売業者だ。われわれはインディアンのやり方を学び、われわれの優れた知性をもって、それを改良していった。唯一採用しなかったのはインディアンが捕虜を拷問する方法だ。われわれのやり方の方が優れていた[31]」

バークはジョージ・クルック将軍の副官を務めた。バークはクルックのことを「インディアンよりインディアンらしい」と評している。クルック将軍のスタイルはマイルズ将軍のそれとは正反対であった。マイルズの自伝『Serving the Republic』は、三四〇ページにわたる独善的な年代記で、青い布地に彼の軍服に編みこまれた星の複製を金箔であしらった装丁だった。クルックは風雨にさらされたキャンバス地のコートに身を包み、トレードマークのカーキ色のヘルメットを帽子の代わりにかぶっていた。彼は簡潔な公式報告書を提出したが、自伝は死ぬまで未完成のままだった。騎兵隊の司令官でありながら、アパッチという名のラバに乗りすべての作戦行動を共にした。一八九〇年にクルックが亡くなると、ラバのアパッチはネブラスカ州のオマハ、プラット地区の本部で「名誉ある引退生活を送り手厚く保護された」。

クルックの成功は、馬よりもラバを好んだことと、敵を熟知し、さらにアパッチの斥候を雇ったことにあった。彼は、ラバという不従順な動物に荷物を積んで管理するやり方を改め、馬を用無しにした。少なくとも一度は准将自身がラバの荷造り人と間違われたことがある。「正規軍はメカジキの群れに襲われたクジラのように無力だ」とクルックは陸軍長官に説明した[32]。反逆者のアパッチ族を追跡する唯一の方法は、協力的なアパッチ族を斥候として雇うことだった。「インディアンの斥候を補助要員として、あるいは支援なしの独立要員として使用しなかったなら、インディアンに対する作戦で成功することはできなかっただろう」とクルックは公式の作戦報告書に記している。[33]

クルックは、異なる部族間の長年の対立をうまく利用した。そして彼は辺境の原野で他の場所には適応できないような人材を次々と見つけてきて、アメリカ人兵士とアパッチ族斥候の間の仲介役として採用した。アル・シーバーは、記録上誰よりも多くのアパッチ族を殺したドイツ人で、一七年間斥候のチーフを務め、二九回負傷した。いや一九〇七年、ルーズベルト・ダムへの道を建設中のアパッチ労働者を監督していたとき、不審な状況下で彼の上に転がり落ちた大きな岩に押しつぶされ死亡したことを計算に入れるならば三〇回負傷した。ミッキー・フリーは、母親がメキシコ人、父親がアイルランド人で、子どもの頃にアパッチに捕まって育てられ、三カ国語の通訳者（ジェロニモに言わせれば誤訳者）、追跡者、殺し屋として活躍した。トム・ホーンはラバの荷造り人で射撃の名手だったが、かつてクルックの作戦やアメリカ陸軍への貢献が不十分とみなされ絞首刑に処される寸前で許されたという波乱万丈の過去を持っていた。ホーンは絞首台の前で待っている時「母は背が高く力強い女性で、私を鞭打ち、泣きながら、インディアンの習慣をやめさせることが私のためになるのだと言っていた」ことを回想したという。[34]

一八八二年、アパッチの隠遁（いんとん）預言者ノーチェ・デル・クリンネが無抵抗だったにもかかわらず殺害されたことで引き起こされた反乱の後、クルックは再びサン・カルロス保留地の責任者に任命された。預言者クリンネは、死んだアパッチ戦士たちが復活し、祖国と伝統の生活様式に回帰することを約束する神の啓示に取りつかれていた。軍から反乱を煽動したと非難されたが、実際は逆で、非暴力の道を歩むことで、アパッチ族が生き残り、最終的に自滅する侵略文明をしのぐことができると説いていた。

クルックは最初の一カ月間、駐屯地から一・五キロ離れたテントで暮らし、戦いに巻き込まれたアパッチ族から直接証言を集めた。そして自軍の将校を野営地に招き、彼らの言い分を聞き、そこから両者の関係の再構築を進めた。アパッチ族の情報提供者の一人、アルキサイは「あなたがここを去った時点では、万事がうまくいっていた。悪いインディアンは一人もいなかった」と証言した。「あなたの部下だった将校は皆いなくなり、違う種類の新しい将校が入ってきた。良い者はすべて連れて行かれ、代わりに悪い者が送り込まれてきた。彼らが何を望んでいるのかわからなかった。ある日にはああしろと言ったかと思えば次の日にはこうしろと言う」[35]

クルックの管理下になった一八八二年から一八八五年のジェロニモ暴動までの間、番号ＩＤタグの着用に同意したアパッチ族は、軍事要塞の目の届くところで捕虜として生活するのではなく、保留地の辺境に住むことを許された。クルックは「このタグを下げていないインディアンはすべて敵対者とみなす。保留地の外にいるすべてのチリカウア族と他の部族が中に入るまで私はお前たちを毎日数えているのだ」と警告した。[36] 彼はインディアン事務局担当者と下請け業者の汚職の関係を暴露し、新たな担当者に入れ替えた。後任としてやってきた人材には、ターキー・クリークに移転したチリカウア族集落の担当になったブリットン・デイヴィスや、ジェロニモから個人的に信頼されロングノーズという名前を与えられたチャールズ・ゲートウッドなどがいた。一八八三年、ホワイト・マウンテン・アパッチは約六一トンのジャガイモ、約八一トンの豆、約九〇トンの大麦、約一一八〇トンのトウモロコシを生産した。[37]

デイヴィスは政府から支給された重い鉄製の鋤（すき）などの農具を配ることになった。ジェロニモの戦士たちは「鞍なんてつけたことがない」小型の戦闘用の子馬に「二頭分の大きさの」馬具をつけサン・カルロス川の川底を全力疾走で渡らせた。鋤の刃が硬い地面の上を滑ってしまい、ほとんど跡がつかないのを見てアパッチ族と一緒に笑った。かつての敵の中に一人で入り込み一年が過ぎる頃デイヴィスは「彼らに対する印象が変わってきた」と書いている。「彼らは動物よりは少しましだが人間とはちょっと違う、警戒すべきもの、永遠に疑いの目を向けられ、コヨーテを殺すのと同じように良心の呵責(かしゃく)を感じずに殺してよいもの、人間同士として向き合う余地などないもの、などという間違った思い込みが消え去った[38]」

一八八五年五月、チリカウア族が再び蜂起した。その人数は五〇〇人以下にまで減っていた。その中には、ビクトリオ、マンガス・コロラダス、コーチスの二人の子孫を含む少数の戦士の一団がいた。マンガス・コロラダスの孫で、コーチスの末子であるナイチは、彼らの世襲の長であった。ジェロニモは、彼らの戦略家であり代弁者だったが、出生ではなく結婚によってチリカウア族になっていた。「私は一八二九年六月、アリゾナ州ノドヨーン・カンヨーン、ギラ川の源流域で生まれた」とジェロニモは一九〇六年に回想している。「私は太陽に暖められ、風に揺られ、木々に守られていた[39]」。彼のアパッチ名はゴヤアウエ「あくびをする者」だった。

一七歳の時、ジェロニモは幼なじみのアロペと結婚した。アロペの父親は、彼女のために「子馬の群れ」を要求した。ジェロニモはわずか数日後に必要な数の子馬を連れて戻ってきた。「公平なアロペ」は絵師で「家の壁にたくさんの絵を描いてくれた」と新郎のジェロニモは語った。「すぐに三人の子どもが生まれてきた……子どもたちは遊び、歩き、働いた。私もそうしたようにね」[40]。一八五八年の春、牧歌的な生活は終わりを告げた。ソノラへの交易遠征の際、戦士が不在になった部族の野営地がメキシコ軍に襲われた。死者の中にジェロニモの母親とアロペ、そして三人の小さな子どもたちが含まれていた。

ジェロニモは、その後、コーチス率いる復讐の遠征に参加した。復讐への渇望と、平和な時代だったらシャーマンになれたはずの強大な力によって、ジェロニモは他のすべての戦士を圧倒する働きを見せ、伝説の戦士コーチスさえも凌駕した。やがて自らメキシコ軍を相手に戦隊を率いるようになった。伝説によると、ジェロニモがメキシコ兵を殺しているとき、メキシコ兵たちはセント・ジェローム（ヒエロニモス）に助けを求めて祈ったという。その願いは叶わなかったが、その名は残った。

天性の政治家であるジェロニモは、これから悲劇がどのように展開されるかを予感し、歴史における自らの役割を強く意識していた。一九〇五年には流刑中だったが、セオドア・ルーズベルトの大統領就任パレードに参加するため外出休暇の許可を得た。その際、新大統領に流刑地からの自国民の帰郷を訴えたが、拒否された。九人の妻を持ち、保留地で四回の反乱を起こしたが、意に反して捕らえられたのは一度だけであった。重要人物であるジェロニモは、反乱時に降伏を申し出ることで誰かを出世させ、逃亡を図ることで誰かの出世を阻むことができた。ジェロニモはマイルズ将軍もクルック将軍も自分を裏切ったと考えていた。最後の一発まで戦って自刃した男ビクトリオを見習うべきだったと、降伏したことを後悔していた。

ジェロニモは決して謝罪しなかった。彼がそれまで人を殺したのは、ほとんどがメキシコにおいてであり、正当防衛だったと主張した。「皆が自分たちに敵対していると感じていた。もし保留地に戻れば刑務所に入れられ殺されるだろうと思った。もしメキシコに留まれば、彼らはわれわれと戦うために兵士を送り続けるだろうと思った。だから情け容赦などしなかった[41]」。一八九〇年にクルック将軍に事情聴取されたナイチは「恐ろしかったのだ。あれは戦争だったのだ。われわれを見た者は誰でも殺そうとしたし、われわれも同じことをした。生きたいならそうするしかなかった」と同意している[42]。

一八八五年五月一八日、ナイチとジェロニモは、三二人の戦士、武器を持てる年齢の八人の少年、九二人の女性や子どもたちとともに、サン・カルロス保留地で電信線を切断して逃走し、約一九〇キロを走破した後、休憩に入った。クルックはすぐさま追跡のための斥候隊を組織した。ジェロニモのいとこの一人、ジェイソン・ベッツィネスは「彼らは、また新たな作戦に出られるという期待に胸を膨らませていた」と回想している。「苦難も危険もものともしなかった。冒険こそ望むところであり、同じ民族と戦うことも問題ではなかった[43]」

逃亡者の一行はメキシコへ向かう途中と、その後アメリカへ戻る際に、多くの犠牲者を出した。その中には、マーティンとジェームズ・マッキンという若い二人の兄弟が含まれていた。一八八五年九月一一日、二人はニューメキシコ州ミンブレス川の支流ガリーナ・クリークで、父親の牛の放牧中に奇襲を受けた。一五歳のマーティンはライフル一発で死亡、一一歳のジェームズは「棒や石でかなり抵抗した」末に捕虜になった[44]。

クルック軍は二〇〇人以上の斥候と共に、シエラ・マドレに続く道を追跡したが、ジェロニモとナイチを追い詰めることも、戦いに呼び込むこともできなかった。一八八六年一月、ジェロニモとナイチは、複数の脱出経路を持つ拠点から、妻の二人を使者として送り、二カ月のうちにアリゾナ州境にあるアパッチ族が選んだ会議場の場所、メキシコのキャニョン・デ・ロス・エンブドスでクルックと会談することを約束した。

クルックは、メキシコ軍と最後の決着をつけようとしているアパッチ族を待った。ジェロニモは、アメリカへの安全な道を提供してくれるアメリカ兵よりも、自分の首に賞金をかけたメキシコ人と、自分の絞首刑を望むツーソンの市民を恐れていた。「私は、インディアンが野営している地点に向かい、一八八六年三月二五日に彼らと初めて面会した。敵は止むことのない追討作戦に疲弊しているにもかかわらず、体調は完璧で隙間なく武装し弾薬を大量に持っていることを知った」とクルックは報告している。[45]

ジョン・バークがこのアパッチ族の野営地で目にした少年をこう記録している。「青い灰色の目、ひどいそばかす、薄い眉毛とまつ毛、かなり日焼けして水ぶくれになっていた。かつては白かったはずの古びたハンカチを頭にしっかりかぶっていて髪が見えなかった」。この少年がジェームズ・マッキンで、チワワ族から与えられた「サンチャゴ」という名前で呼ばれていた。彼はこの名前に愛着を抱いていた。「この少年は若い仲間に親切に扱われており、われわれが話をしても邪魔は入らなかった」とバークは書いている。[46]

マッキンは、トゥームストーンの写真家カミラス・S・フライによって撮影され、《ロサンゼルス・タイムズ》紙でこの作戦を取材していたチャールズ・ルミスによって、次のように報じられた。「荒々しい野生児たちの中にひときわ目を惹く者がいた」、「この不憫な少年は、泥まみれで、野生のコヨーテのようで、私は目頭が熱くなった」。マッキンはいまや「アパッチ化」して「完全にインディアン化」しておりアパッチ語しか話さず「白人と一緒に砦に行くことを頑なに拒否したので、チワワ族が彼を連れてこなければならなかった」。両親のもとに戻してやると告げられたマッキンは、アパッチ語で「『戻りたくない、ずっとインディアンと一緒にいたい』と答えた。故郷に戻れば楽しい生活が待っていることをあらゆる手段を尽くして説明したのだが、少年はそれを望まなかった。その振る舞いは、まるで罠にかかった若い野生動物のようだった」[47]。

有象無象の集団がアメリカ軍を相手に持ちこたえていることは政府にとって苛立たしいことであったが、彼らが強い立場で交渉に挑んできたことはさらに都合の悪い事態だった。クリーブランド大統領は、無条件降伏を要求する一方で、クルックに、アパッチ族に対して、彼らを捕虜にする代わりに命は助ける確約を与える権限を与えた。クルックが受けたのは「降伏を引き出すのに必要でない限り、敵に一切の約束をしてはならない」という意図的に曖昧な内容の指示だった[48]。クルックが大統領からの最後通牒を言い渡すと、死闘を望んでいたジェロニモとナイチは断固拒否を表明した。

二日間に及ぶ話し合いの末に妥協が成立した。一八八六年三月二七日、クルックは「彼らを、二年を超えない期間、希望する家族と共に東部に配流する」という条件の下で、ジェロニモとナイチの降伏を受諾した[49]。二五日にアパッチ族に対する不当な扱いについて長広舌をふるいながら交渉を始めたジェロニモだったが、二七日には合意に至るまでほとんど何も語らず、静かに降伏を受け入れた。「かつては風のように動き回ったが、今は降伏する、ただそれだけだ」とジェロニモは語った[50]。

クリーブランド大統領は考えを変えた。三月三〇日、「大統領は、二年したら保留地へ戻されるという理解の上で東部に投獄するという降伏条件を認めることはできない」とフィリップ・H・シェリダン将軍はクルックに電報を送った。シェリダンは、降伏が無条件でないならば「敵を殲滅し、さらなる敵対行為を阻止する作戦計画を作れ」と命じた。[51] クルックが合意を翻(ひるがえ)せというこの指示を受け取った時、ジェロニモとナイチは逃亡していた。

三月二七日の夜、アパッチ族と軍隊が国境の南側で隣り合わせに野営していた時、スイス系アメリカ人の密輸業者兼盗品家畜商ロバート・トリボレットが、アパッチ族の野営地に十数リットルの安いウィスキーを提供した。この時ウィスキーに「ジェロニモとその共犯者はアリゾナに戻れば絞首刑になるから逃げた方がいい」という警告文が添えられていた。この嘘の情報は、ジェロニモのためというより、政府との契約で利益を得ていたツーソン商人のシンジケートが対アパッチ戦を長引かせたかったがために作られたものだった。彼らは反乱者を必要としており、ジェロニモは最後の一人だったのだ。インディアン以外の犯罪者が行なった牛の窃盗の多くがアパッチ族の仕業にされており、罪を擦(なす)り付けるべき無法者のアパッチがいなくなるのは、トリボレットのビジネスにとって不都合だったのだ。

「三月二八日の夜明け前にアルキセとカエテナがやってきてクルック将軍を起こし、チリカウアの酋長の一人であるナチタが泥酔して立てなくなり、地面に突っ伏していると伝えた」と、怪我人が出る前に状況を打開しようとクルックと現場に同行したバークは書いている。「われわれはすぐにジェロニモ、クトリ、そして二頭のラバに乗った三人のチリカウア族の戦士に出くわした。皆、大酒を飲んでいた[52]」

介入は遅すぎた。クルックは、後にナイチに「なぜ逃げたのか」と尋ねると「連れて行かれた者は全員死ぬと思ったからだ」とナイチは答えた。逃げ出す前になぜ飲酒したのかについては「そこに大量のウィスキーがあって、飲みたかったから飲んだのだ[53]」。ジェロニモとナイチと共に逃亡した一団は、男一九人、少年三人、少女三人、女一三人だった。その中の一人ビクトリオの妹のロゼンは、誰よりも射撃がうまいだけでなく、軍の荷馬隊列を襲撃して、弾薬を運ぶラバのみをアパッチの野営地に引き連れて帰ったことがある人物だった。ダクルギーによると、ロゼンは千里眼を持っており「敵の位置を特定し、その距離さえも知ることができた[54]」。クルックがジェロニモの逃亡をワシントンに報告すると、「唯一の良いインディアンは死んだインディアンだ」という発言で有名なシェリダン将軍とクリーブランド大統領は共に激昂した。「彼の身に何も起きないことを望んでいる、何かあればわれわれは彼を捕虜として扱えなくなってしまう」。だが大統領は後にこう書いている。「もし彼を絞首刑にできないのだとしたら、ここで何か起きるというのも、むしろ喜ばしいことだが[55]」。四月一日付けでクルックは辞表を提出した。彼はアパッチとの約束を破り、降伏条件を破棄することが嫌だった。そんなことをすれば逃亡者たちがアメリカ政府への不信を深めるとわかっていたのだ。

マイルズは対アパッチ作戦の間ずっとクルックの戦術を陰で批判してきたが、かねて切望していたクルックの職を奪うだけでなく、一歩踏み込んでジェロニモの捕獲を自分の手柄にしようとこの機会に飛びついた。

ネルソン・マイルズはアメリカ南西部に遅れてやってきた。南北戦争で勲章を受けた退役軍人の彼は、戦後に野心を抱いていたものの挫折し、一八六八年にウィリアム・テカムセ・シャーマン将軍の姪と結婚して、インディアン戦争の指揮を執ることで欠落感を穴埋めしていた。彼は西部への偉大な前進の先頭に立つと宣言した。「バッファローはインディアンと同様、文明と進歩の道に立ちはだかった」と言い、両者の絶滅について「両者とも道を譲れという命令が下されたのだ」と語った[56]。

南北戦争後の一〇年間で、アメリカ陸軍は兵隊二万五〇〇〇人に縮小されていた。そのため、キャリアを積んだ兵士は少なくなっていた。マイルズは、スー族、シャイアン族、ネズペルセス族、コマンチ族、カイオワ族、バノック族と戦い、それぞれの作戦でキャリアを積み重ね、コロンビア方面管区の総司令官として、フレデリック・シュワツカ中尉にアラスカ探検を命令した。その本当の目的は、米国が北方の新領土において先住民の反乱に直面した際に備えてより多くの敵方の情報を得ることだった。マイルズはアメリカ陸軍の最後の総司令官まで上り詰めた。あまりにも強力な地位であったため、彼の死後は廃止され、参謀長という地位に代えられた。マイルズ将軍が五〇〇〇人の兵士を投入し、アパッチ族三八人（その半数は女性と子ども）を追跡したのは、圧倒的な力の誇示だった。一〇〇〇人のアパッチ族を見つける方が三八人を見つけるより簡単だったであろうが。

対ジェロニモ作戦は、マイルズがヘリオグラフィーを前代未聞の規模で展開するチャンスだった。軍隊が電信線を張り巡らせたのと同じ速さで、アパッチ族の破壊工作員は、紛争時に電線を切断するだけでなく、その切断を隠すことにも長けていた。生皮の継ぎ目で、妨害工作を発見しにくくしたのだ。彼らの手鏡の通信光線は切ることができなかった。

ヘリオグラフィーとは、反射した太陽光を利用して情報を伝達する技術で、古代ミノア時代に地中海の島々に設置された信号局に始まり、一八二一年にドイツの数学者カール・フリードリヒ・ガウスが初めて近代的な形に発展させた。カード・プログラム・コンピューティング、蒸気機関車のブラックボックス・データ記録装置、同じコストで同じ時間にすべての目的地に到達できるパケット交換郵便網のパイオニア、チャールズ・バベッジは、光信号を符号化する最も確実な方法は、照射される光を遮蔽(しゃへい)して断続化する方法であるとすぐさま証明してみせた。搬送波の変調が信号となり、デジタル革命の原動力となる電磁的遠隔通信の原理が形作られたのである。

イギリス陸軍は、ヘンリー・クリストファー・マンスの指導のもと、約八〇キロの距離を良好な品質で通信可能な、直径約一三センチの携帯用ヘリオグラフ装置を開発した。この機器は、訓練を受けた通信士と共に一八六〇年代のインドと、一八七〇年代のアフガニスタンに配備された。アフガニスタンではカブールの反乱軍と戦う英国軍が、辺境を長時間かけて進軍する際に、ヘリオグラフ通信が重要な役割を果たした。「太陽の光は約一億五〇〇〇万キロを旅して地球に到達するが、鏡に当たった後でも、さらに何十キロも旅するのに十分な力を保っている」と、マンスのシステムを米軍にいち早く提案した人物は語った[57]。マンスのヘリオグラフのうち六台は、アメリカ陸軍信号長であるアルバート・J・マイヤー将軍が手元に置いたが、マイルズ将軍が現れるまで買い手は見つからなかった。インド亜大陸でのイギリスの反乱鎮圧とアメリカ西部でのインディアン戦争をつなげるものがなかったからだ。マイルズはモンタナのイエローストーンにあるキーオ砦とカスター砦の間に、二二〇キロのヘリオグラフ通信網を設置した。当時マイルズはそこでスー族とシャイアン族に対する長引く作戦に従事していた。

一八九一年まで国立気象局に属していた米国通信兵団は、電信技師と気象観測者の両方の訓練を担当していた。ヘリオグラフの通信士は、両方の技術を兼ね備えていた。アリゾナに配属されることは、バージニア州の通信兵訓練学校の志願者たちの間では栄誉とされていた。彼らは最新のヘリオグラフ機器を装備し、遠隔地の基地までの移動には武装護衛がつけられ、作戦終了時には食糧が尽きるまで荷馬隊列で補給を受ける待遇を受けた。

サンタ・リタ山地の第八基地に配属されたオペレーターの一人、ウィリアム・ニーファートは、ジェロニモ降伏の知らせを受け「われわれは、夏の間は餌をやっていたリスや小鳥を、殺して食べていましたが、ついにバルディ山に『アディオス』と手を振って、山を下りる最後のトレッキングに出発となりました」と報告している。[58]

携帯ヘリオグラフ機器は、中継局が視界内にあればメイン・ネットワークに接続することができた。しかしサンバーナーディーノにある最南端の基地局は、視認距離の外にあたる国境南部の峡谷に隠れているアパッチを捜索する分隊と連絡を取らねばならなかった。この基地と分隊の間は伝令を走らせることで連絡を維持した。

このシステムは非常にうまく機能したので、アパッチ作戦が終わると、通信兵団はアリゾナのヘリオグラフ・ネットワークを再構築し、一八九一年には五一局で約二五万六〇〇〇平方キロメートルを覆う規模に拡張した。この技術はアリゾナ州とニューメキシコ州以外での使用は限定的であった。しかし一八九四年九月一七日、わずか約二〇センチ角の鏡を使った通信兵団のヘリオグラフで、ユタ州エレン山とコロラド州アンコンパーグレ山間の約二九五キロを結ぶという記録的な接続が実証された。ジェロニモ作戦の間にフォート・ボウイ司令部に毎日送られてきた信号は、現在、携帯電話が昼夜を問わず数秒おきに最寄りの電波塔に送信している信号の遠い祖先のようなものだ。

マイルズ将軍は、ラバよりも馬を好んだ。アパッチ族がアメリカ騎兵隊の持つ最高の兵士と装備に匹敵する技術、忍耐力、武器を持っているとは考えなかった。彼はクルックのやり方を嘲笑し、軍隊のラバを荷物の運搬に追いやり、クルックの雇った斥候を解雇した。クルック作戦のベテランのマリオン・マウス中尉は留任させた。中尉の通信兵団での経験が、マイルズが配備しようとしている通信網に合致したからだ。

マイルズは、アパッチ族が「疲れを知らず、難なくあの高地に登ることができる特異な肺活量」を持ち「野蛮人にせよ文明人にせよ犯罪史上最悪の」「ずる賢さと強さと凶暴さ」を示していると認めた[59]。ジェロニモの追跡のためにマイルズは「肉体的にはおそらく、見つけられる中で最も優れた人間標本」であるヘンリー・ロートンを選んだ。マイルズによれば「彼は当時体重約一〇五キロ、均整がとれて背筋が伸び、活発にして機敏、活力に満ち、身長約二メートル、贅肉などほとんどなかった。骨格、筋肉、腱、神経は最上のしなやかさを持っていた……そして極めて美男子の顔をしており、血気盛んであった[60]」。ロートンはアルコール依存症でもあった。この欠点はマイルズには気づかれなかったようだが、作戦に参加した同僚たちは知っていた。

ロートンの次にマイルズが選んだのは外科医助手のレナード・ウッドだった。「これも栄えあるアメリカ人男性で、弱冠二四歳の青年将校、マサチューセッツ出身、ハーバード大学卒、金髪で青い目をした青年」だった。マイルズは、ウッドが「解剖学の完璧な知識を持っており、その生理学的な知識を生かして自らを鍛え、体のあらゆる部位を最高の状態に仕上げている」と考え、「機会あるごとにインディアンを精査し、彼らの優位性がどこにあるのか発見せよ、何か見つけたならば、それが遺伝性なのかどうか、仮に遺伝性だとするならば線維や筋や神経の質が優れているということなのか、彼らの肺は本当に発達していてアメリカ人の最高の男たちの肺を上回るような登山の耐久力を持っているのかどうか」を調べるよう命じた[61]。

アパッチ族の飛びぬけた身体優位性が、肺なのか、筋なのか、それとも神経線維にあるのか、ウッドの結論は出なかった。アメリカ陸軍の兵士はついていくのに必死だった。「人を寄せ付けぬ高地で重労働をする者の共通点は、肉に対する強い渇望と、誰もが食べる膨大な量である。それ以上のことはない」とウッドは書いている[62]。一八八六年八月四日、ジェロニモの捜索が実を結ばぬ中、部隊がメキシコの牛の群れに遭遇すると「一番大きく太った牛を一撃で倒し、即座に解体し、全員で小さな火の周りに座って、夜通し牛肉を槊杖(さくじょう)や小さな棒に刺して焼いた[63]」。兵士たちは、近代の装備や戦術のことをしばし忘れて、アパッチの斥候たちと同じ習慣を採用せざるを得なくなった。荷造り係のヘンリー・デイリーは、作戦中に本部に送り返された者の一人だったが「私はロートン隊長から、マイルズ将軍に会ったら『これ以上ただの歩兵は必要ない。ブラスバンドと一緒にインディアンを狩る方がましだ』と伝えてこいと言われた」と回想している[64]。

反乱軍は丘陵地帯に姿を消していき、斥候も追いつけなかった。ジェロニモとナイチと次に接触できたのは、二人の方から条件と場所を提示してきた段階だった。チャールズ・ゲートウッドが約七キロのタバコだけを携え、マルティンとカ・テーの二人の斥候に先導されてジェロニモとの会談に向かった。会談はジェロニモが〝ロングノーズ〟・ゲートウッドの健康状態を心配する言葉で始まった。ゲートウッドは作戦が長引く間に体調を崩していた。「ジェロニモは、私が座っているところから約六メートル離れた籐（トウ）の茂みから現れ、ウィンチェスターライフルを置いて、手を差し伸べてきた」。この五七歳の戦士は、ゲートウッドより二四歳年上で「私が痩せていて、明らかに健康状態が悪いので、どうしたのかと尋ねてくれた」とゲートウッドは日記に書いている。[65]

マイルズ将軍は弱い立場でジェロニモが強い立場で交渉していた。マイルズ将軍は何とかしてジェロニモを送還して自分の名声を守ろうという強い覚悟を持っていた。その一方ジェロニモは何としても降伏して生き延びようとは考えていなかった。ジェロニモは自由に歩き回っていたが、マイルズはアパッチ・パス近くのフォート・ボウイに待機していた。そこにいれば、ジェロニモが殺されるか捕らえられたら自分の手柄になるし、逃亡されても非難されないようにするためだった。マイルズはヘリオグラフと伝令を使ってゲートウッドとロートンに指示を出し、安全な距離から作戦の終結を指揮していた。ジェロニモとその仲間をアメリカに戻すまで、大衆の前に自分の姿を見せるのを躊躇っていた。

九月四日にスケルトン峡谷でジェロニモが最終的に降伏すると、マイルズはジェロニモとナイチを連れてフォート・ボウイに戻った。第四騎兵隊のブラスバンドが彼らの到着を出迎えた。「マイルズとジェロニモは、捕虜としてではなく、有利な条件の契約に合意した交渉の成功者として、マイルズ将軍と共にボウイに戻るように説得されていた」と不満を持つ匿名の陸軍将校は書いている。「ジェロニモが決めた条件で、彼の野営地で、彼が思うがままに行動でき、マイルズと将校の生殺与奪を握った状況で行なわれた降伏だった」[66]。砦の外には守衛が配置されていたが、それはジェロニモたちを閉じ込めるためではなく、万が一にも好奇心や復讐心を抱いた一般市民を中に入れないようにするためだった。ジェロニモは、一二ドルのブーツと新しいコートと帽子を身に着け行進をした。

マイルズは降伏の条件が守られないことを知っていた。当時アリゾナ州当局はワシントンからの直接の命令に反して、アパッチ族を犯罪者として絞首刑にすべく逮捕状を発行していた。この当局の手の届かないところにジェロニモたちを送り出すことに成功したことはマイルズの功績である。マイルズの命令でフロリダに向かう捕虜を護送する部隊は、列車を止めジェロニモを処刑しようとする自警団から捕虜を守り通した。

チリカウア族は分裂した。ジェロニモとナイチが率いた逃亡者の集団は、彼らの捕獲に協力した多くの斥候とともにフロリダに追放されたが、大部分のチリカウア族はまだサン・カルロス保留地に住んでいた。一八八五年に逃亡してクルックに投降したチワワが率いる部族は、すでにフロリダで捕虜として収容されていた。政府に雇われた斥候たちは保留地の一般住民の身分に戻されていた。さらに、一八八六年七月には、マイルズの提案で、選抜された一〇人のチリカウア族指導者の集団がワシントンに送られた。この一〇人は恭（うやうや）しく大統領に面会し、アリゾナから十分な距離にある新しい保留地（マイルズの希望で当時まだインディアン準州だったオクラホマ）に部族全体を移動させる協定に合意した。マンガス・コロラダスの息子マンガスが率いる一一人は逃亡したままだった。

マイルズはチリカウア族をオクラホマの好条件の放牧地に移すという計画を大統領に提案したが、「偉大なる父」クリーブランド大統領はこの案を却下し、代わりに、有罪・無罪を問わずすべてのチリカウア族をフロリダの耐えがたい沼地に追放するようにと主張した。マイルズのチリカウア族との事前の約束が反故にされることになり、アパッチ族への究極の裏切り行為が行なわれてしまった。マイルズはアパッチ族を「病めるフロリダに追放」しようと考えていたわけではなかった。しかし一八八六年四月に指揮を執るようになって以来、アパッチ族問題の研究を重ねた結果、彼らが故郷として知っている山や砂漠に避難できる余地が残る限りチリカウア族を服従させることはできないと結論した。マイルズは「彼らを少なくとも約一九〇〇キロ東に移動させ、完全に武装解除し、少なくとも冬の間は彼らの家畜をニューメキシコのフォート・ユニオンに送り、成長した子どもたちは全国の職業教育学校に分散させ、ひとつかふたつの軍の部署が管轄して安定を図る」ことを提案した。[67]

一八八六年七月三〇日、シェリダン将軍は「アパッチ砦近くのチリカウア保留地にいる男性インディアン全員を直ちに逮捕し、捕虜としてフロリダ州のフォート・マリオンに送る」権限を要求した。その場にいた代表団も同様に移送し、ジェロニモの問題が最終的に解決するまで捕虜としてその地で拘束することを求めた。[68] ワシントン訪問に派遣されていたチリカウア代表団は、すでにアリゾナに戻る列車に乗り込んだところだったが、代わりにフロリダに送るまで彼らを拘束するよう命令が下された。代表団は大統領に謁見したが、斥候のリーダーであるチャトが陸軍長官からメダルと賞状を授与されていたので、平和に暮らすために帰国するという合意は守られるものと信じていた。ジェロニモとナイチ率いる一行は、二年間の投獄場所になるフロリダに行けば家族と再会できると信じ、自ら進んで東への旅を始めた。サン・カルロスに残った約四三二人のチリカウア族は、騙(だま)されて銃を突きつけられ、特別手配の列車に乗らざるを得なかった。

一八八六年八月二〇日、チリカウア族の全戦士は武装を解除してアパッチ砦に出頭するよう命じられ、武装した軍隊が彼らを取り囲んだ。当時一三歳だったユージン・チワワの記憶によると、司令官のジェームズ・F・ウェイド中佐は「戦士たちは全員、武器を持たずに出頭せよ、君たちを『偉大なる白人の父』との謁見のためにワシントンへ送るのだ。妻や子どもも一緒に行くように」と告げた。九月三日、ジェロニモの降伏の前夜、捕虜たちを約一六〇キロ離れたホルブルックの鉄道の側線に移動させる命令が出された。彼らは「一緒に追い立てられてきた家畜」を糧に生き延びる生活を強いられていた[69]。

目撃者の報告によると「旅団が出発すると、ほぼ三キロの長さの行列になり、数台の馬車と約一二〇〇頭のインディアンの子馬、そしてインディアンの各家庭は飼える限りの犬を飼っていたので、約三〇〇〇頭の犬がいました。列車が走り出すと、何千匹もの捨て犬が必死になって走る車両に追いつこうとし、力いっぱい吠えていました。犬たちがあまりに多いので、全部の犬が走れるような余地はなく、半分は地面を走り、残りの半分はその上をよじ登るように走っていきましたが、数頭は約三〇キロ走り続けました。犬たちは次第に少なくなっていきましたが、数頭は約三〇キロ走り続けました。汽車がスピードを上げるにつれて、犬たちは次第に少なくなった。何という光景だったことか。汽車がスピードを上げるにつれて、犬たちは次第に少なくなっていきました。インディアンの馬は騎兵隊によってフォート・ユニオンへ運ばれ、後に公売に出されました[70]」。

八日間の汽車での軟禁の後、二七年間の虜囚生活が始まった。囚人たちは、最初はフロリダで、スペイン統治時代に造られて当時は使用されていなかった軍事要塞に収容された。その後アラバマに移され、さらにオクラホマに移され、ようやく広い空と空気を手に入れた。一九一三年にダクルギーに引率されて、捕虜の生存者たちはアリゾナに戻り、メスカレロ保留地に定住することが許された。オクラホマに留まることを選んだ者たちには家と土地の所有権が与えられた。彼らはもはや戦争捕虜ではなかった。過半数の一八七名が西へ帰ることを選んだ。さらに一九七一年八月二五日、彼らはアメリカ政府に対して、一八七七年に没収されたウォーム・スプリングス保留地の一四八五万八〇五一エーカー（約六万平方キロ）の補償として、一六四八万九〇九六ドルの賠償金の判決を勝ち取った。

フロリダに流刑になった捕虜は、男性九九人、女性と子ども三九九人の計四九八人だった。三年後、一一九人が収容中に死亡し、そのうち三〇人は居住区の学校に送られた子ども（全部で一一二人いた）だった。一八九〇年一月に捕虜を訪問したクルックは「彼らは自分たちの子どもが連れ去られ、遠くの学校に送られないか、恐怖の中で暮らしている」と議会に報告した[71]。「われわれは乾いた暑さに慣れていたが、フロリダでは湿気と蚊にやられ、誰も生き残れないと思った」とフロリダへの追放が始まったとき一三歳だったカイウェイクラは回想している[72]。「捕虜としてひどい二七年間を過ごしたわれわれの唯一の慰めは、斥候も捕虜になったことだ。彼らには惨めな思いをさせてやった」とユージン・チワワは語った[73]。

一八八六年一〇月初めには、マンガスとその一団だけが逃亡していた。男三人、女三人、子どもも三人、およびマンガスの息子フランクとジェロニモの甥ダクルギーである。ふたりはまだ少年だったが、武器を持ち戦うことができる年齢だった。親類に会うためにアリゾナに戻ったマンガス一行は、分隊の兵士のために働いていたアパッチ族の料理人と、兵士が狩りに出ている間に連絡を取った。親族が全員捕虜になったことを知った彼らは降伏した。一八八六年一一月三日、この最後の捕虜を東へ運ぶ列車の中で、マンガスは手錠を外し、時速三五マイルの列車の窓から身を投げた。「意識不明だったが重体ではなかった」。マンガスは再び捕まった。彼は「インディアンが逃げようとしても無駄な努力に終わる」例として語られるだけの存在だった、とマイルズ将軍はこの事件を報告する電報に書いている。[74]

当時一六歳だったというダクルギーは、兵士に降伏して武装解除されたときのことを覚えている。「この若者は彼らの中で最も危険な存在だ」と場を取り仕切る将校が彼の槍に注目して言ったのを覚えている。その槍はサーベルの刃を改造して、長さ三・五メートルほどの木製の軸に取り付けたものだった。「将校は私の槍と矢筒の中にある二〇〇本以上の細い鋼鉄の矢じりを見て武器の性質を理解した。その矢は抜けないから、一度当たってしまったら突き通すしかなかった。今の手術よりもひどかった。あの野営地では、みんなが私の矢に興味を持った。私は気にしなかったが、彼らはそれを返してくれなかった」[75]。この矢は、アメリカ正規軍との戦争で使われた最後の弓矢だった。一〇月のアリゾナの太陽の下でそれが武器から兵隊の土産物へと姿を変えたとき、何かが一瞬にして失われた。弓矢の時代が終わったのだ。データネットワークの時代が始まろうとしていた。アパッチ族はその最初の予兆を見ていたのだ。

第3章　爬虫類の時代

真空管の発明でアナログな電子工学が花開くが、トランジスター以降のデジタル化で爬虫類のように絶滅し、同時代には欧州の戦争から逃れたアインシュタインやフォン・ノイマン、著者の父フリーマンも結集したプリンストン高等研究所が新たなアメリカの知の中心地に

動物の領域では冷血動物が温血動物に先行したが、電子工学の領域では高温が低温に先行した。

対ジェロニモ作戦に配備されたヘリオグラフ・ネットワークの暗号化された光信号波が、今日の光ファイバー通信ネットワークの光信号波に飛躍するまで一〇〇年もかからなかった。まるでアリゾナ準州の澄んだ空気がそのまま保存され、ファイバーに封じ込められ、地球の隅々にまで届けられたかのように。真空管はその過程の一歩だった。

現代エレクトロニクスの始まりはジョン・アンブローズ・フレミングが「エジソン効果」に対して抱いた疑問に遡る。エジソン効果とは、一八八〇年にトーマス・エジソンが真空白熱電球内の副次的な伝導性を究明した時に初めて明らかになった一連の奇妙な現象のことである。エジソンは、炭化したフィラメントに電流を流して発光させる際、意図せずに電子を真空中に放出していた。この電子の放出は、フィラメントから剝がれた物質がガラスの内側表面に不規則に付着していることから発見された。

Table Hill

テーブル・ヒルが東微北 1/2 北を向いているときの景観

このフィラメントの浸食作用は電球の寿命を縮めたが、同時にフィラメントの不可解な非対称性を明らかにした。白熱電球のフィラメントは全方向に光を放射しているのに、剥がれた粒子はランプの片側に偏っていたのだ。エジソンは真空中の状態を調べるため、実験用の電球に第三の電極を取り付け、ガルバノメータ（検流計）を接続してみた。そしてフィラメントに通電すると、真空に電気が流れるが、一方向にしか流れないことが分かった。真空が「半導体」として機能しているのである。電灯の発明よりも大きな技術革新の舞台が整ったのだ。

だが、エジソンは、自分の発見の意味を理解していなかった。彼は二次回路に信号を送ることで電気回路の調整に役立つ「表示灯」の製造という、目先の実用性しか考えなかった。一八八三年一一月一五日に提出した特許申請書には「私は白熱電球内の真空部に導電性物質を入れると、電灯が作動しているとき、電流の一部が電球内の真空の空間を流れることを発見した」と書いている。[1]

フレミングは、一八八二年に科学顧問としてロンドンのエジソン・エレクトリック・ライト・カンパニーに入社した。一八八四年一〇月、彼はエジソンの実験室を訪れた英国郵政省の技師長ウィリアム・ヘンリー・プリースから、「白熱灯を使った非常に印象的な実験があったが、その原理は解明されていなかった」と教えられ、エジソンの発見を知った。[2] フレミングは、エジソンの実験に手を加え、エジソンが答えを見つけていない問題を追究した。「この新しく興味深い効果は『エジソン効果』として知られるようになったが、エジソン氏はそれについて何の解説もせず、電信などの重要な用途にも実用化しなかった」とフレミングは述べている。[3]

エジソンの表示灯の特徴は、主フィラメントに交流電流を流すと、整流された二次的な非交流電流が発生することであった。ランプが電流を、喩えるなら地下鉄の改札口の群衆と同じように、一方向にしか流れないように扱うのだ。一八九六年にフレミングが報告したこの現象は、当時エジソンの商業的関心の中心であった照明や配電のシステムへの応用が見つからないとして無視されてしまった。

フレミングは、一八四九年にランカスターの牧師の息子、およびケント州ポートランドのセメント製造業者ジョン・バズリー・ホワイトの孫として生まれた。祖父ジョンは「一九世紀の初めに自分の住居をすべてセメントで造るという構想を実現した」人物だ。[4] フレミングは、科学教師、製図家、化学者として働いた後、一八七七年に奨学金を得てケンブリッジのセント・ジョンズ・カレッジに入学した。物理学に魅了された彼は、キャベンディッシュ研究所に入った。一八七九年にジェームズ・クラーク・マクスウェルが亡くなるまで、フレミングはマクスウェルの講義に出席したが、教室には彼一人しかいないということもあった。マクスウェルはフレミングに気体の導電性を研究するようにと勧めた。これはフレミングが真空の導電性を、導電性の特殊例として関心を持つきっかけになった。エレクトロニックという言葉を広めたのはフレミングだ。彼は電磁場の一般的な振る舞いを支配するマクスウェルの方程式をトップダウンで統合し、ボトムアップで明らかになってきた個々の電子の特異な振る舞いを、方程式に調和させることに貢献した。

また、フレミングは熱心な反ダーウィン主義者で、「系統進化論には強力な反証論拠があるのだから、それを無視してやみくもに浸透させることは、若者の倫理の発達や精神生活にとって破滅的な影響がある」と考えていた。[5] この議論は、一九三五年に出版された『人類の起源：啓示と研究の立場から』にまとめられている。フレミングは、聖書と科学は、創世記から量子力学に至るまで、共通の真理を明らかにするものと考えた。「宇宙は、観測者の意識と無関係に存在する物や出来事の集合体ではなく、普遍精神の中に顕在する思考として捉えなければならない」と結論づけた。[6]

フレミングは、エジソン・エレクトリック社に在職中、産業界、一般市民、海軍本部に電気照明の採用を推進した。彼は電力変圧器に関する最初の教科書を書き、ロンドンの配電システムを悩ませた一連の事故の調査に呼ばれ、低電圧の配電盤で起きるアーク放電の原因を、高電圧側で発生した不安定な電磁場が引き起こす電流にあると突き止めた。フレミングはユニヴァーシティ・カレッジ・ロンドンの教授職と研究室の活動を続けながら、エジソン社、後のエジソン・スワン・エレクトリック社の電球製造設備を利用して、エジソン効果の研究を継続した。

一八九〇年二月一四日、フレミングは英国王立研究所で「電球の物理学上の問題点」と題する講演を行なった。フレミングは、フィラメントに通電すると「表面の分子が直線状に飛び出して、……いくらかの負の電気を帯びる」と解説し、真空中の非対称な伝導性を示し、「炭素の負の足から金属板までの真空を負の電気が通る道があるはずだが、一方で金属板から陽の足までは電気が通れない」と指摘した。彼は「これらの議論を整理するための議論の出発点」として「点灯中の電球の内部にはすべて負の電荷を帯びた炭素原子群が飛び交っている」という仮説を提案した。[7]

一八九六年三月、フレミングはまだ真空の伝導性の変化に頭を悩ませていたが、「微弱な電気をこの空間に送ることで希ガスの性質を変化させ、伝導性を高める」という現象を観察した。[8] その一年後、ジョゼフ・ジョン・トムソンが、電荷を運ぶ素粒子を特定した。この素粒子は、アラン・チューリングの曾祖父のまたいとこにあたるジョージ・ジョンストン・ストーニーが、一八九一年にすでに「電子」と名づけていた。真空中では、束縛されていない電子は独自の法則に従っており観測できない。しかし電子が再び金属の世界に入り電流を発生させたり、他の原子と衝突して状態を変化させたりして、光として見える光子を発生させれば観測が可能になるのだった。

一八九九年、フレミングは、無線のパイオニアであるグリエルモ・マルコーニの科学顧問として、年俸三〇〇ポンドで契約した。マルコーニは一八九六年、二二歳のときに、アイルランドのジェイムソン家が経営する蒸留酒の製造業者組合から資金援助を受けてロンドンに上京した。これには理由があった。マルコーニの母親で一人娘だったアニー・ジェイムソンは一八六四年、二五歳のときに父親の反対を押し切り、一七歳年上のボローニャの絹商人ジュゼッペ・マルコーニと駆け落ち結婚をしていた。この父娘の和解のしるしとして孫のマルコーニが祖父から資金援助を受けたのだった。「子どもに及ぼす悪影響を理解しているなら、大人が子どもの思考の邪魔をするようなことなど考えてはならない」と、彼女は後年、忠告している。[9]

マルコーニは優秀な技術者であり、発明家であり、製品デモンストレーションの達人であった。しかし、マルコーニが無線通信を、大西洋を越えるほど強力なものにできたのは、顧問のフレミングがマクスウェル流電気力学の理解と、高電圧発電と配電システムの経験を持っていたからである。また、マルコーニは、イギリスの学界の誰かからの推薦を必要としていた。フレミングは、恩師ジェームズ・クラーク・マクスウェルの遺した成果に通じた人気講師であり、その役にぴったりだった。

一九〇〇年一二月、マルコーニ・ワイヤレス社の専務フラッド＝ページ少佐は、マルコーニが「ビッグ・シング」と呼ぶ、フレミングの大西洋横断実験の提案に対し、年俸五〇〇ポンドへの増額を回答した。そして「成功の栄誉は未来永劫マルコーニ氏のものでなければならない」と念を押した[10]。マルコーニ自身は「大西洋を横断させることができたら」マルコーニ・ワイヤレス社の株式五〇〇株をフレミングに譲ると約束し、「横断が成功した暁には非常に価値のあるものになるだろう」と付け加えている[11]。

フレミングは、コーンウォール外海岸のポルドゥにあるマルコーニの長距離送信機の設計と建設を監修した。最大限の電磁波効果を実現するために、物理学と工学のあらゆる原理を駆使した。三二馬力のホーンズビー・アクロイド社製焼玉エンジンが、二五キロワットのメイザー&プラット社製オルタネーターを駆動した。その出力は変圧器群によって二万ボルトまで引き上げられた。二段目の蓄圧器で出力は一〇万ボルトになり、二インチの火花が飛んだ。制御スイッチは、アーク放電を抑えるためにすべて油に浸してあった。フレミングが一九〇一年九月にロンドンに戻った後、マルコーニが自ら送信機を調整し、円状に配置した高さ六〇メートルの木の柱の間に、逆円錐形の二〇〇素子のアンテナを吊るして稼働させた。トップマストと支索が張り巡らされたこの構造は、四本のマストを持つ五隻の帆船が円陣を組んで座礁しているかのような外観を持っていた。

九月一七日、嵐でアンテナが倒れた。二本の支柱が残り、五四素子の構成になった。送信機を再調整した後、マルコーニは、ポルドゥの局からモールス信号でSの文字を予定時刻に繰り返し送信するよう指示を残してカナダへ出発した。マルコーニは、ジョージ・S・ケンプとパーシー

・ライト・パジェットの協力を得て、ニューファンドランドのセントジョンズ近くにあるシグナル・ヒルで、凧を使って一八〇メートルのアンテナを揚げ、一九〇一年一二月一二日と一三日に二九〇〇キロ離れた場所から信号を検出したと発表した。

モールス信号では、「S」は三つの点で構成されている。しかし、この「S」は、コーンウォールから送られてきた「S」なのか、それともたまたま予定時刻にエーテル〔すべての空間に満ちているとされる、光などの波動を伝搬するために必要な微細物質〕の中から現れた「S」なのか、どちらなのだろうか。マルコーニは、ガラス管の中に水銀を封入し、その両端に鉄の電極を付けた、高感度だが干渉を受けやすい検出器を使っていた。電気を整流して信号を検出するには電極が水銀の表面に触れていなければならないが、過度にべったり接触させていてはいけなかった。絶妙な塩梅(あんばい)の接触が必要だった。

この通信には第三者機関の確認がなく、マルコーニの発表は懐疑的な反応で迎えられた。ニューファンドランド島を経由する大西洋横断通信の独占権を保有するアングロ・アメリカン・テレグラフ社から訴訟を起こされた。同社の株価がセントジョンズからのニュースによって急落したのだ。

「ツバメが一羽飛んできたからといって夏になるわけではないし、『S』が連続したというだけではモールス信号にはならない」と、《デイリー・テレグラフ》紙は苦言を呈した。[12] カナダ政府はマルコーニに、まだ英国領だったニューファンドランドではなく、ノバスコシア州に無線電信施設を設置するように要請した。マルコーニは訴訟を回避し、事業を継続するために必要な資金を温存することができた。

大西洋横断実験の栄誉の奪い合いをして一年間疎遠になった後、フレミングはマルコーニ社に復帰した。彼はそこで送信機のパワーから、検出器の感度というテーマに目を向けた。そのテーマではエジソン効果を活用できた。波長が長く周波数が低くても電波の検出は難しかった。アンテナに流れる電流が一秒間に数千回も振動するからだ。この電圧変動は認知可能な長さの時間では平均化されて計測できなかった。フレミングは、この振動をエジソンの表示灯をペアにして使ってフィルタリングすることで、持続的な電流に変換し、簡単に計測ができるようにした。

フレミングは、一九〇四年一一月一六日に提出した特許出願の中で「これらの電球の内部では、起電力が非常に低い状態であっても、負の電気が高温の炭素フィラメントから低温のフィラメントに移動できるが、反対方向には移動できない特性を有している」と報告している。「一方の電球にはすべて正の交流が通り、他方の電球にはすべて負の交流が通る」[13]。こうして生成された信号は鏡式検流計（ガルバノメーター）で可視化された。鏡式検流計は、大西洋を横断する長距離海底ケーブルで受信した微弱なインパルスを検出するためにすでに開発されていた。フレミングはマルコーニに宛てて、この「興味深い発見……電気振動を整流する方法……これで検出が可能になる」と明かしていた。しかし、フレミングはこの特許を単独で出願した。「これは非常に有益なものになるかもしれないので、誰にも話さなかった」とだけ語っている[14]。

フレミングは、この装置を水道管のバルブのように電流に作用することから、振動「バルブ」と名づけた[15]。また、検出した信号を聴覚的に表現するよりも、視覚的に表示する方が望ましいと考えた。「暗号メッセージを受信する場合、ドットやダッシュがひとつでも欠けると、一語も理解不能になるからだ」。歴史の偶然であるがフレミングは後に聴覚を失い「無線電信の記録を耳ではなく目で確認できる機器を見つけなければならなかった[16]」。

フレミングは、市販のエジソン表示灯を使って実証実験を繰り返した後、独自に開発したものを「フレミング・バルブ」として売り出した。これは発明には違いなかったが既存の装置を別の用途に転用する行為だったので、フレミングの特許請求は先行技術の権利の存在によって却下された。

フレミングの熱電子バルブは、アメリカでは真空管として知られるようになるのだが、電子にとっての玄関として機能し、正しい方向に向かう電子のみを通し、そうでないものを締め出すだけの仕組みだった。フレミングのバルブに、第三の制御電極を導入したのは、フレミングと同時代のアメリカ人、リー・ド・フォレストだ。ド・フォレストは、プラチナ線を暖炉の焼き網状に曲げて、フレミング・バルブの中に封入して三極管とした。この三番目の電極はグリッドと名づけられた。これにより、信号の検出だけでなく増幅も可能となり、電子通信・制御の時代が始まった。

ド・フォレストは、自分の発明がフレミングの発明を参考にしたことを認めようとせず、一方フレミングは、ド・フォレストの盗用行為を非難しながら、自分のバルブに制御グリッドを付けなかった落ち度を認めた。二人の発明家の研究アプローチは正反対であった。フレミングは、マクスウェルの弟子として、充実した研究所の中で、正しい理論に基づいた発明を行ない、エジソン社やマルコーニ社にその功績の多くを認められていた。一方のド・フォレストは、ニコラ・テスラに共同研究を断られ、自分の発明がどのように機能するのか、一貫した説明がないまま自己流の実験を行なった。実験がうまくいくと、出資者を出し抜いて、発明の利益を独り占めにしようと企み、詐欺罪で訴えられることさえあった。ド・フォレストはエジソンやマルコーニに取り入らず、発動機を作る工場で働き「一五セントで食べられるまともなステーキを探してシカゴを歩き回る」生活をしながら、間借りしているシカゴの安下宿屋の寝室で初期の研究の大半を行なった[17]。

真空管が発明されるまで、遠距離通信の電波の検出は魔法だった。無線電信技術者は、鉱石検波器（硫化鉛や黄鉄鉱のような半導体の性質を持つ天然鉱物の小さな破片の表面を、極細の金属の針でひっかき、整流効果を生み出す）あるいは「コヒーラー検波器」（ガラス管に鉄粉を詰め、高周波衝撃を与えると鉄粉が密着して半導体効果を生み、信号の読み取りを行なうと元の状態に戻る）のどちらかに頼っていた。これらの検出器には、機械的な振動に弱いという欠点があり、振動で受信が止まってしまうこともあった。そこで、電波の振動に敏感で、かつ機械的な衝撃に強い検出器が必要とされた。

ド・フォレストは自分の部屋のガス灯がラジオの送信テスト中に明滅することを不思議に思ったことがきっかけで、少し離したふたつの電極を炎で包めば「電気振動の検出器として機能させることができる」のではないかと推測した。「そのような条件下における分子の振る舞いによって、本来は電気の影響に対して感応性がない装置が感応性を持つようになるからだ」。彼は、「高感度の導電性気体媒体から成る、自己回復型で恒常的に振動に反応する装置」の特許を申請し、最終的に取得した。しかし、この装置が披露されることはなかった。ド・フォレストは、後に、ガス灯の明滅を引き起こしたのは電波ではなく音波であることを認めている。[18]「思い違いが役に立ったのだ」と彼は説明した。「私は、白熱電球の電極を包む気体には、未知の力、あるいは未知の現象が存在し、それを利用すれば、既知のどの検出装置よりもはるかに繊細で敏感なヘルツィーン振動の検出ができると確信するようになった[19]」

一九〇一年末、ド・フォレストはアメリカン・ド・フォレスト無線電信会社を設立し、投資家と契約して一連の改良型フレミング・バルブを開発した。ド・フォレストはこの装置を「オーディオン」と命名したが、無線信号の検出器としては、大した成果を上げることはできず、成長する無線産業界にこの発明は無視された。一九〇六年一一月二五日、彼は「真空容器、二つの電極（一方はフィラメント）、前記容器内に収納され、前記フィラメントを加熱する手段、前記容器内に収納され、前記電極間に介在する導電材のグリッドから構成される」新しいデザインの図面を、真空管製造業者のH・W・マッカンドルスに届けた[20]。

その三日後、ド・フォレストは、一〇〇〇ドルと、明らかに無価値のオーディオンの特許を退職金代わりに受け取って、自分が設立した会社を去った。ド・フォレストによると一二月三一日になって、彼の助手である一六歳のジョン・ビンセント・ローレス・ホーガン・ジュニアが、マッカンドルスから「グリッド・タイプ」のオーディオンの試作品を受け取り、動作試験を行なった。機械はうまく動作した。ド・フォレストは、なぜうまく動作するのかについて完全には理解できていなかった。しかしそれはもはや問題ではなかった。発明の公開時に彼は「この現象の説明は、非常に複雑なものになるし、説明できたとしても暫定的なものだ。だから、ここで私が詳細な説明をする必要はないだろう」と書いた[21]。

どのように機能すべきかを理論立ててからそれを作ることで生まれる発明がある一方で、仕組みを理解する前に物を作ってしまうことで実現する発明もある。一九〇七年にド・フォレストの「オーディオン」が市場に出た時、真空の中で何が起こっているのか、まだ納得のいく理論はなかった。電線、電池、電磁石、フィラメントの内部で、それぞれの役割は認識されることなしに、電子は取り込まれ、制御され、協調して動作していたのだ。自由電子は「陰極線」としてひとまとめにされて認識されていたに過ぎない。

真空管では、陰極（カソード）から陽極（アノード）への電子の流れを、機械的な中間工程を経ずに、グリッドに流す微弱電流で制御することができるようになった。何百、何千キロも離れたところから飛んでくる、従来検出不可能だった信号をも検出することができ、最終的には音として聴取可能な波に増幅することができた。世界中の人々がラジオを囲むようになり、エレクトロニクス産業が誕生したのである。一九四〇年には、米国で年間一億本以上の真空管が生産されるようになった。真空管は、近所のドラッグストアで購入することができ、セルフサービスの検査機で手持ちの真空管に本当に交換が必要かどうかを確認することができた。

真空管は、電子以外の可動部がないため、音の速度と周波数に制約される機械式装置と異なり、光の速度と電波の周波数で動作することができる。真空管は当初はパイプの中の液体の流れを制御するのと同じように、バルブを使って電子の流れを制御していたが、じきに制御能力が時間的、空間的観点から改良された。時間的には、連続した電流ではなく電子のパルスを発生させる設計に、空間的には電磁場による電子線の偏向を利用する設計に変更された。ブラウン管とイメージ管が誕生し、装置の内部の世界に捕獲された電子と、外の世界で自由に飛び回る可視・不可視の電磁波スペクトルを双方向に変換した。

真空管の開発は、現在主流のデジタルサンプリングによる近似値の音質を凌駕するハイファイ・オーディオ機器を生みだしただけでなく、二〇世紀中盤の三つの技術に結晶したのだった。平和の実現に重要な役割を果たしたテレビ、戦争の遂行に重要な役割を果たしたレーダー、そして両方にとって重要な電子式デジタル・コンピューターの三つだ。テレビカメラ管は、動画をリアルタイムにスキャンし、放送用のアナログの波形に変換し、放送された波形は離れた場所にあるブラウン管上で動画に再構成された。電波の探知や測距に使われるレーダーは、電波のパルスを数千ワットの出力で水平方向に照射する。そして一兆分の一という微弱の反響を検出することでターゲットの動体を捕捉することができる。電子式デジタル・コンピューターは、電気機械のスイッチング速度に支配されていた情報ビットを制約から解放し、論理的な状態も物理的な場所も、一マイクロ秒単位でシフト可能にした。

半導体の時代になるまで「エレクトロニクス」といえば、真空管とブラウン管ディスプレイのことだった。エレクトロニクスは、今日のわれわれは忘れているが、目に見えて触れる（タンジブルな）ものだったのである。ラジオやテレビの換気口を覗けばヒーター素子が光っているのが見えた。純粋真空タイプではない一部の真空管では希ガスが蛍光を発して幽霊のようにチカチカしているのが見えた。また、電源トランスやフライバックトランスが唸り、ブラウン管の表面は電子を浴びて、傍にきた人が着ている絹のブラウスがたわむほどの電荷を帯びていた。真空管装置は独特の匂いを発生させた。静電気で発生するオゾンと、炎に蛾が吸い寄せられるのと同じように、触れないほど高熱になった表面に吸い寄せられたほこりが原因だった。

戦後のアメリカで、ニュージャージーは量的にも質的にも最高のエレクトロニクスがある場所だった。ＲＣＡ社の広大なカムデン工場とプリンストン研究所からマレーヒルのベル電話研究所まで、ニュージャージー州は、トーマス・エジソンと彼の名を冠したラリタン河畔の街が電灯の普及を先導したのと同じように、エレクトロニクスを先導したのである。

ニュージャージー州プリンストンは、エジソンの街並みからわずか三二キロしか離れていないのに、まるで別世界のような街だ。一八世紀にフィラデルフィアやニューヨークの高級住宅地化が進み、そこから逃げてきたクエーカー教徒の家族連合がプリンストンを建設した。革命前の建築がそのまま残され、周囲に広がる農地は森林に戻りつつある状態だったが、冷蔵技術によってニューヨークまで食糧輸送が可能になったため、農業の効率が高まり、農地開拓が進んだ。街の中心は、一七四六年にニュージャージー大学として設立された大学で、その周囲には、思考の育成に力を入れる、あるいは製品の開発に力を入れる、多くの研究室や施設があった。

製品の開発に最も力を入れていたのは、ＲＣＡ社（Radio Corporation of America）の研究所だ。ＲＣＡ社は、アメリカのマルコーニ社の後継で、ナショナル・ブロードキャスティング・カンパニー（ＮＢＣ）の親会社だ。ＲＣＡ社は、第一次世界大戦後、戦時非常事態下に国有化したラジオ産業を、その後も支配下に置き続けるために政府の命令で設立された。

ＲＣＡとその子会社ＲＣＡビクターは、ビクター・トーキング・マシン・カンパニーとの合併という形で設立された。ＲＣＡはビクター・トーキング・マシン・カンパニーのトレードマークだったフォックステリア系種の〝ニッパー〟を使って、史上最も成功したブランディング活動のひとつを展開し、ラジオ機器とラジオ番組の両方の供給者として、圧倒的な地位を確立し、ラジオからテレビへの移行を完璧な形で生き抜いた垂直型独占企業になった。ロシア移民のデイヴィッド・サーノフ率いるRCAは、報酬の高い科学者が常駐する研究施設の立地と、安価な労働力が調達可能ならばどこに置いても構わない製造施設の立地を分離するという、アメリカのテクノロジー企業のトレンドの先駆者でもあった。

RCAのプリンストン研究所は、低所得労働者が密集するカムデン地区から約六五キロ離れたところにある。カムデンでは一万人の労働者が、プリンストンの技術者が設計した製品を製造していた。カムデン工場で激しい労働争議が起きた直後の一九四一年にプリンストン研究所は設立された。カムデン工場は、二二・五ヘクタールの敷地に、社有の鉄道とはしけのターミナルを使って、発電所で使う石炭からラジオキャビネット用の木材に至るまでの原材料を調達していた。一日に五〇〇〇台のラジオセットが出荷された。

プリンストンにある研究所において、最も思考の育成に力を入れていたのは「高等研究所（IAS）」だ。一九二四年、ノルウェー人のアメリカ人位相幾何学者オズワルド・ヴェブレンが設立を提案した。オズワルドの叔父ソースタイン・ヴェブレンは一八九九年に『有閑階級の理論』で「顕示的消費」という言葉を生み出した人物だ。研究所は一九三〇年にニューアークの乾物商ルイス・バンバーガーとその妹キャリー（フェリックス・フルド夫人）の寄付により設立され、大恐慌の混乱も止まぬ中、高校教師から教育改革者に転身したアブラハム・フレクスナーが事業を開始した。フレクスナーは一九三九年に《ハーパーズ・マガジン》に投稿した「無用な知識の有用性」という題のエッセイで、研究所プロジェクトの設立経緯を説明している。（設立の寄付を行なった）バンバーガー家は、一九二九年の株価暴落の数週間前に家業をＲ・Ｈ・メイシー社に売却して引退し、慈善事業に専念する体制を固めることができた。この幸運のおかげで、入学に高等学位を必要とせず、また授与することもしない高等教育機関が誕生したのだ。[22]

研究者には、稀な例外を除き一年以内の任期の客員研究員と、終身雇用の常任研究員のふたつの階級があった。給与レベルは長期滞在する常任研究員には高く設定され、そうでない者には低く設定された。報告書は必要なく、授業もしない。委員会や教授会は禁止されていた。フレクスナーによれば「いったんやり始めると、組織化や形式化の流れは止まらなくなる」からだ。[23]

この研究所は、フレクスナー、ヴェブレン、アルベルト・アインシュタインが最初に任命され、数学部門、考古学と美術を含む歴史部門、そして短命に終わった経済学と政治学部門で開講した。バンバーガー家は、経済学部門と政治学部門について「これらの分野の知識に貢献するだけでなく、最終的には、われわれの核心である社会正義の運動に寄与する」ことを望んでいた。[24] 物理学と天文学は、一九六六年に自然科学部門が設立されるまで、数学部門の傘下にあった。第二次世界大戦中、アインシュタインを除くほとんどの物理学者は、ロスアラモス研究所やその付属研究所でマンハッタン計画に参加するために去っていった。彼らが学問の世界に戻ってきたときには、すべてが変わっていた。

原子爆弾には、リー・ド・フォレストの「オーディオン」と似たところがあった。装置の爆発が生み出す高密度のエネルギーが何を引き起こすかを完全に理解しないまま動かすことができてしまった。戦争が終わると、兵器製造のためにすべてを投げ出していた理論家たちは、再び元の場所に戻ってきた。ロバート・オッペンハイマーはバークレーに、エンリコ・フェルミはシカゴに、ハンス・ベーテはリチャード・ファインマンを連れてコーネルに戻った。戦争中に培われた技術、機器、設備が基礎研究に利用できるようになり、理論家たちの世界は新しくて未解明で、時には矛盾する実験結果で溢れかえっていた。

そのような実験結果のひとつがラムシフトだった。ラムシフトは水素原子のスペクトルにおける極めて小さな異常であり、エジソン効果と同じように、説明が可能になるずっと前に観測された謎だった。陽子一個と電子一個から成る水素原子は、宇宙で最もありふれた物体であると同時に、数学的に最もよく記述される物体でもあった。新たに登場した量子電磁力学理論の華々しい成功は、水素原子の正確な記述に拠(よ)っていた。しかし、戦時中にレーダー研究所で生まれた新技術を使って調査すると、水素原子はポール・ディラックの理論の記述通りには振る舞わないことが判明した。水素のエネルギースペクトルの微細構造は、あるべきとされた位置からわずかにずれており、この不一致は、測定を行なったウィリス・ラムにちなんで命名された。

第二次世界大戦中、ラムはドイツ人と結婚していたため、同僚たちと一緒にロスアラモス研究所に入ることはできなかったが、数カ月遅れてコロンビア大学の放射線研究所で働く許可を得た。この研究所はマサチューセッツ州ケンブリッジにあったレーダー開発研究所のサテライトで、MＩＴの支援を受けていた。ラムに割り当てられたのはＫバンドマイクロ波の研究だった。波長一・二五センチのＫバンドマイクロ波は、大気中の水蒸気からの干渉を受け、放射スペクトル上に、顕著な吸収線として現れる。この吸収線は対象物質がエネルギーを吸収して状態が変化する周波数を示している。水にKバンドマイクロ波をあてると、水が加熱される。この干渉を利用したのが電子レンジであり、ラムはこの問題を研究して、マイクロ波分光法の新領域をゼロから開拓することに貢献した。

戦前、光学的分光法を用いて、水素のスペクトルの特定の吸収線が滲(にじ)んでいたり、わずかにずれていたりすることが観測されていたが、本当にずれているのか、ずれているとすればどの程度なのか、判断がつかなかった。戦後、ラムはコロンビア大学のロバート・C・レザフォードと共同で、ディラックの理論では同一であるはずの、準安定状態のふたつの水素エネルギーの差分を正確に測定することに成功した。この実験は一億個の原子の中から、瞬間的に理想的な準安定状態に誘導できる原子を特定し、分離して検出するという、理論的な発想においても、技術的な創意工夫においても芸術作品と呼べるものだった。

一九四七年四月二六日には結果が出始めた。ラムは「共鳴遷移の第一段階の結果から、ディラック理論の水素に関する予測との乖離(かいり)が観察され、それが当時考えられていたよりも、はるかに大きいことが明らかになった」と回想している[25]。ラムは一九五五年にノーベル賞を受賞した。後にこのシフト現象を説明した諸理論に対し与えられた賞もあったが、測定者に現象の名前とノーベル賞が贈られたことは、ラムが明らかにした数値的乖離の重要性を物語っている。

理論家が数字を出し、実験家が数字の正しさを自然に問うことがある。あるいは実験家が先に数字を出し、理論家が、自然がすでに正しいと証明した数字を説明することがある。ラムシフトでは、自然が先に来て、理論家はそれに追いつくために奔走することになった。ジュリアン・シュウィンガーは、ラムの結果が正式に発表されたニューヨークのロングアイランドの端に近いリゾート、シェルターアイランドで開催されたアメリカ物理学会の会合に出席して「誰もが非常な高揚感に包まれていて、五年ぶりに物理学を話題にしていた。信じられないことだった。神聖なディラック理論があちこちで崩壊していることを知らされたのだから！」と回想した[26]。

ハンス・ベーテは、ロングアイランドからシェネクタディに戻る列車の中で、大まかな非相対論の計算を開始した。ラム自身（ノーマン・クロールとペアで）、ビクター・ワイスコフ（ラムの発表以前にブルース・フレンチとこの問題に取り組んでいた）、エンリコ・フェルミとジュリアン・シュウィンガーとリチャード・ファインマンとベーテ研究室の大学院生リチャード・スカレッター、の少なくとも四チームが、すぐにベーテの計算を発展させようと取り組み始めた。この理論的な予測値と実験的な観測値との差を埋めることが、物理学における最も緊急の課題になった。

複数チームが同時にアプローチを行なうことは、重複する努力のリスクに見合うだけの価値があった。一九四七年九月、こうした努力の結果、様々な近似解が改善されつつあったが、まだ矛盾が残っていたところに、フリーマン・ジョン・ダイソンという二三歳のイギリス人大学院生が現れた。

彼は、ケンブリッジ大学キャベンディッシュ研究所のG・I・テイラーの推薦で、戦後のコモンウェルス奨学金を得て、コーネル大学に入学した。テイラーは戦時中にロスアラモス研究所でベーテと共に働いていた人物だった。ダイソンは、ラムシフトにおいて、電子のスピンを無視して相対性理論を考慮した計算のバリエーションの仕事を割り当てられた。

コーネル大学に到着して六日後、ダイソンは両親に「ベーテは私に必要な明確な研究課題を与えてくれました。長い計算で……観測することはできない現象に関するものなのですが、理論的にとても興味深いのです」と報告している。[27] ラムシフトの計算が困難だったのは、電子の自己エネルギーを定量化しようとすると、無限大に発散してしまい、物理的に意味のない結果になってしまうからだ。ベーテの最初の計算では、この無限大を無視することで、ラム観測に対する最初の近似値を得たのだったが、物理学者の間では、厄介な無限大問題を先送りしただけだというのが共通了解だった。しかしダイソンは、子どもの頃から無限大に魅せられていたこともあり、正面から向き合った。

「何歳だったかは分からない。ただ、ベビーベッドで午後の昼寝をするくらい幼かったことだけは確かだ」と、初めて収束無限級数を発見したときのことを思い出しながら彼は語った。「そのベビーベッドには、マホガニー材の横木があり、私はそこから出られなかった。寝る気にもなれず、計算ばかりしていた。一＋（二分の一）＋（四分の一）＋（八分の一）＋（一六分の一）……と足していくと、二になる。次に、一＋（三分の一）＋（九分の一）……を足してみた。これでずっと足していくと、一・五になることが分かった。さらに、一＋（四分の一）……も試してみると、一と三分の一になった。こうして無限級数を発見した。当時、このことを誰かに話した覚えはない。ただの遊びだった」[28]

一九三二年九月、八歳のダイソンはトワイフォード校に送られた。「ひどい学校だったが、図書館が充実していたので、そこが私の避難場所だった」と彼は回想する。そして、独学で物理を学び始めた。「電子、電気、電波などいろいろなものがあったが、陽子については誰も言及しないのが何故なのか分からなかった。『なぜ、電子の話ばかりで陽子の話がないのか』と人に訊いたことを覚えている。誰もわからないようだった」。ダイソンはトワイフォードで宝くじを企画した。他の学生たちから少額の金を受け取り、その半分を当選者に渡したが、もう半分は自分のポケットに入れてしまった。「いや、彼らは私が半分を持っていくことを知っていたんですよ。それでもお金を出し続けてくれました！」

一九三六年に一二歳でウィンチェスター・カレッジに、一九四一年にはケンブリッジのトリニティ・カレッジに奨学金を得て入学した。ダイソンのファーストネームの名づけ親であり、出生のきっかけを作ったのは、母方の叔父のフリーマン・アッキーである。アッキーはフリーマンの父親の親友であり、教育者仲間であり、オートバイ愛好家だったが、第一次世界大戦で狙撃兵に殺された。フリーマンの両親であるジョージ・ダイソンとミルドレッド・アッキーは、共通の喪失感によって結ばれた。一方、第二次世界大戦は、一九四一年一〇月にケンブリッジに到着した一七歳の若者にとって、理想的な状況だった。年長の学生と若手の教授たちが戦争に出ていき、残った学生は、G・H・ハーディ、J・E・リトルウッド、アーサー・エディントン、ポール・ディラックといった数学、物理学の伝説的人物である年配の教授陣とマンツーマンになったのだ。ダイソンがトリニティに入学した最初の学期、ハーディは四人の聴講者を前にフーリエ級数について講義をしていた。「試験とかそんなくだらない話は一切なかった」[29]

トリニティ・カレッジで濃厚な教育を受けていた期間、ダイソンは、ホームガード〔英国の民兵組織〕の火災パトロール任務にあたり、夜間に防空壕の中で眠ることもあった。一九四三年三月二三日、ケンブリッジから近くの町イーリーまで自転車で出発し、途中、戦時体制の飛行場を通り過ぎた。「おそらくハリファックスと思われる爆撃機が道の真上を飛び立ち、そのうちの一機が私の頭上約六メートルのところを通った。爆撃機の下部は漆黒に塗装されており、明らかに夜間飛行用にデザインされていた[30]」

一九四三年七月、ダイソンの学校教育は終わった。イギリスは第一次世界大戦で多くの科学者を失ったので、第二次世界大戦では科学者を戦場に送るのを避けることに決めていた。彼は「〝暗〇解〇部門〟での仕事（これは明かせないことになっている）」のオファーを断ったが、ブレッチリー・パークで暗号解読を支援する仕事のオファーについては「計算機の仕事としてなかなか面白そうだ」と感じた[31]。C・P・スノーとの面接の後、バッキンガムシャーにあるイギリス空軍（ＲＡＦ）爆撃機司令部のオペレーション・リサーチ・セクションに配属された。統計学者としての仕事は、四カ月前に見た、黒く塗られた爆撃機のドイツ軍に対する攻撃の効果を高めることだった。彼はほとんどが自分と同年代かそれ以下の少年たちで構成される飛行隊員たちと生活し、仕事をした。飛行隊員は、任務のたびに二〇分の一の確率で帰還できない事態に直面していた。

なぜ、これほど多くの英軍機が犠牲になったのか、その理由はよく理解されていなかった。密集して飛行すると味方機との衝突による損失が大きくなり、離れていると敵の攻撃による損失が大きくなる。だがパイロットは味方との衝突よりも敵の攻撃で死ぬことを好んだので、その行動を変えることが難しかったのだ。ＲＡＦの上官たちは、なぜ多くのドイツの工場が度重なる爆撃に耐えたのか、なぜ一九四三年にハンブルクの大部分を焼き尽くした大火災旋風が再現しにくいのかについても知りたがった。ダイソンは後に多大な犠牲を出した作戦の内部事情を出版し、名誉毀損で訴えられることになった。

終戦後ダイソンは、インペリアル・カレッジ・ロンドンに就職し、ケンブリッジのトリニティ・カレッジでフェローシップを得て、数理物理学に関心を移し、渡米を決意する。彼は一九四七年九月一七日午前六時半、キュナード社の定期船「クイーン・エリザベス号」でニューヨーク港に到着した。

ロスアラモス研究所で理論部門を率いていたベーテは、戦時中の熱狂をコーネル大学の物理学部にそのまま持ち込んだ。ラムシフトは物理学を混乱させたままだった。「水素原子がわからなければ、物理学はわからない。水素原子の理解でさえ間違っているとわかったときは、大きなショックだった」とダイソンは回想している。[32]

一九四七年当時、物理学はまだ、「物が場を生む」という古い物理学から、「場が物を生む」という新しい物理学への移行期にあった。アメリカは、実験を中心とした素粒子の研究でリードしていたが、ヨーロッパは数学を中心とした場の理解でリードしていた。一九四六年、ケンブリッジ大学でダイソンの指導教官だったニコラス・ケマーは、一九四三年にウィーンで出版されたグレゴール・ウェンツェルの『場の量子論』をダイソンに渡した。「当時は、値のつけようのない宝物だった」とダイソンは言う。「その頃、イギリスには二冊しかなかったと思う」。[33] 彼は、絶妙のタイミングで、場の量子論の知識を携えてニューヨークのイサカに現れたのだ。

ダイソンは「ベーテとファインマンは、場の量子論の助けを借りずに、何年も物理学で成功していた」と回想している。[34] ダイソンが仕事に着手した時、二人は大した関心を持っていなかった。数週間後、ダイソンはラムが観測した数値とほぼ一致する答えを出した。態度が一変した。ダイソンは論文に「今回の計算の収束は注目に値するものであり、少し予想外のものでもあった」と書き、ベーテがこれを印刷に回した。[35] ダイソンは「ベーテは感心していた。場の量子論が何か役に立つのを見たのは初めてだと言っていた」と語っている。[36] スピンを無視して単純化したモデルは「少なくとも概念的には物理系であり（非相対論的な系とは異なる）、非相対論的な近似値や観測されたシフトに非常に近い収束式を導くのだ[37]」。

ダイソンはファインマンの数学の盟友であり、個人的な友人になった。ファインマンは、クイーンズ区のファーロッカウェイで育ち、ダイソンに量子電気力学だけでなく、アメリカ生活の極意を教えた。彼らはよく一緒に長距離ドライブに出かけたが、一九四八年のアルバカーキへのドライブで、ダイソンはアメリカ西部と恋に落ちた。ファインマンは、ダイソンが言う「彼独自の量子論」に加えて、超自然的ともいえる女性の扱い方を身に付けていたが、それは男ばかりの英国の教育機関で育ったダイソンに欠けているものだった。一九四九年一月、ニューヨークで開催されたアメリカ物理学会の年次総会に出席した際、あるスピーカーが「ファインマン＝ダイソンの素晴らしい理論」と尊敬の念をこめて言及した。「ファインマンが私の方を向いて、大きな声で『よう、先生、君も入ってるじゃないか』と言ったのです」とダイソンは会議が終わった後、両親に報告している。[38]

ロバート・オッペンハイマーの高等研究所（ＩＡＳ）への招聘にもダイソンは「入っていた」。

マンハッタン計画が終わってからというもの、ＩＡＳにはアインシュタインがいたので、一般に原子核物理学に強いイメージが持たれていたが、実態は先頭に立ててはいなかった。ロックフェラー財団や亡命ドイツ人学者緊急支援委員会と協力して、第二次世界大戦前にヨーロッパの危険から主要な核物理学者を救い出すという舞台裏の役割を果たし、アメリカに核物理学をもたらすために大きな貢献をしたこの機関が、今では基礎研究に目を向けている国立兵器研究所の陰に隠れてしまっていた。

一九四六年一月、ＩＡＳは、ロスアラモスのそれほど僻地ではないバージョンとして、東海岸に新しい核物理学研究所を建設するために、所有する三二〇ヘクタールの敷地の一部を使用することを提案した。この計画は、ほとんどの教授陣からの反対を受け、特にアインシュタインは、実験物理学がＩＡＳを兵器関連の仕事に引き込み「『予防的』戦争の考えを助長する」ことを恐れたのである。[39]

ＩＡＳの理事長で、後に米国原子力委員会（ＡＥＣ）の委員長となるルイス・Ｌ・ストラウスはひたすらに道を切り拓いていった。戦時中のロスアラモス研究所長だったオッペンハイマーにＩＡＳの所長職を提示し、戦前にバークレーで集めた若い優秀な理論物理学者の集団を採用するように勧めたのだ。オッペンハイマーはその誘いに乗った。

オッペンハイマー一家すなわちロバートと妻のキティ、そして二人の子どもたちは、旧オルデンファームの敷地を見下ろす所長公邸「オルデンマナー」に移り住んだ。科学だけでなく、芸術、文学、歴史にも造詣の深いオッペンハイマーは、研究所を「知のホテル」として生まれ変わらせた。すでに滞在していた学者たちに加え、児童心理学者のジャン・ピアジェや詩人のＴ・Ｓ・エリオットが一九四八年の秋学期に招かれるなど、著名な学者たちが加わった。グループ全体が何らかの共同生活を営んでいた。独身の研究者は近隣の下宿に、家族のいる客員研究員は、ニューヨーク北部の廃鉱になった鉄鉱山から鉄道で運ばれてきた戦争余剰の住宅に、常任研究員は研究所内の空き地に建てられた近場の住宅に住んでいた。食事は、一九三九年に建設された本部ビル、フルドホールの最上階にあるカフェテリアでとった。三時になると、一階の談話室でオズワルドとエリザベス・ヴェブレン夫妻が流行らせたアフタヌーンティーが振る舞われた。オッペンハイマーは、「お茶会はわからないことを相互に説明しあう場」であると表現している。

アインシュタインとオッペンハイマーは、フルドホールの反対側の棟にオフィスを構えた。アインシュタインは、原子力科学者緊急委員会を招集し、すべての核兵器の国際的管理を求め、一方オッペンハイマーの米国原子力委員会の金庫には武装した警備員が目を光らせていた。一九四五年末に発足したIAS電子計算機プロジェクトは、フルドホールの地下に置かれ、その後、目立つ特徴のない別棟に移されたが、このプロジェクトが水素爆弾の設計に必要な数値流体力学の計算のために緊急で組織されたことは公然の秘密だった。一九四五年の日本に核分裂兵器が投下された時点と、一九五四年の熱核兵器「キャッスル・ブラボー」の実験が行なわれた時点では、爆発量の計算能力も一〇〇〇倍になっていた。

戦後の高揚感が漂っていた。食糧、建材、燃料、住宅はまだ配給制であったが、苦難は終わりを告げようとしていた。戦争を生き抜いた人々は、失われた時間を取り戻そうとしていた。ダイソンが参加したオルデンマナーでの最初のディナーの後、T・S・エリオットが招待客に紹介された。この時オッペンハイマーが「これまで見たこともないほど幸せそうだった」と、ダイソンは母親に報告している。T・S・エリオットの詩劇『カクテル・パーティー』は高等研究所に言及した彼の唯一の出版物だ。「オッペンハイマーが私に話しかけてきたのは、夕食に出された美味しいメキシコ料理のレシピを教えるためだった（彼は料理の達人だった）。そして、サッカーから楔形文字まで、どんな話題でもありえたが、次から次へと話題が飛んでいった」とダイソンは続けている。[40]

一九四九年春、《ニューヨーカー》誌は、「トーク・オブ・ザ・タウン」の取材班を列車でプリンストンに送り、実況見分を持ち帰った。まだ水爆の議論が公になる前だったので、ニューヨークから一時間のところにある、汚れ(けが)のない楽園というイメージになった。「オッペンハイマーを遠くから見たが、どうやら小さな子どもに五セント玉をせびられているようだった」と、《ニューヨーカー》誌は報じている。「友人の案内で、研究所の三つの赤レンガの校舎のひとつにある一二のオフィスを覗いてみると、幾人かの思想家がそれぞれの仕事に没頭しているのが見えた。ある者はメモ帳に殴り書きをしていて、おそらく重要な方程式を考えているのだろう。ある者は窓から野原にいる四羽のカラスを見つめ、ある者は携帯用タイプライターで母親に手紙を書いていた」。当時、メモリーチューブに問題を抱えていた電子計算機プロジェクトの見学と、フルドホール四階の会議室での深夜のポーカーゲームの合間に、特派員は一階の談話室で開催された舞踏会に参加した。

「参加者はオッペンハイマーの部下の若い原子物理学者と数学者が中心だった」と《ニューヨーカー》誌は書いている。「口数の多さ以外は、小さな大学で行なわれるスクエアダンスのようだった。男子はワイシャツにスラックスかジーンズでスニーカー、女子は、所員の妻や秘書や科学者なのだが、ペザントブラウスにディアンドル、サドルシューズかバレエスリッパという装いだった。音楽は蓄音機で掛けられ、コール〔スクエアダンスのかけ声〕は定番のものだった。しかし時々、広間にいる若い男性が他の人にステップを説明しているのが聞こえてくるのだ。それがなにやら『そこでM上に2πの角度で離散的なベクトルを持つ菱形を作るんだ』というような調子なのだ。一八歳くらいに見える一人の少女は、非結合代数の画期的な論文を発表した後、ヨーロッパの著名な数学者として研究所に招聘されたという紹介があった。その後、彼女と二二歳の著名な宇宙物理学者が一緒に丸められた絨毯の上に座った[41]」。

母親に手紙を打っていた物理学者はフリーマン・ダイソン、ダンスを披露していた統計学者はジョン・テューキーだった。テューキーは“binary digit”（二進数）を“bit”と略す造語を作ったばかりだった。ビットとは、情報の究極の最小単位であり、任意のふたつの選択肢の違いを表現する。〇か一、パンチカードや紙テープの穴の有無、ライプニッツが一六七九年に構想したデジタル・コンピューターにおける黒いビー玉と白いビー玉の違いもビットで表現できる。七ビットのASCIIコードでは“binary digit”を“bit”に省略することで六三ビットの節約になる。

著名な宇宙物理学者、ディック・トーマスは当時二八歳だった。一八歳くらいに見える数学者は実際は二五歳だった。彼女の名前はヴェレーナ・ヘフェリ（旧姓フーバー）で、彼女は一九四七年にチューリッヒ大学で「Ein Dualismus als Klassifikationsprinzip in der abstrakten Gruppentheorie（抽象群論における分類原理としての二元論）」という有限群論の論文で博士号を取得し、IASに招聘されることになった。一九二三年にスイス人の両親のもとナポリで生まれたヴェレーナは、一九二九年にアテネに移り住んだ。父親のチャールズ・フーバーはスイスの食品加工エンジニアリング会社ビューラー社の中東事業を統括していた。彼女はドイツ語の学校に通い、男の子と一緒に工作の授業を受け、数学への関心を高めていった。

技術科目に傾倒していた彼女は、変わり者の女の子だと敬遠されたので、より受け入れられやすい避難先として数学に目を向けた。数学は、頭の中で数字と格闘しながら、外見上は必要な社会的体裁を保つことができる。「八歳か九歳のとき、新しい数学の先生と一次方程式をやっていた。私が『$x^2 = 10$という方程式はどうなるの?』と訊くと、先生は私の頭をなでて『焦らないで、そのうちにできるようになるから』と言った。それで私は家に帰り、居間のソファに座って、まず有理数m/n(mとnは通常の整数)の二乗が一〇になることはありえないという事実をきれいに証明し、その二乗が一〇に「収束」する有理数の無限列$\{m_i/n_i\}$を構築した」。ヴェレーナは内気だったので、数学の先生に結果を見せられなかった。「だから私だけの秘密にしておいた[42]」

一九三〇年代に入ると、アテネ・ドイツ・シューレは変わり始めた。「じきに第三帝国から派遣されてくる先生たちは、もはや博士号を持たなくなった」と彼女は続ける。プライビッシュ博士やリヒテンシュタイン博士など、彼女のお気に入りの先生たちは姿を消し始めた。ドイツ人の級友たちはヒトラーユーゲントに参加するようになった。ヴェレーナは妹のハイジと一緒に「赤い四角に大きな白いスイス十字をエーデルワイスとピッケルとアイゼンで囲んだスイス山岳会の徽章をいくつか」見つけ、「ブラウスに留めて、威勢のいいドイツ人に『ハイル・ヒトラー』と呼びかけられるたびに、右手の人差し指で胸の山岳会の徽章を指して『ハイル・ディル・ヘルヴエティア』（スイス万歳）と静かに、しかし毅然と言っていた」。

ヴェレーナ、ハイジと母親は一九四〇年にチューリッヒに戻り、父親はアテネでの仕事を終えて、赤十字国際委員会（ＩＣＲＥ）に就職した。そしてイギリス領のインドとセイロンに派遣され、イギリスの収容所にいる捕虜の状態のモニタリング業務にあたった。戦時中で、検閲が行なわれていたため、電報はジュネーブの国際赤十字本部を経由して、散発的に送られてきた。チャールズ・フーバーは、スイスでは戦争の物理的破壊を目にすることがなかったが、ここにきて戦争が人々に与える心理的影響を目の当たりにした。赤十字の社員は、外部の郵便物を持ち込む唯一のルートだった。赤十字の訪問は「囚人にとって一筋の光明だった」とパオロ・マストロリッリは言う。彼の父はイタリア軍の将校で、リビアで負傷し、一九四三年にインドにあるイギリスの収容所に送られた。「フーバー氏がしたことは、多くの人にとってかけがえのない行為であり、多くの命を救ったことだろう[43]」

ヴェレーナはまだ一八歳になっていなかったのでスイス連邦工科大学（ＥＴＨ）への入学を拒否された。そこでチューリッヒ大学に入学して、ヴェレーナが生まれた一九二三年に有限群に関する古典的なテキストを出版したアンドレアス・シュパイザーに師事することになった。彼女は、有限群の構造に関する修士論文を提出したが、ダフィット・ヒルベルトの教え子であるシュパイザーは、その論文を博士論文として提出するようにと助言した。

彼女は群論に一目ぼれした。「私には群論の変換が目に見えるようでした。自然界では、対称的な形や事象があるところには必ず群がある」と彼女は説明する。一八三二年五月三〇日の朝、二〇歳にしてすでに二度も投獄されていたフランスの数学者であり政治運動家でもあったエバリスト・ガロアが、ピストルの決闘で瀕死の重傷を負う前、最後の夜に必死で取り組んだ結果、抽象群論は現代的な形に仕上げられた。ガロアは群論を「人が何かに何かを行なって得られた結果を、同じことを他の何かに行なったり、別のことを同じ何かに行なったりした結果と比較するという数学の一分野であり」、「応用範囲が広く決して些末なものではない」と定義している。[44]

私の母、ヴェレーナ・フーバー・ダイソンは、幼い子どもたちに数学を説明するとき、朝に出ていき、夜に戻ってくる羊飼いの羊の群れを想像しなさいとよく言っていた。羊飼いは小石を集めており、羊が一頭出かけるたびに小石をひとつ場に置く。一頭戻るたびに場からひとつ引く。小石と羊の数を対応させ、群れを把握するのだ。待ち時間の間に、羊飼いが羊のことを忘れて小石で遊び始めたとしよう。羊飼いは、小石の集合をいろいろと作ってみたり、集合の集合というものが作れることを発見したり、小石の集合の変形や対称性ということにも気がつくかもしれない。やがて小石の集合も羊のことも忘れてしまい、変形と対称性に没頭していると、空に星が星座を織りなすように、それらが構造を作り出すのが見えてくる。群論の始まりである。

チューリッヒ大学で学位を取得するためには、群論だけでは不十分だった。副専攻に化学を選んだのは、彼女が化学はすべて「原子物理学の科学に基づいたアルゴリズムとして理解することができ、その詳細はそこから必要に応じて導き出すことができる」と考えていたからだ。一九四五年、ヨーロッパが終戦を迎えたある春の朝、彼女は化学の試験を受けた。「教室の一番奥に、新聞《ノイエ・チューリッヒ・ツァイトゥング》の朝刊の大きな見慣れた裏面が、広げた状態で持ち上げられていて、その下からよく磨かれた一揃いの靴が突き出ているのだけが見えました。

カラー教授（有機化学の古典的教科書の著者、ポール・カラー）が新聞をゆっくり、じっくり、きれいに折りたたんでテーブルに並べたところで、大変なことが起きました。火薬の作り方を説明せよというのです」。彼女は不合格となり、化学を受け直さなければならなくなった。[45]

ヴェレーナの母親バーシー・ライフェルは一九四五年六月に心不全で亡くなり、父親は一九四六年一一月、連合国による分割統治下ドイツの英国地区での病院視察から救急車で戻る途中、夜間の衝突事故で死亡している。父親は死の前年、ＩＣＲＣの代表としてアメリカの捕虜収容所を長期にわたって視察した。ヴェレーナに対してはアメリカを「ぜひともじっくりと体験すべき場所だが、それと同じくらい、絶対に定住してはならない場所」と語っていた。博士号を取得したヴェレーナは、一九四七年末から一九四八年の新年にかけて、父の遺産から得たわずかなお金と二歳の娘カタリナ、そしてアメリカに到着してから何とかやっていけるだけの英語力を持って、オランダ・アメリカの定期船ニューアムステルダム号でアメリカに向けて船出した。

アメリカでの最初の四カ月はイリノイ大学アーバナ校で、ラインホルトとマリアンヌ・ベア夫妻の世話になって過ごした。夫妻はプリンストン大学のソロモン・レフシェッツ教授と協力して、彼女がプリンストン高等研究所（ＩＡＳ）に招聘されるよう手助けをした。プリンストン大学で女性教授が誕生するのは一九四八年後半、女子学部生の入学が認められるのは一九六九年になってからだ。高等研究所は、ナチスから逃れてきた難民だけでなく、当時プリンストンの学界に入ることを拒否されていた女性たちにも聖域を提供したのだ。

オッペンハイマーがＩＡＳに在籍していた頃は、素粒子物理学が主役で、群論は脇役に徹していた。「オッペンハイマーの視野はとても狭くて、基礎科学でないものは何もすべきでないと考えていた。そして彼にとって真に基礎であるものとは素粒子物理学なのだった」と、フリーマン・ダイソンは回想している。[46] 戦後、サイクロトロンや線形加速器が稼働し始めると、新しい素粒子が次々と発見された。このような最も基礎的な物質を理解しようとすると、本当に存在するのは物ではなく、場であることが明らかになるというパズルだった。

場の理論では、素粒子の振る舞いを説明することはできても、なぜ他の粒子ではなく、特定の粒子族が発見されたのかを説明することはできなかった。素粒子の系統を理解する鍵を握っていたのは対称性、つまり何かが変化しても変化しないものを重視する群論であり、その結果、小石から羊まで、われわれの物質世界が、なぜ場のほかには何もないところから生まれるのかが明らかになった。

こうして、父と母は一九四八年の秋学期から高等研究所に滞在し、お互いを知ることになった。フリーマンは、多くの時間を一人で長い散歩に費やした。「残念ながら若い同僚たちは、私と一緒に散歩に加わってくれません。彼らは、理論物理学の仕事であっても、九時から夕方五時まで働かねばならないというアメリカ流の考え方にとらわれているのです。私は同僚たちにあまり傲慢に思われないように『私は目が悪いので午後は仕事をしない』と言わなければなりませんでした」と、彼は不満げに語っている。[47] 学期末に、オッペンハイマーから異例の申し出があった。五年間、数学部門に籍を置き、長かろうが短かろうが学内に好きな時間滞在するだけで、その義務を果たすことができるというものだった。フリーマンは、オッペンハイマーに「何もしないのに高い給料をもらうのは、私のような年齢の人間にとってタメになるでしょうか?」と疑問を呈しつつも、引き受けた[48]。ヴェレーナは、一九四九年五月までの二期目を、無給での留任を提案されていた。一九四九年四月、《ニューヨーカー》誌が取材に訪れたとき、二人は別々の道を行こうとしていた。

独身数学者のフリーマンは、プリンストンの中心部に部屋を借りて暮らし、食事は研究所のカフェテリアか、町の安い食堂でとっていた。「つい最近まで私にとって、若い既婚者とその家族が住むハウジング・プロジェクトは、意地悪な運命によって追放されたエデンの園のように思えました」とフリーマンは母親に報告している。一九四九年四月七日、すべてが変わった。「私は一人で散歩して、外の空気を吸いながら、何か憂鬱な気分でいました。たまたまハウジング・プロジェクトのヴェレーナ・ヘフェリの家の前を通ったら、小さなカトリーナ（マ）が窓際に立っていて、通りかかった私に向かって叫び始めたのです」と彼は続けた。「今日までほとんど話したことがなかったから、これは不思議なことでした[49]」

カタリナはフリーマンを中に案内し、フリーマンは昼過ぎまでヴェレーナの人生と仕事について詳しく聞いた。彼女は博士号を持ち、娘がいて、最近離婚したばかりだった。車はマルーンの一九四〇年製ダッジ・コンバーチブルクーペ、二一七立方インチ（約三四〇〇cc）直列六気筒だった。翌日三人はダッジの幌（ほろ）を下ろし海へ向かった。彼らはプリンストンで一緒に過ごせる残り時間を使って、ニュージャージーの海岸へ何度もドライブに出かけたが、一九四九年五月一五日には、ニュージャージー州レイクサイドの治安判事の前に一緒に出頭した。前週末のドライブからの帰り道でヴェレーナが一時停止の標識に従わなかった違反を一〇ドルの罰金で和解するためだった。

二人は共に、クルト・ゲーデルの数学の基礎に関する研究に、特別の関心を持っていることに気がついた。それも一九三〇年と一九三一年の不完全性定理だけでなく、ゲーデルが一九三九年にウィーンを最後に離れ、研究所に永住して以来、取り組んできた仕事にも興味を持っていた。フリーマンは、ゲーデルの論文『連続体仮説の一貫性』の注釈付き抜刷をヴェレーナに贈った。この論文は、「数えられない大きな無限」と「数えられる小さな無限」というふたつ以外に、異なる型を持つ無限が発見されることはあるのかという未解決の問題を扱っていた。フリーマンが贈った抜刷には、さらに六ページの鉛筆書きのメモがあり、「この論文の主張にいくつかの変更を加えることで、……かくしてわれわれは元の論文よりも強力な証明にたどり着いた」と書かれていた[50]。

フリーマンとヴェレーナは、一九五〇年八月にミシガン州の治安判事の立ち会いのもと結婚し、その後の新婚旅行でアッパー半島を車で回った。一九五一年七月には、チューリッヒでふたりの最初の子どもであるエスターが生まれ、一九五三年には、ニューヨークのイサカに戻り、私の誕生が後に続いた。オッペンハイマーは、その後フリーマンに常任のポジションを与えた。オッペンハイマー自身もこれ以降、時々サバティカル休暇を取りつつ研究所に残った。

フルドホール四階のカフェテリアで夕食を取った後、エスターと私はトレイをキッチンに戻して、子どもだけでは入ってはいけない廊下や階段をよくこっそりと探検した。エスターは誰の研究室なのかの手がかりをいろいろと読み取ることができたが、私は匂いで歴史学者の棟と数学者の棟を区別することしかできなかった。数学者は歴史学者よりも集中力を求められるので、空気中に汗の香りを残していた。あるいは、数学者は黒板を使い、パイプ煙草を好むが、歴史学者の方は本棚が好きで葉巻を愛好しているからということだったのかもしれない。このような違いを、若い動物が自分の巣穴を認識するように、無意識のうちに感じ取っていた。

研究者にとって高等研究所は学問の世界の中心に位置していた。われわれ子どもにとっては、森の中に位置していた。オズワルド・ヴェブレンは、かつて両親がノルウェーの土地を悪徳弁護士に奪われたためか、アメリカの開拓地を次々と手に入れていった。土地の入手に取りつかれていたのだ。彼は、バンバーガー家を説得して、オルデンファームの他に、隣接するいくつかの土地の購入契約を結んだ。オルデンファームは、ウィリアム・ペンが取得して以来、二度だけ所有者が代わった。それ以前は、ニュージャージー州とペンシルベニア州の先住民であるレニ・レナペ族が所有しており、ペンは入植が始まる前に彼らの間を旅して言語と習慣を研究していた。一六八三年、王立協会の友人ロバート・ボイルに宛てた手紙に、「私は彼らに生来の聡明さを見た」と書いている。「貧しいインディアンたちの分かち合い生活は、高尚な見せかけのキリスト教徒の生活よりも高尚だ[51]」

森は、一面は研究所の敷地と住宅地、もう一面は一七二六年に建てられたフレンズ集会所と一七七七年のプリンストン戦場跡、さらに一面をプリンストン・ジャンクション鉄道とエリザベスタウン水道、そして最後の一面をデラウェア・アンド・ラリタン運河に囲まれ、その岸にはかつて畑で働いていた解放奴隷の子孫の粗末な家がある区画があった。森の中、電気も水道もないブナの原生林の中に、小作人が一家族住んでいたのだが、研究所がこの土地を購入した時に退去した。

ヴェブレンは、常にアウトドアの格好をし、オフィスには風倒木のための斧を置いていた。研究所の六〇〇エーカーの森でクリストファー・ロビンを演じているようだった。夜眠る頃には、研究所周辺の森と、『くまのプーさん』の巻末に印刷されていた一〇〇エーカーの森の地図の絵との境界が曖昧に感じられた。クリストファー・ロビンの一〇〇エーカーの森には、熊、子豚、フクロウ、ロバ、虎、ウサギ、そしてカンガルーが二匹住んでいた。私は、哺乳類や鳥類よりも爬虫類に興味があるという、珍しいタイプの八歳の子どもだった。私とエスターは、ヘビ、カメ、カエルを捕まえては放していた。ガラガラヘビの亜種であるウォーターモカシンや、ディナープレートよりも大きなカミツキガメには近寄らなかった。カミツキガメ（Chelydra serpentina）は白亜紀の生き残りで、六〇〇〇万年前から変化していない。現在は北アメリカ東部に限定されているが、かつてはもっと温暖で湿潤な世界に広く生息していた。まるで恐竜がまだニュージャージーの森をさまよっているかのようだった。

カミツキガメは成熟すると三〇キロ近くに達し、カメとしては珍しく敏捷で、細長い首と巨大な顎があり、子どもの腕ほどの太さの棒を嚙み砕くことができる。成体には自然の捕食者がいないので一〇〇年以上生きることがある。泳ぎが得意で、水底の泥の中に潜り込み、ほとんどの時間を水面下で過ごすので、水中で捕まえることはほとんど不可能だ。時折、カミツキガメは重装甲の戦車のように森の中をのしのしと歩き、仲間を探したり、卵を産んだり、別の水域に移動したりするのだが、逃げ場の水域が見つからずに捕獲されることがある。

一〇歳くらいになると、われわれの興味は、爬虫類から機械へと移っていった。森の端近く、オルデンレーンの下端には、オルデンファームの時代から残された納屋があった。そこには、干し草の梱(こり)や農機具など、当時の面影が残っていた。また、かつて牛乳を搾っていた家畜小屋の列は、電子計算機プロジェクトに転用され、真空管などの部品を取り出した後の、戦争の余剰品である電子機器が山積みになっていた。

われわれは羽目板の隙間から入って、この遺物を選り分けた。一九五〇年代の子どもだったわれわれは、真空管、特にブラウン管に対する恐怖心を植えつけられていた。好奇心旺盛な子どもが汗ばんだ手をテレビのキャビネットに突っ込むと、ブラウン管の電圧で死んでしまうかもしれないからだ。そこで、リレー、ソレノイド、マイクロスイッチなど、家にある電池やドアホンの変圧器に接続できる低電圧の電気機械部品を取り出した。RCA社に勤めていた友達の父親たちから譲り受けた大型乾電池は、安全な電圧の範囲のぎりぎりだった。ポータブルの電池式真空管は、三種類の電圧の電池で駆動していた。牛乳パックサイズのB電池は強力で、電池のカミツキガメと言えた。四五ボルトと九〇ボルトのプレート電圧をガツンと供給するものだった。

生命体、技術、制度は、往々にして絶滅する直前に栄華を誇る時期を迎えるものである。トランジスターの時代が到来し、真空管の時代は終わろうとしていた。だが当時はまだ自動車のテールフィン、メンソールタバコ、そして真空管駆動のハイファイ・オーディオの時代だった。ソファのような大きさのキャビネットをいっぱいに使って、人間の耳に聞こえる周波数より広い範囲をロスレスで再生する真空管オーディオに人々は夢中だった。

水爆の計算が終わっても、歓迎されなかったとはいえ、電子計算機プロジェクトがIASで許容された理由のひとつは、プロジェクトの技術者が、オッペンハイマーやアインシュタインを含む主要教員のほとんどに、当時市販されていたものよりも優れたハイファイ・オーディオ・システムを提供し続けたからだ。

真空管は成功しすぎた。人々は多くの真空管を欲しがったが、真空管の製造は難しく、寿命は短く、電子が真空中に飛び出して仕事をする温度までフィラメントを熱するのにあまりにも大量の電気を必要とした。一九四七年一二月二三日、プリンストンから六〇キロほど離れたマレーヒルのベル電話研究所で、最初の粗製トランジスターが産声を上げた。真空管の時代は終わりを告げようとしていた。

三極管は、一個ずつ、そして数千個、さらには数百万個とトランジスターに置き換えられていった。真空管では、吹きガラスの筒に念入りに細工をした電極を封じ込め、赤熱になるまで熱することでようやく電子に言うことを聞かせる状態にすることができた。一方でトランジスターは室温と低電圧で同じ結果を得ることができたし、モノリシック・シリコンを使うことでより小型で大規模な部品の製造が可能になった。真空管は、部屋に温もりを求める一部のオーディオマニアの間以外では跡形もなく消え去ってしまった。

一方、カミツキガメは、ニュージャージー州の森の中で、白亜紀の沼から一匹また一匹と今も現れ続けている。温暖で湿潤な世界は、彼らにとって好都合になるだろう。彼らが地球で過ごしてきた時間で考えたならば、人新世などその二重まぶたの瞬きのようなものなのだ。

第4章　イルカの声

原爆開発を主導したレオ・シラードは晩年、イルカが人類に警告を発する反核SF『イルカ放送』を著し、フリーマン・ダイソンは核駆動式宇宙船で太陽系を探査せんとする「オリオン計画」に参画する——核の平和利用を志向した壮大なプロジェクトの結末とは？

一九三三年九月、三五歳のハンガリー人物理学者レオ・シラードは、ロンドンを歩き回り「ナチ政権の出現により大学の職を失ったドイツ人同僚のために職を見つけようと」ドアを叩いていた[1]。シラードは、アインシュタインの友人、学生、同僚であり、ジョン・フォン・ノイマン、ユージン・ヴィグナー、テオドール・フォン・カルマン、エドワード・テラーと並び、一九三〇年代にアメリカに移住したハンガリー人の「火星人」五人のうちの一人として、核兵器、デジタル・コンピューター、そしてフォン・ノイマンが「予想される最も凶暴な核兵器の形態」と宣伝した大陸間弾道ミサイルの開発のきっかけを作った[2]。

一九二二年にベルリン大学で博士号を取得したシラードは、熱力学に関する論文でアインシュタインの熱烈な支持を得て導かれ、一九二九年には半年かけて書き上げた一〇ページに及ぶ画期的な論文「知的生命体の介入による熱力学系におけるエントロピーの減少について」をドイツ語で発表した。この論文はシラードの死後の一九六四年に初めて英語で発表された。シラードは、「速い分子を捕まえ、遅い分子を通過させる」知的エージェントのマクスウェ

フォギー島Aの北部が南西1/2西1リーグの距離、島Bが西4リーグの距離からの陸地の景観

ルの悪魔が、ランダムに変動する熱力学系の閉じた区画の中で、出入り口を開閉することによって、物理的仕事をする（その結果、家を壊す）ことなく、温度を上げることができるかという問題をエントロピーと情報を結びつけることで解決した。[3]

シラードはこの問題を、ふたつの部屋に分かれた箱の中に閉じ込められたひとつの粒子という形に単純化した。任意の時間に、箱の中のどちらの側にその粒子が入っているかを知るために必要な最小限のコストとは何だろうか？　彼は、われわれが情報の単位として今日「ビット」と呼んでいる、この最小限の物理的表象が熱力学的にどのような意味を持つのかを分析した（ビットという用語が定着するまでさらに二〇年を必要としたのだが……）。

シラードの洞察は、通信理論家のハリー・ナイキストやラルフ・ハートリーの洞察とともに、ジョン・フォン・ノイマンやノーバート・ウィーナーに影響を与え、一九四八年にクロード・シャノンが情報理論を定式化するきっかけとなった。またアインシュタインとの共同研究により、可動部のない冷蔵庫の特許を取得することにもつながった。

シラードはマクスウェルの悪魔を、「非常に研ぎ澄まされた能力を持ち、すべての分子を追跡することができる」[4]という曖昧な定義の存在から、一度に一ビットの情報を記憶し、呼び出し、忘れる知的能力を持つ装置へと単純化した。彼は「このような装置の介入の結果として、エントロピー減少の補償が実際に起こるかを判断する上で、このアイデアは極めて重要だ」と考えていた。[5]シラードは、デジタル・コンピューターの時代よりずっと以前に、デジタル・コンピューターの究極の制約といえる問題に取り組んでいた。それは、すべての情報ビットを、瞬時に記憶し、そして瞬時に忘れるコストにはどのような条件があるのかという問題だった。

ライプニッツのコンピューターの中の個々のビー玉を非常に小さくしても、それがどこにあるのかを知るには、ある種の無視できないエネルギーの損失が生じる。数十億ビットを一秒間に数十億回処理する機械では、そのコストは膨大になる。これに対し、アナログ・コンピューターでは、時間の増分ごとにすべてのビー玉を追跡する必要はない。

シラードは、二六年間のアメリカ滞在中、一度も正規雇用の職に就かず、スーツケースに入る程度の物しか持たず、ほとんどホテルの部屋にいない生活をしており、ＦＢＩに執拗に追跡されていた。彼の人生は、矛盾に満ちていた。アインシュタイン - シラード式冷蔵庫、原子炉、カフェイン入り飲料の製造方法の改良など、何十もの特許を申請し、一九三四年には（英国海軍の機密事項として）核連鎖反応の予測も特許として取得した。しかし、シラードは決して大きな報酬を得ることはなかった。彼は子どもの知恵と正直さを称賛していたが、自分では家族を持つことはなかった。核兵器の誕生に貢献した後、彼は生涯にわたって核兵器に反対するキャンペーンを展開した。

一九三三年九月のある日ロンドンで、シラードは、ドイツ政府のユダヤ人科学者仲間に対する扱いだけでなく、原子核のパイオニアであるアーネスト・ラザフォード卿が直近に発した「原子核の変異を動力源に使おうとする人々に対して、そのような期待論はたわごとだという警告」にも苛立っていた[6]。シラードは、「専門家の何かができないという趣旨の発言は、いつも私をいらいらさせる」と回想している。

「その日、私はサウサンプトン通りを歩いていて、ラッセル広場で信号待ちをしながら、ラザフォード卿が間違っていることを証明できないかと考えていた。信号が青に変わり、通りを渡ったとき、ふと、中性子によって分裂し、一個の中性子を吸収すると二個の中性子を放出する元素を見つけ、そのような元素が十分に大きな質量で集合すれば、核連鎖反応を維持し、産業規模のエネルギーを解放し、原子爆弾をも作ることができるのではないかと思いついた」[7]

シラードが核兵器に出会ったのは、第一次世界大戦前夜の一九一四年に発表されたH・G・ウェルズの小説『解放された世界』だった。ウェルズは、世界が原子エネルギーによって変化し、原子爆弾によって破壊され、世界大戦の灰の中から、覚醒した世界政府が立ち上がるまでの様子を描いた。一九二九年、ロンドンでウェルズと出会ったシラードは、原子力の国際的な管理を主張するウェルズの考えに賛同した。「今はわれわれの思考の中に潜み、われわれの腰に隠れている存在が、足台の上に立つようにこの地上に立ち、笑って星々に手を伸ばす日が、果てしなく続く日々の先に、いつか来るだろう」というウェルズの予言を支持した。[8]

ウェルズが「戦争を終わらせる戦争」と呼んだ第一次世界大戦[9]は、核兵器なしで終結した。一九二〇年代にシラードが核物理学の研究を始めたとき、彼は爆弾ではなく、宇宙探査を思い描いていた。当時、彼は「原子エネルギーの解放によってのみ、人間は地球だけでなく、太陽系をも離れることができるようになるのだ」と考えていたという。[10]

シラードは、一九三八年にアインシュタインの推薦で渡米した。一九三九年八月二日、彼は、ルーズベルト大統領に原子爆弾の可能性を知らせる手紙を、アインシュタインの署名入りで起草した。シラードの粘り強い働きかけで、アメリカ政府は「ウラン研究費」として六〇〇〇ドルを約束したが、資金が入金したのは一九四〇年三月になってからだった。この遅れに焦ったシラードは、自分でトリウムを借りて、個人投資家に株式と交換という条件で原子炉建設の支払いを依頼しようとした。この起業は、学会の仲間から疎まれ、投資家も集まらず、資金確保のために正規の手続きを踏んでいた政府関係者の目には反抗的な態度に映った。

エンリコ・フェルミとレオ・シラードは、科学者として初めてアメリカ陸軍の「マンハッタン・エンジニア地区」というコードネームを持つ原子爆弾プロジェクトに参加した。シラードの場合、歓迎された期間は短かった。一九四〇年八月一三日、陸軍は「非常に信頼できる筋から得られ」、FBIのJ・エドガー・フーバー長官に転送された情報を根拠として、「この人物を秘密工作に使うことは推奨できない」という勧告を受けた。そこからプロジェクトとシラードの関係は悪化していった[11]。ペンタゴンの建設を監督し、マンハッタン計画の指揮を執ったレスリー・グローブス将軍は、シラードが軍の権威を軽視していることに腹を立て、ロスアラモスから彼を追放し、戦争の間、危険な敵国人として抑留しようとした。「シラードは米国に忠誠を誓っていたが、その反面、陸軍省にとってかなりのトラブルメーカーだった」とFBIの資料に書かれている。「彼は原爆が完成する前から、プロジェクトの成果を、戦後の恒久平和促進に利用する共同キャンペーンを始めた。シラードはプロジェクトの機密保持を最初に提唱した一人であるが、機密保持の扱い方については独自の考えを持っており、それはマンハッタン・エンジニア地区の考えとは異なっていた[12]」

ドイツの降伏によりマンハッタン計画を発足させた脅威がなくなると、シラードは日本の民間人に対する核兵器の使用を阻止するためのロビー活動を開始した。一九四五年七月一七日、ニューメキシコでのトリニティ爆発の翌日、彼はトルーマン大統領に対し、兵器の存在を明らかにし、日本に降伏の機会を与え、必要ならまず無人の標的に対するデモンストレーションを行なうよう求める請願書を提出した。シカゴの同僚六七人の署名入りだった。

オッペンハイマーは、シラードの請願書がロスアラモスで回覧されることを拒否した。グローブス将軍は、ヘンリー・L・スティムソン陸軍長官への請願書の送付を遅らせ、広島が破壊される後まで大統領に届かないようにした。そして国家安全保障を理由に請願書の文面やその存在に言及することさえ禁じた。陸軍情報部からは厳しい警告がシラードに届けられた。ハンガリーの物理学者で、すでに原爆の一〇〇〇倍以上の威力を持つ水素爆弾の研究をしていたエドワード・テラーは、シラードの気持ちには共感しながらも、「良心の呵責を逃れる望みなどないのだ。われわれが取り組んでいることはあまりにも恐ろしいことで、いくら抗議しても政治に介入しても、われわれの魂が救われることはない」と答えて、署名を拒否した。[13]

広島と長崎が破壊された後、この兵器を作った物理学者たちは、三つの陣営に分かれた。爆弾の製造と実験をできるだけ多く行なおうとする人々、爆弾の製造を完全に止めようとする人々、そして爆弾の製造は続けるがそれを別のことに使おうとする人々だ。

第一のグループをリードしたのはロスアラモス研究所と後発のリバモア国立研究所の兵器開発者たちで、両者のライバル関係は、米ソの対立と同様に、核軍拡競争の原動力となった。「彼ら（ロスアラモス）はより小型で優れた爆弾を作ろうとし、われわれはさらに小型で優れた爆弾を作ろうとした」と、リバモア側の物理学者モリス・シャーフは言う。[14]

第二のグループは、一九四五年に創刊された《原子力科学者会報》と、一九四六年にアインシュタインとシラードが招集した「原子力科学者緊急委員会」に始まる一連の軍備管理キャンペーンが主導していた。

第三のグループの最前線は、地下核爆発を利用して、石油やガスの採掘、人工港の建設、運河の掘削を行なうというアメリカの試みで、ソ連も後に倣(なら)った「プラウシェア計画」だった。この分野には商業的な参入もあった。ゼネラル・ダイナミクス社の子会社で、全方向での原子力の商業化のために一九五五年にサンディエゴに設立されたゼネラル・アトミック社だ。創設者は、エドワード・テラーのウィーン時代の弟子で、当時「スーパー」爆弾と呼ばれていた爆弾の初期段階の計算を行なったフレデリック・〝フレディ〟・デ・ホフマンだった。

一九四九年にソ連が水爆実験に成功し、トルーマン大統領がアメリカの水爆開発を全速力で推進する前のことで、テラーは「私は水爆について何かやりたかったが、他には誰もやりたがっている者はいなかった」と回顧している。「私よりもやりたいと思っている一人がフレディ・デ・ホフマンだった[15]」。日本に投下された原爆「リトルボーイ」と「ファットマン」の弾道計算を行なったのは、当時二〇歳のデ・ホフマンである。「日本に投下する原子爆弾の計画表を作成したことは、私の心に強く刻み込まれている。科学技術の実験が最終的にどのように使われるかという現実を突きつけられたからだ」と彼は回想している[16]。

ゼネラル・アトミック社は、最初の二年間はポイントローマにある小学校を改造した建物で活動していた。その後、サンディエゴ郊外のラホヤの北、トーリーパインズの何もないメーサ台地に、未来的デザインの本社を建設してそこに移転した。一九四三年、ロバート・オッペンハイマーとアメリカ陸軍は、ロスアラモス牧場学校を接収し、原子爆弾製造に必要な物理学者を集め始めた。その一三年後、フレディ・デ・ホフマンとゼネラル・アトミック社は、戦後になってサンディエゴから軍人家族が退去して以来空き家になっていたバーナード・ストリート・スクールの校舎を接収した。そこには、ロスアラモスからの物理学者やフリーマン・ダイソンなどの新人が大勢集まってきた。「子ども用の水飲み場は背が低く、黒板も高さが低かった」と、校舎の仲間に加わった実験主義者のブライアン・ダンが振り返る。「機械工場は元幼稚園だったが、引き出しが全部、床の高さにあった」[17]

ゼネラル・アトミック社の最初の製品は、絶対的に安全な原子炉で、冷却に失敗した場合、人間や機械の介入なしに数ミリ秒で停止するように設計されていた。エドワード・テラーの言葉を借りれば、「馬鹿でも博士でも誰であっても使える原子炉」であった。一九五六年の夏、校舎に集まった人々は、戦時中のロスアラモスの熱気を再現した。物理学と工学の境界を乗り越えて、熱中性子効果の理論からたった二年足らずで二メガワットの原子炉の試作機にまで到達したのである。一九五八年九月にジュネーブで開かれた第二回国連「平和のための原子力」会議で、ゼネラル・アトミック社は実際に稼働する原子炉を持って現れ、ショーの主役になった。「青い光を見てみたいという人がたくさんいた。飛ぶように売れたよ」とダンは言う。[18]

ＴＲＩＧＡ（Training, Research, Isotopes, General Atomic）炉は六五基以上が発注され、一部は現在も稼働中だ。ＴＲＩＧＡは一貫して利益を上げており、これは他のどの非軍事用原子炉の設計とも比べものにならない記録だ。校舎での最初の夏が終わると、フリーマン・ダイソンはプリンストンに戻り、アンドリュー・Ｗ・マクレイノルズ、セオドア・Ｂ・テイラーとともに

「即時性の負の反応度温度係数を持つ原子炉とそのための燃料要素」の特許に名前を連ねた。彼らはその権利に対して一ドルずつを受け取った。「本発明の第一の目的は、著しく誤った取り扱いをしても破壊されることのない改良型中性子炉を実現することだ」と説明した[19]。

原子炉の安全性を示すには、派手な演出が必要だとゼネラル・アトミック社は考えた。ニールス・ボーアが出席した一般公開の場で「すべての制御棒を勢いよく引き抜き、中性子の倍増時間が二ミリ秒という超臨界状態にした」とダイソンは回想する。「これは想像を絶する最悪の事故と同じ状況だった。しかし、原子炉は数ミリ秒で静かに停止し、何の損傷もなかった。その後このプロセスを五〇〇回繰り返した[20]」

ＴＲＩＧＡプロジェクトのリーダーであるセオドア・〝テッド〟・テイラーは、ロスアラモス出身の若き天才物理学者であり、博士号を取得する前に、米国が保有する最も強力な核分裂兵器を設計していた。テイラーは、ＹＭＣＡの事務局長を務めていた父親のいるメキシコシティで育った。会衆派宣教師の娘である母親は、七歳の時にテッドに化学実験セットを与えたが、その時に「どんなことがあっても、ニトログリセリンを作ってはいけない」というひとつの条件をつけた。そこで彼はヨウ化窒素やピクリン酸などで爆薬を作った。成長してからは放課後に暇になると、メキシコシティの街を歩き回って「ビリヤードの玉が完全な球形をしていて、テーブルが重くて平らな店」を探した[21]。

第二次世界大戦中に海軍に入隊したテイラーは、海軍のＶ‐12奨学金制度を利用してカリフォルニア工科大学で物理学の学位を取得し、その後、カリフォルニア大学バークレー校で博士号を目指した。しかし、予備試験に二度も失敗し、諦めざるを得なくなった。新婚で子どもも生まれ、運が尽きたと思った。一九四九年二月、ハンス・ベーテの後任としてロスアラモス研究所の理論部門長に就任したカナダの物理学者カーソン・マークの紹介で、「中性子拡散の問題」を研究する仕事を月給三七五ドルで受けることになった。

広島への原爆投下の報道を知ったのは、ニューヨークのフォート・シュイラーにある海軍兵学校にいた時だった。テイラーは「これから何が自分の人生に起きるかはわかりませんでしたが、ひとつ決めていたことがあります。それは絶対に核兵器の仕事はしないということでした。それなのに、四年後の私はロスアラモス研究所で核の研究をしていました。しかも情熱を持ってやっていたのです。私に向いているということもわかりました」と振り返る。[22] 核爆発とそれを起こすための条件をどう整えるかに関する彼の理解は、不思議なほど直観的だった。それは、原子核を使ったビリヤードのゲームであり、ロスアラモスではテーブルが完全に平らだったのだ。

「どんな新兵器のコンセプトでも、自分で選んで自由に取り組ませてもらえました。ホワイトハウスの大きさの高性能爆薬の山が持っているエネルギーと同じくらいのエネルギーを、野球ボール大のモノに持たせて、その内部で何が起きているのかを、紙とペンで検証するのは興奮するような経験でした。私はすごくハイになっていました。ハイであり続けるには『注射』が必要でしたが、私には年に二回必ず、その『注射』を打ってもらえる機会があったのです。『注射』とは何かといえば、爆弾が爆発するのを見て『よし、うまくいったぞ』と『次はもっとすごいことができるぞ』の混合ショットの経験だったのですが[23]」

テイラーはすぐに、それまで考えられていた以上の威力を実現する爆弾を設計し、同時に小型化、高効率化を図った。「爆縮の中心部の最後の一～二ミリについて、ああでもないこうでもないと考えていると、カーソン（マーク）が『高温であることに目を向けなさい』と言いました。内部に重水素を入れると、中性子が飛び出してくる可能性が常にあるからです。本当に重要な示唆でした」。このテクニックはブースティング〔核分裂の高温の中心部に重水素を入れることで中性子を発生させ爆発威力を高める操作〕と呼ばれるようになり、現在でも最先端の技法として知られる。

「オッペンハイマーは軽んじる態度をとっていました。彼は米国原子力委員会の科学諮問委員会のメンバーで、よく所内を歩き回って所員のやっていることを尋ねていました。彼は『ブースティングなど時間の無駄だぞ、テイラー卿の（流体力学的）不安定性〔レイリー・テイラー不安定性と呼ばれる、密度が異なる流体が接触して運動が不安定になる現象〕があるのだからね』と言いました。しかしオッペンハイマーは完全に間違っていました」とテイラーは説明する。[24]

テイラーの目標は、超強力な核分裂爆発を実現することで、水爆に期待されている軍事目標を吹き飛ばしてしまうことだった。ＳＯＢは備蓄用として約九〇発が配備されたが、テイラーの水爆を不要にするという作戦は失敗に終わった。彼の努力にもかかわらず、一般市民を標的とする水爆の製造は進められていった。

次にテイラーは大きさについて発想を転換した。「核爆発に必要なプルトニウムの量を一キログラム以下にできないか？　と考えました。ものすごく少なくするのです。製造可能な最小の爆弾はどんなものだろうかと研究しました。片手で持てる直径約一五センチの爆縮式爆弾という結論になりました[25]」

一九五三年、テイラーは取り損なっていた博士号を取得するため、有給休暇扱いでコーネル大学に派遣された。国家最高峰の兵器の設計が、上級学位を持っていない人間の手に委ねられているということが、次第に問題視される状況になってきたのだ。ロスアラモスのカーソン・マーク博士からはよく暗号のような内容の電話がかかってきた。「ワスプはどうですか?」「最高だ」のような会話をした。テイラーはこの電話に「本当に興奮しました」と言う。[26]

一九五六年の夏、共にベーテの弟子であるダイソンとテイラーは、ゼネラル・アトミック社で親しい友人になった。テイラーは、ペンタゴンの将軍たちからだけでなく、アトミック社の工場で働く機械工たちからも同じように好かれていた。コンベア社からゼネラル・アトミック社に移った技術者のヤロミール・アストルは「彼は大物ぶることなく、チームの一員として働いていた」と言う。[27] 夏の終わりになると、テイラーは、ロスアラモスよりもラホヤでの生活の方が、子どもが増える家族にとって適していると考えるようになり、ゼネラル・アトミック社からの残留要請を受け入れた。彼は、爆弾の設計の代わりに原子炉の設計に腰を落ち着けようと思っていた。その時、スプートニクが打ち上げられた。

一九五七年一〇月四日、ソビエト連邦が人工衛星を地球周回軌道に打ち上げた。それに対抗してアメリカは何を打ち上げることができるのか。「その夜、太陽系(地球の近くだけでなく全体)を探査する宇宙船に必要な機能を総合していくと、大量の核兵器に匹敵する規模のエネルギーが必要だという結論に達しました。次に巨大なエネルギーで何ができるかを考えると『ああ、これは何年も前からスタン(スタニスワフ)・ウラムが言っていたことじゃないか』と独りつぶやいていました」とテイラーは回想する。[28]

ロスアラモス研究所でテイラーの指導教官の一人だったポーランドの数学者スタニスワフ・ウラムは、鉄でできたトリニティの発射塔の一部が火球によって蒸発せず、完全な状態で爆発を耐え残ったのを見て、「ロケットで爆弾を運ぶのではなく、核爆発をロケットの推進力として使ってはどうか」と考え始めた。彼はこの考えを推し進め、コーネリアス・J・エヴェレットと共同で「ロケットのような核駆動の乗り物」の特許を取るに至り[29]、一九五五年八月には「外部核爆発による発射体の推進方法について」というロスアラモスの報告書を（秘密裏に）作成した。「発射体の外側で核爆発を繰り返すと、発射体を一〇の六乗センチメートル毎秒の速度まで加速することができると考えられる。これは、大陸間戦争や地球の重力場からの脱出に使われるミサイルのレンジに相当する」と二人は説明した。原子炉を核爆弾の爆発レベルの極限まで動かし、その結果生じる高温を人間が乗る船室に及ばないように隔離するというアイデアは、内燃式ロケットのエネルギー量と温度が制約になっている限界を、数桁レベルで引き上げることを可能にした。「この報告書で提案する方式では、一回限り使用の原子炉（核分裂爆弾）を機体からかなり離れた場所に放出し、爆発させる。すると原子炉は何もない宇宙空間を「外部発動機」として推進に必要なエネルギーを解放する」[30]。オリオンは巨大な外燃機関だ。物体を爆破で木っ端みじんにせずに遠くへ飛ばすことはできるものだろうか？　答えは「イエス」のようだった。

「私は徹夜をしていました。物事がどんどん大きくなってしまうので困っていました」とテイラーは回顧する。「エネルギーを体積で割ると圧力になります。だから体積をよほど大きく設定しないと、圧力は計算可能な視界に入ってきません。体積が大きいほど計算が容易になるわけです。私は当初はショック・アブソーバーを付けた二、三人乗りの宇宙船を考えていました。翌朝、私はゼネラル・アトミック社へ行きました。私のオフィスの隣にはロスアラモスからきたチャック・ルーミスがいたので、彼にあまりにも必要とされる体積が大きくなってしまって困っているんだという話をしました。すると彼は『そうだよ、大きく考えればいいんだ。大きくしない発想は間違っているんだ。大きいことの何が悪いというのだ？』と言いました。三〇秒のうちにすべてがひっくり返りました。本当に太陽系を探検するには、クイーン・メリー号〔イギリスでクイーンエリザベス号と同時期に建造された巨大客船〕くらいの大きさの宇宙船を使うべきだというのがチャックの意見でした。彼はそれが理論的に可能だと考えていました。爆弾を使ってシカゴのダウンタウンの大きさのものを軌道に乗せることができるということを、です[31]」

米国にとって、スプートニクは刺激剤になったが、驚きではなかった。アトラス、タイタンというミサイル、エクスプローラーやバンガードという人工衛星計画、ローバーという核ロケット計画、さらには月面着陸の計画までもが、一〇年以上前から進行中だったのである。しかし、長年のライバル意識が立ちはだかった。空軍は「飛ぶものはわれわれの部門だ」と主張した。「しかし、それは〝宇宙船〟と呼ばれるものだ」と海軍が言い、「そうだが、月は高地だ」と陸軍は答えた。ドイツ人ロケット開発者ヴェルナー・フォン・ブラウンを擁する陸軍が先陣を切った。アイゼンハワー大統領は、ソ連に追いつく努力として、民間と軍とで宇宙開発を共同で行なう高等研究計画局（当時ＡＲＰＡ、現ＤＡＲＰＡ）を組織した。ＮＡＳＡが誕生するのは一九五八年七月のことで、議会制定が必要だった。

ゼネラル・アトミック社は、一九五七年一一月三日、ライカ犬を乗せたスプートニク2号が打ち上げられた日に、テイラーの「超地球脱出速度の超大型機の原子力推進の可能性に関する考察」を発表した。この新しいプロジェクトのコードネームは「オリオン」だった。テイラーによると深い理由はなく、ただ「星座から名前を選んだ」だけだった。一一月末、デ・ホフマンは、フリーマン・ダイソンをスカウトするためにプリンストンへ向かった。メールや電話では話せない極秘の提案だった。「彼はここに来て『いいか、君はゼネラル・アトミックに来るんだ』と言ったんだ。私は『ゼネラル・アトミックに行く気はない。この会社にはもう十分貢献した』と答えた。すると、いや君は来なければならない、もっと大きく、もっとエキサイティングな計画があるのだと言い、テッド・テイラーが爆弾を使って太陽系を回るという、とてつもない計画を立てていることを教えてくれた」[32]

ダイソンは、ジュール・ヴェルヌやH・G・ウェルズの信奉者だった。八歳の時、小惑星エロスと月の衝突の予測を題材にしてヴェルヌの『月世界旅行』および『月世界探検』の続篇を書き始めた。その作品『Sir Phillip Roberts's Erolunar Collision』は九歳になっても未完成のままだった。

テイラーがメキシコシティの路面電車通りの地下で、少量の自家製小型爆薬を爆発させていた時、ダイソンは、ニトロセルロースを使って直径四・五メートルの宇宙船を月へ送ることを理論的に考えていた。ダイソンはまず、月の重力圏から脱出し、地球への帰還を可能にする月面発射台に必要な大きさを見積もった。次に、その月面発射台を月に運ぶために、地球上の発射台がどの程度の大きさになるかを試算した。「当時、宇宙旅行といえば、ジュール・ヴェルヌの物語で読んだ巨大な大砲を思い浮かべていた。ロケットは関係なかった。ウェルズの『宇宙戦争』に登場する火星人は、ロケットで来たのではなかった。砲弾で来たのだ」[33]

一九五八年の元日、ダイソンはサンディエゴに飛び、テイラーと一〇日間、協議した。一九五八年初めにARPAに提出された提案書には、重量四〇〇〇トンで爆弾二六〇〇発を搭載し、一六〇〇トンの積載物を軌道周回させる能力を持つ「超大型船に必要な動作の要件がすべて盛り込まれていた」[34]。この提案書を読んだ空軍の関係者は「オリオンの用途は宇宙と同じくらい果てしないものに見えた」と述べている。[35] ダイソンがサンディエゴに赴いた三週間後、スタン・ウラムはワシントンの原子力合同委員会の宇宙推進小委員会で証言し、集まった議員に詳細を明かすことはできなかったが「ジュール・ヴェルヌの月へのロケット発射のアイデアに近いもの」を検討中であるとほのめかした。[36]

一九五八年三月にARPAの技術局長に任命されたアイゼンハワーの顧問ハーバート・F・ヨークは、四〇〇〇トンの惑星間宇宙船の提案書が机の上に置かれているのを見つけた。「スプートニクの後、誰もが何らかの答えを探し求め、技術に目を向けようと考えていた時期だったから、通常であればあまりに突飛な内容でも、その封筒の中にならありえた」と彼は説明する。[37]

スプートニク以前から、ヨークは米国に宇宙への道を歩ませようとしてきた。スプートニク後、彼はアイゼンハワー大統領のために、二〇年以内の月面着陸につながる一連の大型ロケットブースターの計画に言及する機密報告書を作成した。しかし、ヨークは見積もられたコストについて懐疑的だった。「オリオンだけではなかった。ほぼすべての物理学者のコストの見積もりは途方もなく間違っている。物理学者が優秀であればあるほどひどい」とヨークは言う。[38]

ヨークは一年間の実現可能性調査を許可し「初年度終了時に技術的に不可能と判断され、実現可能性が否定された場合、予算を少し上乗せして調査期間を延長することを口頭で約束した」[39]。彼はオリオンがいかに実現困難なものであっても、やってみる価値があると信じていた。「ユニークな時代だった。ARPAを立ち上げようとしたとき、われわれは一か八かやってみようと思った。それが実現可能だとは決して思わなかったが、それでもいいし面白いと思っていた。そして実現可能性が非常に低くても、十分に劇的な究極の可能性を持っているため、注目に値すると考えた。実現可能性と究極の可能性の組み合わせをつくり、それを掛け算した」[40]

ARPAは一九五八年六月三〇日、ゼネラル・ダイナミクス社のゼネラル・アトミック部門と米空軍航空研究開発司令部との間で「核爆弾推進型宇宙船の実現可能性調査」の契約を交わした。「もしこのコンセプトが実現可能であれば、数千トンの重量を持つ宇宙船を、地球脱出速度の数倍の速度で推進させることができるかもしれない」と契約書には書かれていた。「そのような宇宙船は大きな進歩を意味する」[41]

契約金額は、九四万九五五〇ドルに固定費五万二〇〇ドルを加えて、合計九九万九七五〇ドルであった。この契約を空軍側で管理することになった若い物理学者で空軍大佐のエド・ギラーは、「一〇〇万ドルの限度額があったに違いない」と言う。「まさにピタリの水準に嵌まったのさ」と同僚のドン・プリケットは付け加えた[42]。

一九四五年のアラモゴード（トリニティ）実験、一九四六年のビキニ（クロスロード）実験以来、核実験は年々拡大していた。爆弾実験はある設計が爆発するかどうかという問題に、兵器効果実験は爆発すると結果として何が起こるかという問題に答えた。実験場は小規模の爆発用のネバダ実験場と大規模用の南太平洋、その中間規模用のサンディエゴの航空・海軍施設に分けられていた。

ロスアラモスの後、物理学者が定住できる場所を探していたデ・ホフマンは、サンディエゴの市議会議員たちを説得し、原子力時代のもたらす富と引き換えに、市境界部の一三〇ヘクタールの土地をゼネラル・アトミック社に譲渡させた。一九五八年の春先、アトミック社はトーリーパインズの新本社への引っ越しを開始した。

新しい研究所は、円形の技術図書館を中心に、その中に中庭があり、上階にはカフェテリアがあった。建物の外周にはショックアブソーバーのような鉄柱があり、その直径は四一メートル、四〇〇〇トンのオリオンの設計と同じ大きさである。テイラーは、既存の宇宙船と同じ大きさの自動車や運送トラックを指差して、「これは鍵穴から覗ける」くらいの大きさだと言い、（オリオンと同じサイズの）図書館を指差して「これはドアを開けて見ないといけない」大きさだと言った[43]。

最初の六カ月間、このプロジェクトは極秘とされ、家族や友人にもその存在を明かすことができなかった。一九五八年四月一日、フリーマン・ダイソンはヴェレーナ・フーバー・ダイソンにこう書いている。「私の出番が益々増えてきた。プリンストンにいられる時間は半分以下になるかもしれない。もしかすると数年間離れることになるかもしれない。天命に逆らうことはできない。私をよく知る君なら、わかってくれるだろう[44]」

一九五八年五月、ゼネラル・アトミック社は、採用活動のために、プロジェクトの存在を明らかにする許可を得た。一九五八年七月二日、一ページのプレスリリース「（大気圏の内および外における）核爆発制御による推進力の新構想の発展可能性」を発表した。[45]私はやっとなぜ父が西へ出かけたままなのかの理由を教えてもらえた。「今朝ジョージを学校に送っていったとき、宇宙船のことを話しました」と、一九五八年六月に我が家に居候していた留学生イム・ユング（のちの継母イム・ダイソン）は書いている。「彼はとても興奮していました。あなたが宇宙船をどの惑星に送るのか、あなたの隣に自分のための小さな座席がないのかと、質問攻めにあいました」[46]

一九五八年七月四日の祝日、ダイソンはオッペンハイマーに五ページにわたる手紙を送り、ラホヤに滞在してプロジェクトにフルタイムで参加するため休職を願い出た。「われわれの動きの意図を誤解したのか、珍しく賢慮を働かせたのか、政府はわれわれが原子爆弾で推進する宇宙船の設計に従事していることを国民に公表しました」とダイソンは手紙に書いている。「現在進行中の多くの宇宙船開発計画の中で、この計画だけが太陽系探査という真の大仕事が可能な宇宙船を造ることができるのです。そして幸運なことに、政府は惑星間航行という科学の長期目標にまっすぐ向かっていくので、われわれの開発する推進システムが軍事利用される可能性はないから安心せよと言ってくれました」

ダイソンはこの手紙に主義主張を書き加えた。

一　宇宙にも地球にも、現代科学の想像を絶するものがもっとある。それらが何であるかは、外に出て探さなければ分からない。

二　長期的な視点で考えると、新しい高度文明の発展にとって、少数の人間の集団が政府を離れ、荒野で好きなように生活することが必要だ。この地球上では、もはやそのような孤立は不可能だ。

三　われわれは初めて、大量に備蓄している爆弾を人殺しのためではなく、もっと良い目的に使う方法を見つけた。[47]

オッペンハイマーは、「君のやっていることは有望だと思っていた」と答え、この休職願を受理した。[48]ダイソンのゼネラル・アトミック社との契約には、ブーゲンビリアが咲き乱れ、プールや柑橘類の果樹園もあるチューダー様式の豪邸の供与が含まれていた。この邸は、ウィンダンシーのサーフィンビーチの真上にあった。このビーチではトム・ウルフが『ポンプハウス・ギャング』で描いて永遠の命を与える、カウンターカルチャーが生まれようとしていた。

一九五八年九月、私はラホヤの入り江を見下ろす一室だけの校舎で小学一年生になった。冬の日差しでオレンジが熟し、頭上のヤシの木からナツメヤシが落ちてきた。トーリーパインズの通用門の後ろにある大きな丸い建物は宇宙船の発射台で、いつかそれが完成したら、われわれはその船に乗り込んで旅立つのだと信じていた。フリーマン・ダイソンは、テッド・テイラーの中に、自分にはいない兄弟を見つけた。「テッドと私は、今日の夜、一緒にロスアラモスへ飛ぶつもり」と、一九五八年七月一日、彼は両親に報告した。「私たちは、パウロとバルナバ〔キリスト教の使徒〕のように旅をするのです。なんていい人生でしょう」

第二次世界大戦中、フリーマン・ダイソンは地上に押しとどめられていた。オリオン計画は、彼が空を飛ぶチャンスだった。彼は物理学から工学に関心を移し、その分野で活躍するようになった。核爆弾で推進する宇宙船技術者の同志などどこにもいなかったので、彼とテイラーはこの分野を独占していた。「彼は、この（オリオン）プロジェクトに残って（プリンストンの）高等研究所を辞めるべきかの決断をするときに、それは卓越した理論物理学者になる道を選ぶのか、史上最高のエンジニアになる道を選ぶのかの選択だと言っていました」とテイラーは回想した。[49]

ダイソンはジュール・ヴェルヌの時代の、古い真鍮の望遠鏡を持っていた。私たち家族がラホヤに着いてまもなく、彼は新しい望遠鏡を購入し、一九四九年製のフォードを一九五七年製のターコイズと白のシボレー・ベルエアーに買い替えた。シボレーには目立つテールフィン（尾翼）があるが、オリオンにはない。オリオンは空中をゆっくりと上昇するため、テールフィンの効果はなかった。シボレーにも実用効果があるわけではなかったが。テイラーの家で夕食をとった後、私と姉のエスターは暗くなるのを見計らって外に座り、望遠鏡で火星、土星、木星を交互に見ていった。テイラーとダイソンは、いつどこに行くかを話し合っていた。彼らが話していたその計画は、一九六五年に四〇〇〇トンの宇宙船を火星へ向けて試験航海させるというもので、ネバダのジャッカス平原にある既存の大気圏実験場か、打ち上げ後に波で洗い流したり沈めたりできる太平洋上のはしけから離陸させるというものだった。

最初の二〇〇回の爆発は、〇・五秒間隔で起こされ、船を海抜約三万八〇〇〇メートルまで上昇させる。一回の爆発で、船の速度はおよそ時速三二キロ分加速する。これは、約四・六メートルの高さから宇宙船を落とすのに相当する衝撃だ。さらに六〇〇回の爆発を繰り返し、徐々に速度を上げていけば、地球を回る高度約四八〇キロの軌道に乗せることができる。

最初の打ち上げに搭乗する予定だったテイラーは「それが飛ぶところ、垂直上昇するのを見るのが夢だった」という。「この宇宙船がその使命を全うする初飛行は、人類がこれまでに見たこともないような壮大なものになっただろう」と語っている。[50]

宇宙では国境はなくなるというテイラーの信念のもと、一四カ国から科学者や技術者が参加した。計画では、五〇～一〇〇人の乗組員は、空軍将校と民間の科学者が均等に割り当てられていた。火星に着陸して一年間の地上探査を行なった後、地球の低軌道に戻り、そこで宇宙船は改修されるか、軌道上の基地として引退する予定だった。

航海中に消費される質量の多くは利用して不活性になる推進剤だった。推進剤は地球の大気圏を離れた後、核爆発によって放出されるエネルギーを、船の駆動に必要な推進力に変換する役割を持つ。もし帰還のための推進剤を調達できる場所を目的地に選べば、同じ離陸質量でより野心的なミッションに挑戦することができるのだった。

土星の衛星には、適切な推進剤が豊富に存在しており、船の到着時の速度も好材料だった。火星着陸時には必要とされる減速も最小限で済み、重力に対してのロスも考えずに済む。「われわれは当時、衛星についてほとんど何も知らなかったが、エンケラドスは、特別に良い衛星だと思った。エンケラドスの密度は〇・六一八であることが知られており、氷と炭化水素でできていることが明らかだった。炭化水素は、生物学的にも推進剤にも必要な、本当に軽い物質だ」とダイソンは言った。[51] 一九五八年八月にゼネラル・アトミック社は一二ページの機密報告書『外惑星の衛星への旅』を発行し、旅に必要な船の大きさ、速度増分、核出力、推進剤の予算などを概説した。

火星着陸用に設計された秒速二〇キロメートルの第一世代船だが、エンケラドス着陸用に変更ならば、使いきった推進剤を補給し、地球に戻る秒速四〇キロメートルの船に変身させることができる。「一九七〇年までに土星へ」が、研究グループのモットーになった。「オリオンのシステムは、天体力学の法則を最大限に利用するよう設計されており、（地球と）木星の衛星との間を二年、（地球と）土星の衛星との間を三年で往復し、（地球と衛星の）両方で着陸と離陸を行なうことができる」とダイソンは結論した。「外惑星をヒッチングポスト〔馬をつなぐ柱〕として利用して、その衛星までを往復すれば、全体を通して速度変化は驚くほど小さくなる。衛星で燃料を補給できる確率が高いので、土星への旅の難易度は火星への航海とあまり変わらない[52]」

「ミッションは太陽系の周遊旅行でした」とロスアラモスからプロジェクトに参加したハリス・メイヤーは振り返った。「しかし、われわれは宇宙から地球に物を持ち帰ることができるのですから、商業的な事業だとも考えていました。一九五八年当時、地上からの離陸については懸念していませんでした。大気圏内で核爆発を起こす方法はわかっていましたから。宇宙における特性とは違いますし、地上での経験を生かすことができますので[53]」

ハリス・メイヤーは一緒に行くつもりだったのだろうか？　「私は臆病者でしたし、宇宙事業のことを熟知していましたからね。あのプロジェクトは危険でした。行くだなんて狂気の沙汰でしたよ」。ダイソンは行くつもりだったのだろうか？　「彼は行く気満々でした。エンケラドスに彼は行きたがっていました。彼は私に会いに来て、まるですべてが万端であるような話しぶりで、驚きました」とメイヤーは話した[54]。

アメリカとソ連の両国は、一触即発の状況下で核爆発を実験していたが、一九五八年一〇月三一日に核実験モラトリアムを締結した。モラトリアムは一九六一年九月一日に終了した。ソ連が実験停止の約束を破り、続く六五日間に四五回の核爆発を行なったのだった。そのうち一四回は一メガトンを超え、一回は六三メガトンで大気圏に穴をあけるほどの大爆発を起こし、そのエネルギーの大半を宇宙に放出した。モラトリアムがあったことはオリオン計画にとって好都合だった。核実験が中断されたことで、兵器研究所の人間は仕事がなくなり、ゼネラル・アトミック社は人材を補充することができた。オリオン計画とは、ある人間にとっては惑星間宇宙船であり、別の人間にとっては究極の兵器の実証試験だった。モラトリアムが有効である間、最高の物理学者を爆弾の設計とコンピューター・コードの改良に従事させることができた。「オリオンを、核爆発実験禁止令が終わるのを何もせずに待つ代わりに、自ら道を切り拓くための手段とみなすべきだ」と当時テイラーは語っている。[55]

オリオンを停止させたのは国際条約ではなく、アメリカの政治だった。このプロジェクトは、ほとんど最初から孤立していた。軍部は太陽系探査を目的としたプロジェクトを採択できず、NASAは爆弾を使うプロジェクトを採択したがらなかった。歴史上ほんの一瞬だけ、ARPAが両方の役割を担うことになった。ダイソンとテイラーは、ジェームズ・クックが英国海軍の船で太平洋を探検したスキーム、米国海軍が南極調査の後方支援を行ない全米科学財団が科学的使命と人員を提供したスキームと同じように、NASAと米国空軍の協力体制を構想していた。彼らは、宇宙をめぐる激しい組織間対立を過小評価していた。NASAが、アメリカ空軍の宇宙船で惑星間ミッションを行なうことを認めなかったことが、オリオン・プロジェクトを地上にとどまらせたのである。

一九五九年九月、ダイソンはゼネラル・アトミック社を退職し、われわれはニュージャージー州中央部の低地に帰ってきた。シボレーの尖ったテールフィンは、父が仕事机の引き出しにしまっていた円筒弾の破片以外では唯一の、忘れ去られた夢の形見となった。

アルバカーキにある空軍特殊武器センター（ＡＦＳＷＣ）は、オリオンの延命装置として、プロジェクトを終了させようとするＮＡＳＡを支持する人々から、それを守り続けていた。「オリオンは空軍にとって落ち着かない存在でした」とブライアン・ダンは説明した。テイラーは「空軍の人間とプライベートで遊びに出かけると、オリオンの目的は何かという話によくなりました。それは疑いもなく宇宙探査が目的だったのです」と言う。ＮＡＳＡに対抗する形で、空軍への資金分配を正当化するために、ＡＦＳＷＣは軍事的な使命を必要としていた。そして、それを〝深宇宙軍〟と名づけた。

一九六〇年までに、世界の核兵器備蓄量は三〇〇〇万キロトンに達し、第二次世界大戦で費やされた総火力の一万倍となった。相互確証破壊（ＭＡＤ）と呼ばれる政策は、先制攻撃を抑止するのに十分な報復戦力の保持を絶対条件としていた。深宇宙軍は、米国の戦略的核戦力の重要な一部を、月以遠の軌道に配備されたオリオン艦隊に移すことで、報復攻撃を検討・再考する時間を確保するのだ。

機密解除された報告書によると「二〇隻規模の宇宙船が長期的に配備される」と説明されている。「この高度では、敵の攻撃は作戦開始から交戦までに一日以上を要する。敵は地上の軍隊と深宇宙軍に対して同時に攻撃を行なうと予想されるので、深宇宙軍への攻撃の作戦開始が、地上軍への攻撃の早期の警告サインになる。深宇宙軍の部隊は遠隔にあるので、攻撃命令を実行するまでに一〇時間単位の時間が必要になる。そのためにこの部隊は報復部隊としてのみ有効である。偶発的な攻撃、取り消し不能な攻撃が発生した場合への保険にもなる」

二〇〜三〇人の乗組員は「人工重力のある地球のような適温環境」で快適に過ごしながら、地球から約四〇万キロの軌道で「ポラリス潜水艦に使われたブルー&ゴールドチームのコンセプトと同様に交代制で任務にあたる」[56]。ゼネラル・ダイナミクスの電動ボート部門が原子力潜水艦を製造するのと同じように、ゼネラル・アトミック社が宇宙船を製造する。

戦争で決定権を握るのは、海で艦を指揮する提督なのか、それとも地上で軍隊を指揮する将軍なのか、という何世紀も前から続く対立の中で、秘密のベールで覆われたオリオンはゲームの駒になった。そして、ヴェルナー・フォン・ブラウンが参加した陸軍が勝利した。アメリカは深宇宙軍や火星・土星探査の代わりに、フォン・ブラウンのロケットを使って月面に旗を立て、ベトナムで暗礁に乗り上げた。スプートニクから六〇年、ゼネラル・アトミックの主力製品は有人惑星間宇宙船「オリオン」ではなく、ドローンの「プレデター」だ。

ケネディ大統領は、戦略空軍司令官であったトーマス・パワー将軍の「オリオンを制する者が世界を制する」という発言に憤慨した。AFSWCは、ゼネラル・アトミック社に実証研究以上の冒険をさせたとして譴責され、核実験を進める認可を受けることはなかった。一九六三年に核実験禁止条約が締結された後、テッド・テイラーは、条約を遵守した米ソ共同事業としての惑星間飛行に希望を持ち続けた。ニールス・ボーアの支援もあった。しかし、NASAからの支援が得られず、この提案は頓挫してしまった。

一九六五年二月までに、ゼネラル・アトミック社のオリオン・グループは九名に減り、一九六五年六月三〇日、空軍兵器研究所のジョン・O・ベルガ少佐は一ページの簡潔な計画変更届を提出し「このプロジェクトをここに終了する」と締めくくった。[57] 一九五〇年代の希望と六〇年代の恐怖の狭間でオリオンは終わった。オリオンの平和的使命は公式に放棄されてしまったが、オリオン計画に端を発する軍事計画（指向性エネルギー核兵器、電磁パルス兵器とその対抗手段、対衛星兵器に対するアブレーション防止の防御物）は、今日まで密かに継続されている。

一九六四年から一九六五年にかけて、フリーマン・ダイソンはラホヤにサバティカル（研究休暇）で戻ったが、オリオン計画についてはこれ以降「ある計画の死」というタイトルで《サイエンス》誌に死亡記事を書く以外に関わりを持つことはなかった。記事の要旨は「政治ゲームのすべてのルールを破った宇宙推進システムの研究が中止された」という一行にまとめられている。彼は、公開されるべきだったプロジェクトについて、今になってようやく公に書くことができたのだ。オリオンの反対者たちは、プロジェクトが注目を浴びることに苛立ち、資金援助の再開の可能性の芽を摘むよう画策した。批判者の「オリオンには死んでほしいし、関係者には口をつぐんでいて頂きたい」という苦々しいコメントが、ASFWCのプロジェクト支援者のノートに記録されている。[58]

「一九五八年にプロジェクトを開始した人々は、太陽系探査の現実の規模に見合う推進システムを、政治的に受け入れられるコストで作ることを目指し、その方法を証明したと考えている」とダイソンは書いている。[59] しかしNASAが化学ロケットの道を選んで以降「有人火星探査の話は一九六五年まで、土星の輪を採取するという勇敢な話は一九七〇年になるまで出てこなかった。もし、一九四三年に政府がロスアラモスの民間人の集団に対して支援したのと同じように、一九五九年の政府が全面的にわれわれを支援してくれていたら、何が起きていただろうか。いまごろは、太陽系全域に広がる安価で迅速な輸送システムが実現されていただろうか。それとも夢を夢のままにしているわれわれは幸運なのだろうか？[60]」

一九六四年にはもはや、私が六歳の時に知っていたラホヤは存在しなかった。私は教室がひとつしかない校舎ではなく、特徴のない大きな中学校に通い、友達はほとんどできなかった。バルサ材の飛行機を作ったり、凧を揚げたり、スクリプスビーチの上の峡谷を探検したりして、ほとんどの時間を一人で過ごした。朝、スケートボードで学校に行ったのは覚えているが、帰ってきてから宿題をした記憶はない。私の凧の中には七二時間飛び続けたものもあった。

トゥルーデ・シラードが私を早退させて、ラホヤの入り江を見下ろすラ・バレンシア・ホテルの地中海ルームで昼食を取るのが恒例になった。彼女は、ピンクマティーニとシュリンプサラダを注文し、私は今も忘れられないフランスパンと、一緒に出される料理をつまみ食いしていた。

開業医だが物理学者としての勉強を始めていたトゥルーデは、時々銀色のキセルで濃いタバコをひとつまみ吸った。あの昼食会は何だったのか？　と父に訊くと「彼女は、お前をある意味でレオの代わりのように思ったのだろう」と答えた。「私が思うにトゥルーデは、反抗的な考えを持つ聡明な一一歳の男の子と一緒にいるのが楽しくて、お前を招待したのだろう」

一九二九年に出会ったトゥルーデとレオは内縁の関係を続けていたが一九五一年になって正式

に結婚した。レオが癌から回復した一九六四年二月、二人はラホヤに移り住み、ラ・バレンシア・ホテルを住まいとした。レオは、トーリーパインズのソーク研究所から一万五〇〇〇ドルの給料と少額の研究予算を与えられ、ルイス・カーンが設計した崖の上の本部に仕事場を構えることになった。ソーク研究所は、生物学者、神経科学者、物理学者のための避難所で、シラードが、核兵器の発明に関与したことへの罪滅ぼしとして構想したものだった。シラードは核兵器の発明に強い後悔を抱いていたのだ。近くのラホヤ・ショアーズにあるホテル・デル・チャロは、かつてデルマー競馬場の常連客に好まれ、今はゼネラル・アトミックのコンサルタントが好んで利用していた。不要になった競走馬用厩舎はアパートに改装され、そこでレオとトゥルーデは荷を解き、二人の人生で初めて定住の地を見つけることができた。しかし一九六四年五月三〇日、レオは睡眠中に心臓発作で亡くなり、トゥルーデは一人残された。

トゥルーデは、レオがニューヨークで入院中に口述し、彼女が書き起こして編集し、一九六一年に出版された『イルカ放送』を私にくれた。それはサイエンスフィクションという形を取った核の危機に対する意見表明だった。核戦略の狂気に対して理性的な議論が有効でないことに苛立ったレオは、一九六〇年に始まり一九八五年に終わる物語を作った。人間が止められなかった核軍拡競争を軍縮へと向かわせるためにイルカの使節団が介入するという内容だった。

レオは、ロシア語訳をソ連のニキータ・フルシチョフ首相に送り、首相は一九六〇年一〇月にニューヨークで個人的に会談することに同意した。会談は一五分の予定だったが、核戦争をいかにして防ぐか、少なくとも緩和させられるかをめぐり二時間の議論になった。シラードの提案のひとつが、モスクワのクレムリンとワシントンDCのホワイトハウスの間に公的な電話回線を設置することだった。シラードは、会談の前にフルシチョフに「偶発的または無許可の攻撃があった場合、米大統領とソ連閣僚会議議長が電話でコンタクトを取るのにどのくらい時間がかかるか」と尋ねた際「数時間かかるかもしれない」と言われたと述べている。[61] モスクワ・ワシントン間ホットラインは一九六三年に確立された。

シラードは、フルシチョフに注入交換式カミソリと六カ月分の替え刃を贈呈し、米ソが戦争を回避する限り、継続的に送ることを約束した。フルシチョフはカミソリを受け取って「もし戦争が起これば私は髭を剃るのを止めます。他のほとんどの人々が止めるでしょう」と言った。[62] フルシチョフはお返しにウォッカ一ケースを申し出たが、膀胱癌を患っていたシラードは、代わりにミネラルウォーターを所望した。ミネラルウォーター二ケースとキャビア、魚の燻製三匹が、当時、自身の放射線治療の監督をしていたスローン・ケタリング・癌センターのシラードの部屋に届けられた。シラードは約束を守り、キューバ危機の影響で通信手段が絶たれるまで、カミソリの替え刃の補充分を送り続けた。

シラードはその後、反核運動のため、ワシントンへ移動し、デュポン・サークル・ホテルに宿泊した。「彼は、デュポン・サークルからすぐのデュポン・ホテルのロビーで、ふかふかの椅子に座りながら、核軍縮のロビー活動をしていた」と、当時ペンタゴンにある国防総省原子力局に勤務していたテッド・テイラーが回想している。「彼は、『イルカ放送』がたくさん入った回転式のラックを持っていて、通りすがりの人のコートの袖を掴んで捕まえて、軍縮について話していたんだ。そして、その人たちにサイン入りの『イルカ放送』をプレゼントしていた。昼食を除いて、一日中ロビーに座ってロビー活動をしていた。彼はそれから一、二年もせずに亡くなってしまった。あれが彼の最後の叫びだった。

シラードの物語では、イルカは「その知能が人間をはるかに超えていることが次第に明らかになっていった」[63]後、科学者たちと協力を始め、核軍縮や普遍的な避妊法など、人類を自滅から救う解決策へと導いていくのだ[64]。シラードは、この物語はイルカの知性ではなく、人間の愚かさを描いたものだと主張していた。私は逆だと思った。

一九六五年九月、われわれはプリンストンに戻った。私は北極での冒険を想像しながら、全長四メートルの帆布で覆われた木枠のカヤックを作ったのだが、見捨てられたデラウェア・アンド・ラリタン運河で短距離の往復をする以外、漕ぐ場所がなかった。高校生になり、退屈していた私は、少なくとも週に一日は学校を抜け出した。冬にはプリンストン大学のファイアストン図書館の地下に引きこもり、学校が終わるのを待った。書庫は総延長一三キロに及んでいた。ファイアストンは部外者立ち入り禁止だったが、朝の学生の流れに紛れ込めば、中に入り込むことができた。地下室のひとつには小さな閲覧室があり、古い肘掛け椅子の横に、探検や冒険に関する篤志家の寄贈書コレクションが手つかずで保管されていた。私はそこで、古典的な北極航海やその他の極北の物語を読んだ。

私の母は離婚後、一九六四年にロサンゼルスに引っ越し、ヒューズ・エアクラフト社の地上システム部門で「数理論理、再帰関数理論、オートマトン理論」の研究職に就いていたが、防衛関連企業で働くことを考え直し、コンピューターサイエンスの学科がまだなかったカリフォルニア大学バークレー校で論理学者として働くために北上した。数学科の半数は登山家だった。母はシエラクラブに入会し、一九六七年の夏、ハイシエラの標高三六〇〇メートルの地点で行なわれる登山ベースキャンプにエスターと私を参加させた。私はそこで初めて本物の原野を目にすることになった。

翌年の夏、私はエボリューション盆地のベースキャンプで、コック長バーバラ・ブラウワーの下、簡易食堂の一番下のポジションである〝皿洗い〟として、週給二五ドルで雇われた。

一九一二年生まれのデイヴィッド・ブラウワーと一八八五年生まれのノーマン・クライドという、カリフォルニアの伝説的な登山家の二人が、キャンプに滞在する集団の中にいた。彼らは、ジョン・ミューア〔「自然保護の父」と呼ばれる米国の作家、植物学者〕の直系の後継者だった。ブラウワーは一九三五年にカナダのブリティッシュ・コロンビア州にあるワディントン山をナイト入り江の入り口の海面レベルから初登攀（とうはん）し、一九三九年にはニューメキシコ州のシップロック山を初登攀している。彼は第二次世界大戦中、米国陸軍第一〇山岳部隊の訓練に携わり、イタリア解放の際には青銅星章を獲得し、シエラクラブを近代的な環境保護団体で画期的な出版社に変貌させた。一方でシエラクラブの登山プログラムは登山のルーツに忠実であり続けた。ノーマン・クライドは、シエラで自己名義による一一八回の初登攀を達成していたが、当時も横引きノコギリ、重さ二キロの斧、鋳鉄製のスキレット（小型フライパン）を木枠の箱に詰めて持ち歩いていた。ピストル射撃の名手であり、素手で鱒（マス）を捕まえることができた。私が最後に登山道でノーマン・クライドとすれ違ったのは、彼が八三歳、私が一五歳で、標高三九〇〇メートルのニューアーミー峠を越えている時だった。

私は、アメリカのベトナム参戦で激動するプリンストン大学に戻ってきた。地元の高校生は大学キャンパスでは歓迎されていなかったが、われわれは、ほとんどの建物に忍び込む方法を知っていた。だから選抜徴兵局の理事会に反抗して世界へビー級王座を剥奪されたばかりのモハメド・アリが、戦争の不当性を訴える講演にやってきた時は、それを聴くために、非常口からマレー・ダッジ劇場の裏側に潜り込んだ。馬に乗った騎兵隊がインディアン戦争の最後を戦ってから八〇年後、今度は武装ヘリコプターに乗った騎兵隊がベトナムのゲリラ戦士を追っていた。

一九六九年六月、私は高校を中退し、西のデンバーに向かい、吹雪の中、ラブランド峠に到着した。大陸分水嶺の稜線に沿って南に進み、デュランゴの北の、サンフアン山脈にあるヴァレシト川源流に向かった。そこでシエラクラブのベースキャンプでサマージョブをすることになっていたのだ。そのトレッキングの途中で、私は一時下山し、ヒッチハイクでボールダーへ戻った。一九六九年七月七日のアポロの月面着陸のテレビ放送を見るためだった。次は火星や土星へ行くという希望は持たなかった。私はオリオン計画のたどった道を知っていたので、月面着陸は始まりというよりも、終わりであることを知っていた。

九月になって私はカリフォルニア大学サンディエゴ校に入学した。この大学はまだ、高校卒業資格を持たない一六歳の高校中退者でも入学できるほど緩やかに運営されていた。一学期だけで私はカリフォルニア大学バークレー校へ転校した。そこで私は、街のマリーナにある小さなヨットに住み、授業に出席するよりもヨットに乗っている時間の方が長くなった。

異父姉のカタリナは、クエーカー教徒の反戦運動に参加し、ブリティッシュ・コロンビア州バンクーバーに移住していた。彼女の結婚式に招待され、一九七〇年の春、一七歳になったばかりの私は北へ向かった。カナダはまもなく二ドル紙幣にバフィン島のカヤック船団を、五ドル紙幣にジョンストン海峡の巻き網漁船の図柄を刷る予定だった。カナダはまるで故郷のように思えた。私は、ブリティッシュ・コロンビアの海岸でチャーターの仕事をする船の乗組員募集の新聞広告に応募し、契約した。もう後ろを振り返ることはなかった。

未完成のこの船は、ディソンクア号と名づけられ、進水するまで乗組員は私一人だった。船長のジム・ベイツは、溶接工と配管工を生業としており、一四歳の頃から沿岸の伐採キャンプで働き、バンクーバー島を知り尽くしていた。一六歳になる頃には、彼はチョーカーをセットしていた〔丸太を運ぶために、ケーブルの輪を丸太に巻きつけて固定する作業〕。片方に締め付ける輪が付いた重いワイヤーロープを、切り出したばかりの不安定な材木の山に引きずり上げ、今にも転がってこちらを押し潰そうとしてくる材木の中から、市場価値のあるものを選んで、周囲の材木の残骸の中から運び出すのである。彼の父親は、パークスビルで、ベイツ・エッソのガソリンスタンドを経営していた。パークスビルはバンクーバー島の北岸と西岸へ向かう伐採道路が、当時ジョンストン海峡の南の入り口であるケルシー湾を終点としていたアイランドハイウェイと分岐する場所だった。

ベイツは、与えられた課題に困惑する私と同じように、チェーンソーを使ったことも、ディーゼルエンジンを作動させたこともない一七歳の私に困惑していた。場の理論家と群の理論家に育てられた私は、アーク溶接機や切断トーチをナイフやフォークを使うように軽々と操る人たちに畏敬の念を抱いた。どうにか私も役に立つようになり、バンクーバー総合病院の救急室には一度行っただけで、ディソンクア号は進水した。

最初のチャーターは、夏の間、バンクーバーから北西に約三二〇キロ離れたハンソン島に駐在し、定住性のシャチの集団と接触していた、ブリティッシュ・コロンビア大学（ＵＢＣ）神経科学部のポール・スポング教授からの依頼だった。ニュージーランド人のスポングは、カリフォルニア大学ロサンゼルス校で行動神経生理学の博士課程後の研究をしていた時、ＵＢＣの神経科学部とバンクーバー水族館から、飼育下で長期間生存した最初のシャチであるスカナの合同研究プログラムの案内を受けた。

スポングは、猫の視覚の研究をしていた。クジラの視覚についてはほとんど何もわかっていなかったので、猫が手始めとして最適だったのだ。スカナの視覚識別を研究するという提案は承認され、スポングはその仕事に就くことになった。彼が科学者としてスカナのクジラとしての知覚能力を試しているのと同じように、スカナが科学者としての彼の能力を試しているということが、彼にはすぐにわかった。スカナは間違った答えを返すようになった。まるで彼の反応を見るために、そうしているように見えた。スカナは退屈していたのだ。シャチにとってバンクーバー水族館は感覚遮断タンクだった。スポングはスカナの生活を刺激的にしようと努力したが、やりすぎて目立ってしまった。彼が代わりに野生のスカナの仲間を研究しに行くと決めたとき、水族館の管理者たちはほっと胸をなでおろした。

スポングは、バンクーバー島北部のニムプキッシュ川河口の真向かいにあるコーモラント島近くのアラート湾を拠点とするクワクワカワク族のリーダー、ジェームズ・セウィッドにアドバイスを受けた上で、妻のリンダ、幼い息子のヤシ、アフガン犬、カリコ猫とともに、クイーン・シャーロット海峡南端とジョンストン海峡北端がブラックフィッシュ湾で合流する、ハンソン島バーントポイント近くにある小さな湾にテントを張った。

スカナは水族館のライブ演奏に反応したので、スポング博士は、ブラックフィッシュ湾にライブ演奏を持ち込んで実験を行なうことにした。そこで登場したのがディソンクア号と、当時バンクーバーの音楽シーンで活躍していたファイアウィードというバンドだ。バンドメンバーは楽器などを船に積み込み、われわれは北へ向かった。八月一八日には、ジョンストン海峡でクジラの群れに囲まれた。

スポングの研究施設、現在のオルカラボは、風と六ノット（時速一一キロ）の潮流を回避できるからという理由ではなく、彼の研究対象への接触頻度の高さを理由に選ばれた場所だった。一晩中停泊するには危険な場所だった。夜中にやってくるクジラの群れに起こされることもあった。私は甲板で錨の鎖の横に寝て、錨が引きずられ始めたら警報を鳴らした。仕上げ塗装をしていない船べり越しに燐光(りんこう)を発する水の中を見ると、彼らもこちらを見返してきた。クジラがボートの周りを旋回するとき、私は彼らの水中での発声を、静かな夜の空気の中で遮るものなく聞くことができた。後に私がカヤックで眠っていた時には、クジラが下を通り過ぎる時、カヤックの長さを計測するために発する一連の鋭いクリック音を感じることができた。われわれ人間が胎児の身長を超音波で計測するのと同じ方法をクジラは使っていた。

スポングがハンソン島を拠点として以来、クジラのコミュニケーションを大量に録音すればクジラの言葉を解読できると信じる研究者が続々と現れた。しかし過去五〇年間、そうした研究は失敗に終わっている。クジラは周囲を知覚し、音を使ってコミュニケーションをとるが、水のような圧縮性のない媒体と空気のような圧縮性のある媒体とでは、音の振る舞いが異なる。もし、人間が光を使って脳と脳の間で直接コミュニケーションできたとしたら、限られた音の語彙に基づく言語など発達させただろうか？　人間の言語は、独立したジェスチャーの連続から進化したもの、あるいはそれと共進化したもので、ノイズの多い低周波数帯域での貧弱な伝送に耐えるように最適化されている。このような制約を受けない知性の間では、まったく異なる言語が生まれるかもしれない。クジラがコミュニケーションをとっていることは間違いない。しかし、彼らはわれわれが言語で考えを伝える時のように、知能を不連続の記号の連なりに変換する必要はない。われわれが音楽を演奏するとき、クジラは「やっとわれわれと同じようにコミュニケーションしようとする兆しが見えた！」と思っているかもしれない。

アナログ・コンピューティングとデジタル・コンピューティングの違いは、意識を持つ知性は必然的に直線的で記号化された言語を持っていなければならないのかという問いと関連している。デジタル・コンピューターでは、高次元の入力は一次元の記号の列に変換され、それが記憶され、処理され、再び高次元の出力に変換される。その各段階で言語の階層構造が介入する。大量の論理演算は廃熱として浪費される。アナログ・コンピューターでは、情報を高次元マップとして直接保存、処理、伝達することができる。

ハンソン島では、レオ・シラードの構想が現実のものとなっていた。イルカ類の中で最大のシャチ（Orcinus orca）は、陸上哺乳類から進化した動物で、五〇〇〇万年以上前に海へ戻ってきた。シャチはひとつの種に属する別々の個体群として地球全体を回遊し、複雑で永続的な母系社会構造を形成している。若い雄は繁殖期間の終わった祖母に育てられる。その寿命は一〇〇年以上にも及ぶことが知られている。呼吸や睡眠などの生理機能は群れのメンバー間で同期している。シャチのコミュニケーションはわれわれが知る言語よりテレパシーに近いかもしれない。また、シャチの心や意識は、個体にあるのと同じように、群れにもあって、分散並列的な性質を持っている可能性もある。シラードの物語では、イルカは政府の最高幹部とつながりのある科学者たちと接触し、科学者たちはイルカの助言を実行に移す。一九七〇年にイルカはハンソン島でスポング博士と接触した。

スポングがバンクーバーの事務所に顔を出した時、新しい上司のパトリック・マクギアが、研究室の冷凍庫から、スカナの不幸な先代であるモビー・ドールの脳を取り出してきた。その脳は人間と同じくらい複雑で入り組んでいたが、重さは六・四五キログラムで人間の脳の四倍以上もあった[65]。何百万年もの間、高周波数帯域の通信媒体に浸り、大型で高度に発達した脳の持ち主たちの社会では、どのような心が生まれるのだろうか。おしゃべりをし、手を振っている霊長類たちは、それを見つけようとしているのだ。

もしシラードが『イルカ放送』を今日という第四の時代を舞台に書くとしたら、クジラ目の動物は、未だに記号化された一次元の言語を探し求めている人間の科学者たちではなく、言語に邪魔されず、クジラと同じ理性を持ち、彼らと直接コミュニケーションできる知性と接触することになるかもしれない。

第5章　ツリーハウス

クックの太平洋航海に参加して名を残したバンクーバーが拓いたカナダのブリティッシュ・コロンビア州で活動を始めた著者は、ツリーハウスに住んで、電灯もパソコンもないテクノロジーから離れた生活を始め、樹木の年輪に刻まれた遠い過去の時代に想いを馳せる

ブリティッシュ・コロンビア州沿岸では、南のファンデフカ海峡と北のディクソン・エントランスを隔てる約九六〇キロの間に、二万五七〇〇キロの海岸線が入り組んでいる。毎晩違う島で寝るとすれば、四万もの島々をすべて訪れるのに一〇〇年以上かかるだろう。迷路のような入り江は深さ約五メートルの潮流に洗われている。満潮時には張り出した森林のすぐそばまで深喫水船で接近できるが、横静索（シュラウド）が枝に絡まる危険がある。水路の中程を進むと、浮いて流れてくる木に出会う。まるで、水が一分子ずつ空気中に蒸発するように、森が海中に拡散していくようだ。

商業伐採が始まる以前、丸太の漂流は珍しいことだった。丸太が亜寒帯雨林を離れる唯一の手段は船だった。わずかな本数のベイスギが選ばれて、くりぬかれてカヌーになったり、ロングハウス用の板材に切り出されたり、そのまま家の柱として使われたり、定期的に繊維質の樹皮を剝がされたりした。ヨーロッパ人の入植が始まった最初の一世紀、木材の市場は少量のベイマツに限られており、木は丸ごとそのまま円材として利用されていた。

ヌートカ湾の入り口の北端が東4マイルの距離にある時の景観

それが突然変わった。一八四八年にヴィクトリア、一八六一年にポートアルバーニ、一八六二年にムーディビル（現ノースバンクーバー）に最初の製材所が設立された。一九一二年には、ブリティッシュ・コロンビア沿岸に二五〇の製材所と、パウエルリバー、ポートメロン、オーシャンフォールズに最初の三つのパルプ工場が誕生した。製材所は、丸太に対する飽くなき欲求をむき出しにした。数千年の間、手つかずに育ってきた森林は、蟻のように入り江に群がる伐採者たちによって切り倒された。

ブリティッシュ・コロンビア州沿岸の降雨量は年間数千ミリで、火災の発生間隔は数百年と記録されている。伐採者が現れるまで、亜寒帯雨林にとっての制約は重力だけだった。樹冠は、浸透圧によって水が持ち上げられる高さの限界にまで達するとそこで成長を止めた。潮流が目と鼻の先にあって、伐採した大量のマツやスギをこれほど簡単に筏（いかだ）に載せて製材所へ運搬できる場所は地球上のどこを探しても他にありはしない。六ノットの潮流を一ノット（時速一・八五キロ）か二ノットの速度で進む沿岸の小型タグボートは「フィアレス」や「ジョー・ドリンクウォーター」のような名前が付けられ、潮の満ち引きを通じて月からの重力アシストを受けながら、この地の潮流と不思議な親和性を育んでいた。

ブリティッシュ・コロンビア州の亜寒帯雨林の伐採は、海岸線のすぐ近くのマツやスギをもぎ取っていく無計画な手伐採から始まり、その後、寝床や炊事場、ロバエンジン（補助機関）を水上に浮かべ、入り江から入り江へと移動し、より多くの種類の木材を持ち去る小規模伐採業者が現れた。非常に長いブームスティック、ブロウログ、スティフレッグが、こうした水上キャンプの特徴的な構成で、すべてを連結して岸に係留していた。濡れて滑りやすい船上には、伐採者の長靴のスパイクがあけた穴が残っていた。

ロバエンジンとは薪を燃料とする大型の蒸気機関のことで、森から丸太を運び出すための、長い鋼鉄製ケーブルを巻き取るウィンチにつながっていた。ロバエンジンは、大型の丸太筏の上で、巨大な「A」型のフレームの下に設置されるか、スキッドを使って陸に運ばれ設置された。火を噴く尺取虫の怪物のように、長いケーブルを一定の長さで牽引した。

簡単に伐採収穫できるものが少なくなると、大規模事業者は定住キャンプを設け、はるか内陸部まで届く鉄道を建設した。ディーゼルは蒸気より優れている。伐採道路は風景の一部になり、道路がまったく届かないところでは、重装備の業者が丸木を切り出した。彼らは幹を切り倒し、ガイライン、スナッチブロック、メインライン、運搬車を設置し、山の斜面を丸裸にし、穀物畑のミステリーサークルに似ているが、規模はもっと大きな放射状の傷痕を残していった。樹木たちに逃げ場はなかった。しかし、丸太が水に浸かったとき、逃げ道を見つけた木もあった。

流木の種類は、ベイスギ、ベイヒバ、ベイマツ、ベイツガ、シトカトウヒなど商業的に利用されている様々な樹種に及んだ。流木は水平に寝て浮くものと、垂直に立って浮くものの二種類に分けられる。垂直に浮くものはデッドヘッドと呼ばれ、船にとってより危険なものである。直径約三〇センチ、長さ約九メートルの小型のデッドヘッドが水面からわずか十数センチ頭を出して浮いているだけで、ほぼ一トンの重さになる。デッドヘッドは海上で背景の波と共振しながら、それよりはるかに長い周期の上下振動を起こす。もし、波を下降してきた船が、上昇してくる途中のデッドヘッドにぶつかれば、船体の下に大きな穴があいて数分で沈んでしまうかもしれない。

デッドヘッドは、伐採産業、特にパルプ用の二次林の伐採の副産物である。成熟期に伐採された木は長い時間、水平に浮いているが、若いベイツガは樹液で重たいので、水に入った最初はほとんど浮力がない。片側が沈んだ丸太は、潮流に流されて流木止めから外れたり、曳航中に紛失したりしてしまうことがある。昔は今より木造船が多く、丸太を流木止めに入れて曳航することが多かったので、特に夜間のデッドヘッドによる沈没事故は多かった。まるで森が、伐採した人たちに復讐しているかのようだった。

作業船は夜間に航走するしかない。岩礁は危険だが、その位置は海図に記されている。デッドヘッドは地図に載らない地雷原のように、でたらめに散らばっていた。木造船で夜間航走しているときは、鋼鉄船であればよかったと思うものだ。そして夜明けが来ると安堵のため息をつく。

水面に浮かぶ漂流物は危険性が低く、海流がぶつかる境界線に沿って集まる傾向がある。小さな流木は大きな流木が近くにあることを示している。浮遊性の高い丸太には価値があるものが含まれていたから、それを避けるのではなく、むしろ求める需要が出てきた。林業従事者と共存するフリーランスの廃物回収業者という職種が、その需要に応えるために発展した。

カナダの民法では、丸太の「遭難救助者（ビーチコーマー）」は「遺失物の発見者であり、より確実な所有権を示す者がいる場合を除き、その丸太の所有者とみなされる」[1]。伐採業者が、ビーチコーマーよりも確実な所有権を示す手段は、登録木材マークだった。登録木材マークは、伐採したばかりの丸太に重い鉄のハンマーで勢いよく叩いて刻む、家畜の焼き印に似た一意の番号付きの記号で、州政府に登録されている。刻印時にハンマーの衝撃で縦方向の繊維が剝がれて、消すことのできない刻印が残る。カナダ刑法では「漂流物または漂着物である木材、マスト、スパー、シングルボルト、製材、その他の木材上のマークや数字を削除、変更、抹消、汚損」した者には最高五年の懲役が科される。[2]

製材所と森林省（現・天然資源省）は連携し、この効果的な権利行使の手段と、拾得された木材を市場価格よりも低い価格で買い上げる仕組みを構築していた。買い上げ価格はビーチコーマーの商売が成り立つ程度には高いが、市場価格よりは安かったので、ビーチコーマーとしては不満が言いたくなる仕組みだった。引き上げた丸太を他所で売ることは違法だった。嵐の後、ビーチコーマーは縄張りを分担して海岸を捜索した。しかし、木材会社はいんちきをした。丸太を止めた流木止めが壊れた時には、流出した丸太を回収するために必要な期間、その地域を丸太回収禁止区域に指定し、ビーチコーマーの機会を奪ったのだ。

カナダは、バイリンガル政策だけでなく、君主制、国家警察、単一の放送ネットワークといった中央権力の受容と、極端な個人主義が同時に存在する二分法の連邦だった。ハドソン湾会社の独占は、個人ボヤジャー〔カナダとアメリカ北部で活動していた、特に毛皮を扱う商人〕の上に成り立っていたが、ボヤジャーは見かけの独立性とは裏腹に、毛皮の販売をハドソン湾会社に依存していた。二分法のパターンができあがっていたのだ。酒はブリティッシュ・コロンビア州酒類管理局からしか買えず、拾った木材は森林省から許可を受けた回収所を通してしか売れない。しかし、自分で密造酒を蒸留したり、木材保管所から盗んだりするような大それたことでなければ、それ以外はやりたい放題だった。小さな島に滅多に現れない警察がやってきて、あなたの車を止めたとしよう。警官にガソリンタンクに白いハンカチを突っ込まれ、船舶に使用のみ無税であるパープルガス〔カナダで農業用として減税されたガソリンで、識別のため紫色の色素を加える〕を車で燃やしているのを発見されたら事は別だが、それ以外は深刻な問題にされなかった。

一九七二年八月下旬、私はディソンクア号の舵を取り、ラスケティ島とアトキンソン岬の間のジョージア海峡を横断していた。バンクーバーの灯りはまだ水平線に見えていなかったが、南東の空に淡い輝きを放ち、夜明けの光に溶け込んでいた。そのとき、高く浮いた大きな丸太とすれ違った。船は一晩中、南に向かって走っていた。ディソンクア号は、ガラスのような海面を滑り、蛍光色の航跡を残した。薄明かりの中に水平線がはっきり見えるようになる頃、左舷船首に何かが現れた。それは長さ約九メートル、直径約一メートルで、樹皮が剝がれ落ちて白っぽく風化し、紙のように滑らかな表面のベイスギの老木だった。私はスロットルを引いてエンジンを切り惰性航行に切り替えた。すると船尾の船室昇降口階段を上って船長がデッキに現れた。

船長は舵を握り、エンジンを逆回転させた。私は船尾へ走り、ドッグラインと小型スレッジハンマーを手に取り、ミズンステイに立てかけられていた全長約六メートルの刺股(さすまた)を摑んだ。われわれは、丸太をディソンクア号の横に引き寄せ、リングドッグを打ち込んだ。リングドッグというのは大きな目と長方形の頭を持つ鍛造鋼の大きな釘だ。太くて短いトリンギット族の短剣のような形をしていて、簡単に木目に刺すことができるが、スパイクの肩の部分までいったん打ち込んでしまうと、ねじりながら同時に引くための専用の道具を持たない限り、抜くことができなくなる。ハンマーでリングドッグを打ち込むと、その音は一打ごとに音のピッチが上がっていき、夜明けであれば海を越えて、時には何キロも先まで、誰かが丸太を捕獲したことを通告する。われわれは捕獲した獲物を引き連れて海峡を進んでいった。

われわれは、午前中の満潮時にバンクーバー港に入り、ファースト海峡を通過して、ライオンズゲート橋をくぐり、さらに一五キロほど東に進んでセカンド海峡を通過し、潮が変わり始める頃さらにふたつの橋をくぐった。そしてスターボード・ライト・ロッジの前に錨を下ろした。このロッジはアドミラルティ・ポイントの北、インディアン・アームの河口にある一九二〇年代の個人邸宅で、現在はベルカラ・リージョナル・パーク内にある。丸太を置くにはいい場所だった。浜に流れ着いた木や流木を個人的に所有することは違法だったが、ブリティッシュ・コロンビア州沿岸では日常茶飯事だった。州当局も、文句を言う唯一の当事者である地元ビーチコーマーたちも、見て見ぬふりをしていた。

バンクーバー市は、南をフレーザー川、北をバラード入り江に囲まれた半島に位置している。バラード入り江は、その北に延びるインディアン・アームとともに、氷河によって削り出された一連のフィヨルドの入り口で、ブリティッシュ・コロンビア州のまだ氷河の残るコースト山脈の奥深くまで入り込んでいる。バンクーバーから北にわずか三〇〇キロ、五つのフィヨルドが連なるナイト入り江の先端では、氷河は急速に後退してはいるものの、現在でも海面から三〇〇〇メートル近くまで流れ下っている。氷河の流下が進む間に、本土の入り江は水深六〇〇メートルまで削られたが、入り口部分のもっと浅い部分で氷河の進行は止まり、氷が後退するときにはシル〔フィヨルドに形成される独特の岩床〕が残された。この水底の渓谷の深部には、海から隔絶された生物たちが暮らしていた。どこかの列島のカメたちが背と腹を裏返されて起き上がれなくなっているみたいに、そこから出ることができなくなっていた。

インディアン・アームは一九二一年までノース・アームと呼ばれていた。水深は二〇〇〇メートル以上あり、海岸には平地がふたつしかない。ひとつは、フィヨルドの北端にあるインディアン川の河口にあり、もうひとつはフィヨルドの入り口付近、南へ一五キロほどのところにあり、低く平らな地峡が、インディアン・アームの狭い入り口とベッドウェル湾を隔てている。ここは、コースト・サリッシュの住人であるツレイル・ワウタス族が「タム・トゥマイ・ウェトン」と呼んでいた大きな集落があった場所である。

この場所のふたつの地層は考古学的に重要である。ひとつは一万三〇〇〇年前のもので、もうひとつはもっと古いものである。この遺跡は全体の一パーセント以下しか発掘されておらず、海岸にあった塚の多くは浸食されてしまっている。最下層の文化的痕跡は、一万三〇〇〇年前の氷河期の粘土や泥のすぐ上で発見されており、最古の居住者は、今日とはまったく異なる条件のもとで、コルディエラ氷床が去った直後に到着したことを示唆している。[3]

一万三〇〇〇年前に氷が後退するにつれて海面は均一に上昇したが、陸地は氷の重荷が取り除かれるにつれて不均一に上昇した。初期の沿岸部の居住痕跡の大部分は、現在は海中にあるか、内陸部で草木に埋もれている。人間の居住と貝塚の分布に相関関係があることが知られているが、貝塚がないからといって、人間が居住していなかったということにはならない。最初の移住者は、かつての説ではアジアからベーリング・ランド・ブリッジを歩いて渡ってきた季節性の狩猟民族の小集団で、その後氷床の内側の縁に沿って内陸に広がり、コロンビア川やフレーザー峡谷などの不凍回廊を通って海岸に戻ってきたと考えられていた。しかし近年の証拠によると、彼らは、アジアからベーリンジアの南海岸に沿って延びアメリカ北西海岸に沿って南下する「ケルプ・ハイウェイ」伝いに、舟を作って海獣類を狩猟していたようである。
　サケの遡上が定着し、亜寒帯雨林が成熟すると、北西海岸ではまったく異なる文化が花開いた。場所が固定され時間の予測が可能な資源を開発することで、複雑な社会組織と高度な技術や芸術を伴う大規模な定住地が実現した。養殖業と林業が体系化された結果、高い人口密度、社会制度、儀式化された戦争、見る者を魅了する芸術表現が実現したのである。あまりに多くの富が蓄積されたため、余剰財の公的再分配を行なう目的で、「財産の戦い」と表現されるポトラッチ〔過剰なまでの贈与の祭り〕をはじめとした固有の慣習が生まれた。[4]
　フレーザー川の河口には、スギ、サケ、貝、水鳥が生息し、一七八二年に天然痘が流行するまでは、残された貝塚の大きさから推測してかなり大きな人口を支えていた。フレーザーデルタの北側にあるマーポールのグレートフレーザー貝塚は、一八九二年にチャールズ・ヒル・タウトが測量し「長さ約四三〇メートル以上、幅約九メートル以上、平均深さ約一・五メートル、最大深さ四・五メートル以上で、面積一・八ヘクタール以上」に広がっていた。[5]一八〇八年にサイモン・フレーザーが自分の名前を冠した川を下ったとき、彼は河口の北側にあるマスカム村の住民が「長さ約四六〇メートル、幅約二七メートル」の途切れなく続く家屋の「要塞」に住んでいたと記録している。[6]
　フレーザー谷のすぐ北、コースト山脈のふもとにあるベルカラの土地には、広くてカヌーが上陸できる砂浜があり、西からセカンド海峡を通って侵入してくる襲撃者の姿をよく視認することができた。ベッドウェル湾を抜けてインディアン・アームへと北上する退却路もあった。近くには直径一・八メートル以上のスギの木が立ち並んでいた。切り株が今でもその証拠として残っている。干潟はアサリでいっぱいだった。氷河が後退してむき出しとなったかつての荒野は、いまは鬱蒼とした植物に覆われている。しかし、スターボード・ライト・ロッジのすぐ北にある海岸線の満潮線には、直径三メートルの大きくて不格好な花崗岩の岩が鎮座している。この岩は大陸の氷床の突端が高速に移動した名残だが、これを見ているといつの日かまた氷河がこれを拾いに戻ってくるかもしれないと思わせる。

ディソンクア号がファースト海峡とセカンド海峡を通過する一八〇年前に、最初のヨーロッパ人が、バラード入り江を訪れていた。ジョージ・バンクーバーとウィリアム・ブロートンが率いるイギリス人の一団がスループ帆船「ディスカバリー号」とブリッグ帆船「チャタム号」で、それに続いてディオニシオ・アルカラ・ガリアーノとカエンターノ・バルデス・イ・フローレスが率いるスペイン人の一団がスクーナー帆船「スチール号」と「メキシカーナ号」で到着したのだ。

このふたつの遠征隊が一週間あいだを置いて到着したとき、イギリス人はファルマスから六二週間、スペイン人はアカプルコから一四週間を海上で過ごしていた。六月一三日にイギリス人が入り、バラード入り江と命名し、六月二一日にはスペイン人が入り、フロリダブランカ運河と命名した。両者とも、北西海岸とハドソン湾を結ぶ北西航路を探索する指示を受けていた。しかしどちらの遠征隊も航路発見の可能性は低いと考えており、先のロシア、スペイン、イギリスの航海が見落としていた海岸線の広い範囲の測量が実質的な目的になっていた。

バンクーバーが北西海岸を訪れるのはこれが二度目だった。一七七二年一月、一四歳の彼はジェームズ・クックのレゾリューション号による第二回太平洋航海に、海軍士官候補生として参加していた。一七七四年一月三〇日、レゾリューション号は南緯七一度一〇分、南極大陸まで約一九〇キロの地点に到達したが、その時、通航不可能な氷の壁に直面し、クックは「これ以上南に一インチも進めない」と記録している。[7] バンクーバーは船がくるりと向きを変える直前に船首の先端に乗り出し、自分が誰よりも南に達したのだと言い張った。一七七五年七月に探検隊は帰国したが、一七七六年二月、バンクーバーはクックの三度目の航海に参加した。この時はディスカバリー号でチャールズ・クラーク船長の下、海軍士官候補生として航海した。

一七七八年八月一八日、彼らは北緯七〇度四一分に達し、そこで再び氷に阻まれた。両半球の航海の極限に到達した弱冠二一歳のバンクーバーは、その後の航海では、クックが行なった北西海岸の測量を完成させることに専念した。一七七九年、クックがハワイのケアラケクア湾で死亡した際、指揮官の死後、遺体を回収する一団を率いたのがバンクーバーであった。

ハワイの人々は、クックをロノ神の化身として歓迎したが、イギリス人が一八世紀の船乗りの生活習慣で暮らし、修理のために滞在を延長したため、幻想が崩れ始めた。二月四日、ジェームズ・キングは「彼らはわれわれを、自分たちよりはるかに上位の存在とみなしている」と記した。「だが敬意が、慣れやつきあいの長さによって薄れれば、彼らの行動は変わるかもしれない」。窃盗が増えた。一七七九年二月一三日、バンクーバー、トーマス・エドガーと他の二人は、ディスカバリー号から金属製のトングのセットを持ち去りカヌーで岸に逃げたハワイ人を追って、ディスカバリー号の小型ボートで出航した。雰囲気は一変した。

イギリス人は丸腰で、石や棍棒で攻撃してくるハワイ人に数で圧倒されていた。「この間、先住民の何人かは、海軍士官候補生と私を石で殴り、残りの者はボートにあったオールと家具を盗んでいた」とエドガーは言う。「泳げない私は、膝まで水に浸かる小さな岩の上にいたのだが、一人の男が壊れたオールを持ってやってきて、私を岩から水中に叩き落そうとした。もしあの瞬間に海軍士官候補生のバンクーバーが、船から降りてインディアンと私の間に入ってきて打撃を受けてくれなければ、まず間違いなく私は岩から叩き落とされていたことだろう」。ハワイの酋長の一人がバンクーバーを助けるために介入した。バンクーバーがクックの遺体を回収する交渉をした。ジェームズ・キングはこの時のことを「ハワイ人はバンクーバーに会って喜んでいるように見えた。彼はハワイ人のことをよく理解していたからだ」と記録している。[8]

バンクーバーは一七七八年にヌートカ湾のフレンドリー・コーブでクックと四週間を過ごしたことがあった。この時、イギリス人指揮官のクックとヌートカ族の酋長マクィンナは互いを訪問し、食事を共にし、互いを国家元首として扱っていた。その一四年後、クックの行なった測量の範囲を拡大するため、フアンデフカ海峡、ピュージェット湾、ジョージア海峡（現在はまとめてセイリッシュ海と呼ぶ）に戻ったバンクーバーは、外海岸や北の島々に比べて、その土地が奇妙に過疎化していることに気がついた。空き家になって放置された集落の数は「この国がそれほど遠くない時代に、はるかに人口が多かったという見解を裏付ける」と彼は述べている。[9] イギリス人の一隊は、サリッシュ海を探検した後「大変快適で見晴らしのよい高台にあり、四方を森に守られた」開墾地を見つけた。開墾地は打ち捨てられていて「小さな灌木や植物以外何も生えていない」状態だった。「流行病や最近の戦争による」人口減少があったことを意味していた。[10] 現地の生存者には天然痘の痕を持つ者がみつかった。そのおよそ一〇年前にメキシコで蔓延したその病が、大陸の内部を北上していき、河川交易ルートを通って、海岸まで到達したのだった。

一七九二年六月一一日、バンクーバーとブロートンは、チャタム号とディスカバリー号を、現在のカナダとアメリカの国境のすぐ南にあるバーチ湾に停泊させた。彼らは湾の南側に上陸した。そこは探検隊の植物学者アーチボルド・メンジーズが報告書に記した「今はイラクサと灌木が生い茂るばかりの非常に大きな村」の跡地に近い場所だった[11]。船のクロノメーターを再調整するために天文観測装置が陸上に設置され、鍛冶師は修理のために炉をかついで上陸し、船員の一団は野生植物の採取と抗壊血病剤になるトウヒビールの醸造に従事した（これは後のワシントン州内で初めて行なわれた醸造作業だった）。

二隻の船の安全を確保したバンクーバーとピーター・ピュージェットは、一週間分の糧食を積んだディスカバリー号のボートで出発し、北側の本土入り江を測量調査した。一二日の朝、彼らはロバーツ岬を回り、「少なくとも四〇〇〜五〇〇人は住める大きな荒れ果てた村」を観察した後[12]、フレーザー川のデルタ地帯を横切ったが、浅瀬が沖合まで広がっていたため、ジョージア海峡の反対側に向かうことを強いられ、一〇時間半舟を漕いだ後、午前一時に（ガリアーノ島に）上陸した。四時間の休憩の後、再び海峡を漕いで渡り、正午にグレイ岬で本土に到着、そのままイングリッシュ湾を横断して、現在のスタンレーパークのすぐ北にあるファースト海峡からバラード入り江に入った。岬の内側には約二・四メートルの深さの貝塚があった。ここで発掘された貝殻は、公園の周囲に造られた約一四・五キロの車道に敷き詰められるほど大量だった。

バラード入り江を進むと彼らは「最大の礼儀と礼節をもって行動する、カヌーに乗った約五〇人のインディアン」と出会った[13]。一〇〇年後、インディアンの子孫であるアンドリュー・パウルは、J・S・マシューズに「あなた方の偉大な探検家、バンクーバーがファースト海峡を進んできた時、われわれの部族が彼の前に挨拶として、雪のように白いケワタガモの羽毛の雲を投げると、それは舞い上がり、空中でひらひらと漂った後、雪のように水面に落ち、花嫁の前に散った白いバラの花びらのようにそこに静止したのだ」と語っている。[14]

バンクーバー一行はバラード入り江の南岸、現在のベルカラ・リージョナル・パークの向かい側で一晩キャンプをした。一四日の朝四時に出発した彼らは「北に延びる小さな開口部とその前にある重要でないふたつの小さな島」を通過した。[15] この開口部とはインディアン・アームの入り口であった。

バンクーバーとピュージェットは本土の海岸線の探索を続け、ハウ湾とジャービス湾を測量して六月二一日にグレイ岬に戻り、そこでガリアーノとバルデスに会って記録を比較し、海図を交換した。スペイン人は自分たちの小舟でインディアン・アームの探検を行ない、ベルカラ村の跡地を含むいくつかの「草原」を記録に残した。彼らが観察した唯一の住民は、インディアン川の河口にいた数人の人々で、彼らが近づくと森の中にばらばらに逃げていった。

ガリアーノとバルデスが去った後、バラード入り江は半世紀にわたってヨーロッパ人に注目されることなく、外海岸が交易の中心地となった。スペインはカリフォルニアを、ロシアはアラスカを占領し、米国と英国はその間の領土をめぐって対立することになった。ハドソン湾会社はアメリカ商人の侵入に対抗するため、一八二七年にフレーザー川のフォート・ラングレー、一八四六年にバンクーバー島南部のヴィクトリア、一八四九年にはバンクーバー島北部のフォート・ルパートに、それぞれ常設基地を建設した。全長約四四〇キロのバンクーバー島全体が年間七シリングでハドソン湾会社に賃貸されたが、本土は一八五八年にブリティッシュ・コロンビア州の内陸部で金鉱が発見されるまで、ほとんど注目を集めることはなかった。バラード入り江は金鉱床に最も近い深海港であり、やがてゴールドラッシュに魅せられた投機家たちが建設を提案する、大陸を東西に横断する鉄道の海側の終着駅になる場所だった。

一八五八年に設立され、一八五九年にフレーザー川沿岸のニュー・ウェストミンスターに首都を置いたブリティッシュ・コロンビア植民地は入植者を必要としていた。カナダ連邦に加盟する前年の一八七〇年には土地条例法を制定し、女性や先住民を除く一八歳以上のイギリス国民は、一エーカー（〇・四ヘクタール）あたり最低二ドル五〇セントを払い土地改良をし、そこに四年間居住すれば、一エーカーあたり一ドルで一六一エーカーの王領地の先取権を購入することが可能となった。

一八一九年にアイルランドのケントで生まれたジョン・ホールは、この制度を利用し、一八七〇年九月二二日に「バラード入り江のノースアーム、ネルソンの西側、デイツの東側、ムーディの木材保護区の西にある一六一エーカーの土地の先取権を購入する」申請をした一人だった。ホールは兄と共にオンタリオに移住し、一八五九年のフレーザー川のゴールドラッシュで西にやってきた。腕利きの木こりだった彼は、内陸の低地の至る所で山道を切り拓き、フォルス・クリークとコキットラムの土地に権利を主張し、南西に面したビーチと数エーカーの肥沃な土地がある旧ツレイル・ワウタス村のタム・トゥマイ・ウェトンを定住場所に選んだ。スウェル・プレスコット・ムーディとパートナーのジョージ・ディーツとヒュー・ネルソンはバラード入り江の北岸にある一四〇〇エーカーの森林を植民地政府から借用していたが、ツレイル・ワウタスの伝統的な故郷であるベルカラ周辺の土地は契約から除外されていた。

ジョン・ホールが到着した頃には、ツレイル・ワウタス族の生き残りのほとんどがバラード入り江北岸のシーモア・クリーク（ムーディビル集落の近く）に移り、ベルカラの土地は一握りの人々が住んでいるのみだった。とはいえ、縄張り内の土地に交代で居住することに慣れているツレイル・ワウタス族は、もはやその土地が自分たちのものではなくなったとは信じていなかった。その土地にはクロスビーという白人を殺害したとする容疑がかかったシアモックという男がいた。ホールは先取権を取得する際に、このシアモックと、世襲の族長で俳優チーフ・ダン・ジョージの祖父にあたるジェームズ・ジョージ・スラホルトというツレイル・ワウタス族の男に、もし彼らインディアンたちが自分の先取権取得に不満を言うなら、シアモックを殺人罪で逮捕させると警告した。ツレイル・ワウタス族はこれを受け入れ、ホールはインディアンの一人であるチャーリーとその妻ジェニーが住んでいた小屋に移り住んだ。

ジャガイモを植えるために地面を掘り返したところ、大量の人骨が掘り起こされた。ホールの指示で、これらの遺骨は木箱に詰められ「少し離れた場所に」埋め直された。インディアンの妻ジェニーによると、彼女の夫チャーリーは「骨の移動に関して非常に心を痛めて」おり、「友人全員がその土地に埋葬されていた」と主張するトム・ハスヤノクと共に、この土地を追われた元住民のアルフレッド・スミスの起こした訴訟に加わった。スミスはホールに向かって石を投げ、暴行で有罪になったばかりだった。ホールはインディアンの墓を冒瀆（ぼうとく）した罪で起訴されたが、捜査に派遣された警官が、チャーリーが「捜査中、家から出てこなかった」こと、シアモック、ハスヤノク、スラホルトが「泥酔していた」と見られたにもかかわらず「本案件について満足な証言をした」という記録の矛盾を発見し、無罪とされた。ホールは、インディアンに酒類を提供したという軽い罪で有罪になり、三〇ドルの罰金と諸経費が科された。[16]

ホールの先取特権は、旧居留地全域と、森林の多いベルカラ半島の大部分に及んでいた。一八七四年五月二一～二三日に行なわれた現地調査では、目印となる大木として、直径約一・五メートルのベイスギ、直径約九〇センチのベイツガ、直径約七五センチのベイマツが記されている。[17]ホールは、初期の開拓地の端に家と小屋を建て、村の跡地に庭と果樹園を造り、ベッドウェル湾の入り口に住む、最寄りの隣人の手伐採師スティーブン・デッカーと協力関係を結んだ。ホールの土地改良は一八七四年五月二三日に認定され、一八八二年九月四日に永住権が与えられた。ムーディビル、グランビル、ヘイスティングス、ポートムーディなどの入植地を含むバラード入り江の非先住民人口は、当時二九七人であった。バンクーバーはまだ存在していなかった。ムーディビルはバラード入り江の文化、商業、技術の中心地で、図書館、工員教習所、ニューウェストミンスターへの電信接続、そして最初の電灯があった。

自分の邸を建てた後、ホールはシーモア・クリークの先住民の集落から若い女性を内縁の妻として迎え入れた。その女は二人の子どもを一八七七年と一八七九年に産んで、一八八二年以前のどこかで死因不詳で亡くなっていた。彼女の母親はムン・マート（あるいはメリー・ディッシュ、あるいはケイトとも呼ばれていた）という名前で、一八八二年一〇月一八日の朝遅く、孫を訪ねると同時に、ジョン・ホールに彼女の夫が貸した借金を取り立てるため、妹チアルタと一緒に入り江の北側からベルカラに舟で漕ぎ出したことが記録に残されている。

午後遅く入り江の日が暮れてきた頃、係争中の金をめぐって争いになり、ジョン・ホールがウィンチェスター四四口径でメリーの胸を撃ち抜いた。ホールは殺人罪で起訴され、ベルカラでの生活は終わりを告げた。借金の内容や、なぜメリーがその取り立てに来たのかは未だ不明だ。

ジョン・ホールや隣人のスティーブン・デッカーと親交のあったJ・ウォーレン・ベルは、当時のインディアン現地妻の相場は五〇ドルで、それ以降は「その女にかかるのは維持費だけだった」と回想している。「いつでも現地妻を辞めさせることができ、売り飛ばすこともできたが、そうするには買い手は女の父親か最も近い親戚に、言われた通りの金額を再び支払わなければならなかった[18]」

誰がいつ何を飲んだかは、証言が食い違っていた。ホールの雇い人ピーター・コールダーは、ライ・ウィスキー七本分の飲酒は前日から始まっており、殺人当日はホールから「朝六時に酒をボトルで勧められた」と証言している。近隣の邸に住むジョン・ハンドコックは、彼とホール、ピーター・コールダー、スティーブン・デッカーは正午頃ホールの家にいて、ウィスキーの残りはボトル半分になっており、そこに女性二人が（ハンドコックの説明では三番目の先住民女性を伴って）カヌーで到着したと証言している[19]。

「私は二杯飲んだ。女たちはまったく飲まなかった」とハンドコックは証言した。コールダーは午後一時三〇分頃、「ウインチを使って牛の屠畜作業をやることになっていた。それにしては酒を飲みすぎてしまった」と証言した。スティーブン・デッカーは午後四時から五時の間にホール邸を出ているが、後に「ホールは酔っぱらっていた」、「コールダーは素面（しらふ）ではなかった」と証言した。デッカーは先住民の女性に連れられて、ベッドウェル湾までの約六四〇メートルの小道を歩いて家に戻った。[20]

ある時点で、メリーはジョン・ホールと金のことで口論を始めた。妹チアルタは「ジョン・ホールはメリーを拳で殴りました。私は姉の腕をとって『カヌーの方へ行きましょう』と言ったのです」と証言している。ピーター・コールダーは午後五時から六時までホールのために乳搾りの仕事をするために外にいた。彼は「ホールの幼い娘がやってきて『お父さんがあなた（コールダー）に来てほしいと言っています』と伝えた」と証言している。

ホールは邸の入り口でメリーを捕まえたが、メリーはそれを振り切って庭を抜けて浜辺に走り出し、ホールはそれを追いかけた。コールダーは追跡に加わり、浜辺に着いたところでメリーに体当たりをし、彼女の胸から二〇ドルの金貨を取り返してホールに渡すと、彼女から手を離した。するとメリーは海岸まで走り続けた。それをコールダーが追いかけて行き、メリーがカヌーを出すのを阻止した。ホールは家に戻り、一六発のレバーアクション式ウィンチェスターを持って戻ってきた。これは、大平原のバッファローハンターが好んで使った、古い四四口径ヘンリー黒色火薬リムファイアカートリッジを未だに使用する、第一世代の連発銃だった。

「彼は両手でライフルを握っていた。引き金に指をかけていたかは分からない」とコールダーは証言した。「最後に見たとき、彼は両手で銃を持っていた」。ホールはカヌーから三メートルほど離れた場所にいた。メリーはカヌーの横に身をかがめていたが、彼を見ようと振り返った時に銃が発射された。[21]

一〇月二〇日にムーディビルで行なわれた検視の結果、一発の銃弾が「左側から背中に向かって第五、第六肋骨の間に入り」、「右乳首と胸の骨の間」から出て、「ほぼ即死状態」だった[22]。近くのカエデの切り株の陰から見ていたコールダーとチアルタの両者によると、メリーはカヌー横の浜でうつ伏せに倒れていて、ジョン・ホールは振り返った後、庭を通って自分の家まで冷静に歩いて戻っていったという。

チアルタは、自分は暗くなるまで隠れていて、スティーブン・デッカーの小屋まで歩いて行き、そこでデッカーとコールダーが相談しているのを見たと、検死審問と裁判の両方で、通訳を通して証言している。その後、彼女は浜辺に戻り、姉の遺体をカヌーに乗せて先住民の集落に漕ぎ出し、翌日、そこからムーディビルに知らせたという。一〇月一九日、バラード入り江の唯一の警官であるジョナサン・ミラーは、ボートでホールの家に向かった。彼はカヌーに乗ったホールとコールダー、二人の子どもを発見し、無事にホールを逮捕して、ムーディビルの判事に引き渡した後、バンクーバー市の核となるグランビル・タウン跡地にあった拘置所に連行し、ふたつある独房のうち木造一室だけの部屋に入れた。ホールは、翌日の審問の結果、殺人罪で起訴され、その刑罰は絞首刑だった。

裁判は一八八二年一一月二七日、ニューウェストミンスターで、ホールの二〇年来の友人であるヘンリー・P・P・クリース裁判官のもとで行なわれた。彼は「もしジョン・ホールが裁判にかけられると知っていたら、今日ここで私が裁判官を務めることはなかっただろう」と陪審員に話した[23]。

一八五八年にイギリスからバンクーバー島に移住したクリースは「しばしば州内の何もない辺(へん)

鄙な地域で、即決即断だが臨機応変に裁判官の仕事をこなして」きたが、ブリティッシュ・コロンビア州北部を巡回裁判で移動していた際に、事故で重傷を負い先住民の仲間に命を救われたことがあった。彼を救助した先住民たちは、彼が頼んだとおりに「死人のように足を前に向けて」ではなく「頭を前に」する姿勢で、険しい小道を安全な場所まで運んで降ろした。[24]

ホールの命は、陪審員の手に委ねられていた。イギリス王室の代表である検察側はW・J・マケルメン、被告側はウィリアム・ノーマン・ボールが弁護を担当した。ボールは一八七七年にオーストラリアに向かう途中、サンフランシスコで船に乗り遅れ、代わりにブリティッシュ・コロンビア州のヴィクトリア行きの船に乗った。彼はニューウェストミンスターで開業した最初の法廷弁護士になり、手強い弁護人として評判になった。一八八七年には女王の顧問弁護士、一八八九年には最高裁判所の郡判事になり、「稲妻判事」ボールのニックネームがついた。彼は数多くの有名な殺人事件を担当した。一八七九年にトーマス・プールとその子ども二人を殺害した罪に問われたジェームズ・〝スコッティ〟・ハリディは、多くの有罪を示唆する証拠にもかかわらず、一カ月近くに及ぶ裁判の末に無罪となった。これは「主にボール氏の無情な反対尋問の下で主要な検察側参考人たちが精神衰弱に陥ったため」であった。[25]

ボールはホールを精力的に弁護し、まず、銃が誤って発射された可能性を示唆する二人の証人を召喚した。しかし、最初の証人は反対尋問を受け、ホールが定期的に狩りをする経験豊かな射撃手であること、一八七一年から特定の銃を所有し、森の中で常時携帯していたことを認めざるを得なかった。二人目の証人である退役大尉ジョージ・ピッテンドリは、クリミア戦争の退役兵でブリティッシュ・コロンビア州砲兵隊の司令官だったが、連発銃の一般使用に異議を唱えていたらしく、犯行の状況について特に付け加えることはなかった。

依頼人を死刑から逃れさせる最後の術として、ボールは続けて二人の目撃者の証言を崩しにかかった。まず殺害の翌日にピーター・コールダーが検視官に行なった供述と、彼の法廷での供述との間にわずかな矛盾があることを指摘した。次にチアルタが姉の死を目撃したと主張する時間に、ベッドウェル・ベイの住居で彼女と一緒にベッドにいた、というスティーブン・デッカーの証言を引用し、チアルタの銃撃に関する供述に異議を唱えた。反対尋問で、陪審員に問題の女性を明確に特定するよう求められたデッカーは、「みんな同じに見える」と言って狼狽した。[26]

ボールは「あの女性（チアルタ）は嘘をついていると私は考えます」と陪審員への最終弁論で主張し、「嘘つきの証言で同胞の命が奪われてはなりません」と論じた。インディアンの証言で白人が絞首刑になるべきではないと、彼はあからさまにはならないように気を付けながら、ほのめかした。「インディアンの心は復讐心でできています」と彼は続けた。「スティーブ・デッカーが語った話は真実であり、真実以外の何物でもない。インディアンの女性の発言は、復讐への野蛮な渇望によるものだと信じて頂きたい[27]」

検察側のマケルメンは「残酷な殺人でした。同胞がノースアームの海辺で暴行され殺害されたのです。殺人を事故にみせかけようとする企みは許されてはなりません」と論じた。彼は英語がまったく話せず、時計の読み方さえ知らない女性チアルタが通訳を通して行なった殺人事件についての供述が、検視官が集めた検視結果と完全に一致していることを強調し「本件ではキリスト教徒の顔をした白人が野蛮人のように行動しました。……インディアンの権利は白人と同様に守られなければなりません」と締めくくった。[28]

クリース裁判官は、陪審員への最後の説示で、より強く「もしみなさんがあの女性の命を奪ったのがジョン・ホールだと考えるのならば、彼は殺人罪で有罪になります。何かに誘導されて、情状酌量によって過失致死罪に減じるということがあってはなりません」と話した。裁判官は被告と友人関係だったが、被告の罪に対して合理的な否定材料を見つけることができなかった。「彼は自分の子どもの祖母を殺害した後、自分の邸まで悠々と歩いていったのです。被告人は、被害者である彼女を振り返ろうともせず、野生動物のような扱いで倒れた場所に置き去りにしていきました[29]」

二時間の審議の後、陪審員は殺人の評決を下し、ジョン・ホールに七年間のブリティッシュ・コロンビア刑務所での懲役刑を宣告した。ホールは絞首台を逃れたが、出所してまもなく一八八九年に死亡した。

ジョン・ホールの弁護を引き受けたノーマン・ボールは、依頼人の弁護の準備のために殺害現場を訪れた。一八八二年一月生まれの息子J・パーシー・ハンプトン・ボールによると、ノーマン・ボールは故郷アイルランドの「こよなく愛するメイヨー県と同じくらい（その土地に）魅了されていました」。彼はホールを死刑から救った後、弁護士費用の支払いを受け取る代わりに「一六〇エーカーの（ホールの）土地を購入し、その金額をジョン・ホールの釈放に備えてブリティッシュ・コロンビア銀行に預けた」と後に説明している。ボールはこの土地を、幼い頃に家族で訪れたメイヨー県の村にちなんで、ケルト語で「太陽が輝く美しい土地」という意味のベルカラと名づけた[30]。

バンクーバーのダウンタウンから舟ですぐのところにあるツレイル・ワウタス村の跡地は、ピクニック場として親しまれていた。古代の貝塚が湾に浸食されている場所では、子どもたちが貝殻の浜で遊びながら、土手から矢尻や槍の穂先を掘り出していた。一九〇四年、ボール夫妻はこの土地をターミナル・スチームシップ・カンパニーに売却した。これを皮切りに、かつての先住民の村はフェリー乗り場、ダンスパビリオン、ピクニックシェルター、宿泊施設を備えた労働者階級のリゾート地区に発展し、周辺の土地は分割され、別荘地として投機家に売られていった。

インディアン・アームは夏のコテージやキャンプで賑わった。ジョン・ジェイコブ・アスターやジョン・D・ロックフェラーなどがよく利用したウィグワム・インが、入り江の先端（社会経済スペクトルの先端でもある）にある、インディアン川河口の亜寒帯雨林の中に佇んでいた。ウィグワム・インはまるでバイエルン湖上の狩猟小屋のようであった。小型旅客フェリーが就航しバンクーバーのダウンタウンからベルカラまで三〇分で結ばれた。これは、現在自動車で行くよりも早い旅だ。一九〇八年には、旅客向け郵便局と食料品店が、ベルカラとインディアン・アームの至る所に造られた小さな船着き場のために営業を開始した。

ノーマン・ボールはジョン・ホールの土地を手放した後、妻のフローレンス・クルサード・ボールと共に、すぐ南に隣接する九六エーカーの先取権を購入した。この土地はその後、ボール夫妻がコテージ所有者のグループに売却したが、一九三四年に息子パーシーとその妻ノラ・キャスリーン・ボールが買い戻した。パーシーは一九一四年に隣接する四六エーカーの土地の先取権も購入していた。

彼らは、この土地の南端にある白い砂浜の上に一一部屋のクラフツマン風のコテージを建て、スターボード・ライト・ロッジと名づけた。入り江を見下ろすポーチには緑のランタンが吊るされ、ドアのすぐ内側にはショットガンを置くための木彫りの架台が作られていた。パーシーは一九三二年に引退して以降、一九五五年までは電気がなく、一九五九年までは道路もなかったこの場所で、ずっと二人で暮らした。

バンクーバーが大都市化するにつれ、バラード入り江は関連する重工業を引きつけ、製材所、流木保管所、木材加工所、発電所、石油パイプラインターミナル、三つの石油精製所、穀物エレベーター、製糖所、多数の造船所、はしけ、デリック（クレーンの一種）が立ち並ぶようになった。先住民は、ノースショアのキャピラノ・クリークとシーモア・クリークのふたつの保護区に追いやられた。大恐慌の時代に、埋め立てられた海岸線の多くが不法占拠され、大恐慌が終わると、入り江の生活が好きな多くの人々がそのまま居座った。カナダでは、満潮と干潮の間の前浜（まえはま）は国有地であり、不法占拠が常態化した。地元の役人は退出を求めたが、不法占拠者のコミュニティを「風変わりな者たちの巣窟だ」と言うだけで、ほとんど何もできなかった。管轄は国家港湾委員会だったが、この委員会は事なかれ主義だった。不法占拠者の掘立小屋は港湾内に高床式で建ってはいるものの、干潮時には干上がる場所であるため、航行の妨げになるとは考えられないからだ。スタンレーパークに住んでいた最後の不法占拠者が追い出されたのは一九五八年、アドミラルティ・ポイントから不法占拠者が追い出されたのは一九八二年であった。

作家マルカム・ラウリーは『火山の下』の大部分を、一九四〇年から一九五四年まで妻のマージェリーと住んでいた、ダラートンの海岸にある不法占拠者の小屋で書いた。ダラートンはスターボード・ライト・ロッジから入り江を隔てた向かい側である。ラウリーは隣人たちについて、

「電気技師、伐採業者、鍛冶屋など、ほとんどが町の定住者で高い給料をもらっているが、土地の購入が可能な、入り江の奥にある集落の一つにサマーハウスを建てるほど裕福ではない」季節性の雑多な住人たちと、「夏の人々が来る前からずっとここにいて『前浜権利』で家を持っていた」年間を通じた定住者が混じっていたと書いている。[31]

「そこに立ちながら、私はある種の愛に圧倒された」と、彼は入り江での最初の冬について詳しく書いている。「風化した屋根板が、日本の神社と同じように風景になじみ、自然の一部となって、永遠を拒みながらも、それに謙虚に応えるかのようだった。この小屋が、なぜ私の中で、何とも言えない善良さ、ある種の偉大さを表すようになったのだろう。そして、後に私が知ることになる真実の影が私の魂を覆った。風雨に耐えながら破壊者のなすがままになっている、それらの掘立小屋が、無力ながらも意思を貫く者の象徴であるという、人が失った感覚だ」[32]

一九六〇年、パーシーとノラ・キャスリーンのボール夫妻は、ビーチフロントのコテージ七棟を含むふたつの土地のうち、広い方の土地を、製油所建設に関心を持つレバノンの投資家に売却した。アルバータ州の油田から来る新しい山脈横断パイプラインは、ジョージ・バンクーバーの一行が一夜を過ごした場所の近く、入り江の南岸で終点になった。一九六五年、パーシーが亡くなる直前にロッジを含む小さい区画を同じ投資家に売却した。

レバノン人の所有者は、モントリオール・トラストに不動産の管理を任せた。モントリオール・トラストは、イアン・ウォーリーという代理人を月に一度、スターボード・ライト・ロッジに派遣し、一一〇ドルの家賃を徴収することだけを仕事としていた。七つのコテージは何らかの形で所有権を主張する家族の手に渡ったままであった一方で、ロッジは、まずピアソン家に、そしてディソンクア号がここに現れる頃には、数学教師のアラン・マーチンと海洋生物学者のマイケル・ベリーに賃貸されていた。マーチンとベリーは余暇にイギリスのスポーツカーのレースや改造をしていた。ベリーは、横置きエンジン搭載前輪駆動で、紫色のウッドパネル張りのオースチン・ミニを修理していた。一方マーチンは、ロータス・エランを所有しており、車高を極端に下げていたので、ベッドウェル・ベイの舗装道路との交差点にある金属製の門の棒を上げることなく、ボール家の舗装されていない私道を四〇〇メートルにわたって出入りすることができた。離れの一棟には一九六一年式のライリーが、もう一棟にはウィラードという名のビンテージのハンバーがあり、彼らは街への移動に使っていた。

一九七一年の初秋、映画産業の小道具・雑用係デイヴィッド・ヒスコックスは、インディアン・アームの午後のクルーズにディソンクア号をチャーターした。彼は顔が広く何でも調達することができた。彼はバンクーバー近郊で撮影された『ギャンブラー』が完成した時ジュリー・クリスティから贈られた金のダンヒルのシガレットライターを持っていた（それをフォルス・クリークの波止場で海に落とした時、彼はダイバーを雇って取り戻した）。われわれの船がウィグワム・インからの帰りにベルカラを通過していた時、ヒスコックスはスターボード・ライト・ロッジへヴィンテージのMGを見に行ったことがあると話し、そこを訪問しようと提案したので、われわれは旧村跡の下にあるフェリー乗り場に係留することになった。

われわれは海岸沿いを南へ進んでいき、ダンスホールの下にある貝塚の入り口の横を通った。午後の光の下、われわれが草が一面に茂った急斜面の土手の下を歩いていると、エンジニアのリック・コッターが、浸食された土手から突き出た木の根に絡まって、非常に古いライフルの残骸があるのに気づいた。その時、われわれはジョン・ホールが犯した殺人事件のことは何も知らなかった。見つかった銃は、ストックがなく、土砂がこびりついていた。そして、われわれが船で使っていたウィンチェスター三二口径のカービンに似たレバーアクションだった。

スターボード・ライト・ロッジでは、マイケル・ベリーに会い、中を案内してもらい、いつでもまた来なさいと言ってもらった。ロッジはバンクーバーのダウンタウンからパドリングで一時間の場所に位置していたが、一〇〇年かかる距離のように遠く感じられた。

それから一年後、われわれは水深七尋に錨を下ろして、スキッフボートを出し、私は丸太を引っ張りながら陸に上がった。ベルカラからディープ・コーブという小さな集落までは、水上経由だと一・六キロもない。バンクーバーからの道の終点にあたる、この小さな町には、商店、コインランドリー、イングリッシュティールーム、そしてログキャビン・レストランを兼ねた、店舗改装を検討中の店が一軒あった。新しいオーナーは、レストランの外壁に使う手割りのスギ材シェイク〔シェイクとは木材を柾目(まさめ)で割った木片で建築の仕上げ材に使用される〕を探していた。私はディソンクア号を降り、陸に引っ越した。マイケル・ベリーは私に、ここに滞在して丸太を割るのはどうかと誘ってくれた。

シェイクを割るには、幅七・五センチ、長さ四五センチほどの鉈(なた)を、大木槌(きづち)を使ってシェイクボルトの木目に打ち込んでいく。大木槌には、頑丈なイチイの木や、片方の端が節になっているツルカエデなどを、片側を握りのサイズに削って使用する。

大木槌で鉈を数回ボルトに打ち込んだら、木の柄を強く引っ張る。すると、シェイクが大きな音を立てて割れる。割れた面は、製材された板と同じように滑らかで、ほとんど平らだ。鉈は、廃車から取り出した鋼鉄製の板バネで作られたものが最高だった。

まず、丸太をボルトに切り出す必要がある。私は浜辺で、丸太を長さ六〇センチの輪切りにし、その輪切りを放射状に等分し、軸方向に切り出してボルトに分割するという作業に取りかかった。丸太を輪切りにした際の内側中心部分は捨てる。この時に、木材のきめの粗い芯の部分とそれより外側できめが細かくてボルトに使える部分の境界を見極める作業が必要になる。これは、その木が五〇〇～六〇〇年前に一〇〇〇年に及んだ青年期を終えて「老齢樹」と呼ばれる年代に入っていく時期の木質の変化を見極める作業である。私はそれまでシェイクを割ったことがなかった。作業に必要な暗黙知は、木に宿っていたのか。それとも借り物の道具を通じて木が私に伝えてくれたのか。あるいは海岸を旅している間に、私の中に知らないうちに入り込んできたのか。いずれかであろうが、私はこの作業をこなすことができた。

なぜベイスギは、他のものよりもうまく割れるのか？　シェイクの木材は、森の中で苗木から成長を始めて、光に向かって垂直に数十メートルの高さに伸びていく。その過程で、特徴的な柾目が生まれる。真上以外で横に伸びようとする枝の努力は無駄に終わる。しかし、同じ条件で育ったベイマツ、ベイヒバ、シトカトウヒは、同じようにすっと真っすぐな木でありながら、シェイクに割れないのだ。ベイスギは、なぜか強度を縦方向の繊維に集中させており、木目方向の接合力がほとんどないのだ。

スギからは戦争や長距離の交易で活躍する、全長約一八メートルのカヌーを作ることができる。

スギは家屋用の板材を寸分違わずきれいに切り出すことができ、この板材は挽板よりもはるかに強度が高い。板材は、カヌーに載せて季節ごとに別の場所へ移動させることができるモジュール式ロングハウスという、他では見られない建築様式かつ社会構造を生み出した。

ベイスギは腐敗しにくく、虫も寄りつかない。また、厚い繊維状の樹皮に覆われているが、この樹皮は羊の毛を刈るように木質部分を傷つけることなくきれいに剝がすことができる。樹皮を叩いて繊維を分離した後、マットに編んだり、ロープに撚ったり、断熱材や吸水材として使用したり、野生のヤギや飼い犬の毛と混ぜて、現在のポリエステル製フリースに相当する柔らかくて耐水性のある素材にもなった。

北西部海岸では、人間とスギが共存共栄していた。スギのロングハウスで、スギの柱に施された彫刻で氏族を識別する部族に生まれた乳児は、スギ繊維のおむつに巻かれ、スギの箱に保存された食料を、作業用一輪車サイズのスギの皿で与えられ、スギで編まれたマントと、スギで編まれた帽子をかぶって成長した。死後、彼らの遺体はスギの皮のマットに包まれ、スギの棺に納められ、スギのカヌーに載せられて、埋葬島へ運ばれ、木の上へ上げられた。スギ皮のロープを使ってだ。

ログキャビン・レストランのファサードを飾るのに、丸太の半分を使用した。あとの半分はどう使うか？　板にするか？　私は実験的にまず幅約三〇センチ、厚さ約一・三センチ、長さ約一八〇センチの板を切り出した。私は家を建てることを考え始めた。ディソンクア号を降りてから、私はボール邸のすぐ南、入り江から約六〇メートル上の花崗岩の岩場で、セカンド・ナロウズをはっきりと見渡せる、おそらく過去に展望台として使われていた場所にキャンプを張っていた。外小屋と小さな囲炉裏を作ったが、動物や冬の寒さの侵入を防ぐ方法はなかった。

切ったばかりの板や他の建材をどうやって岩場の上まで運んでくるか、どうやったら当局の目に留まらずに済むだろうかと考えていたとき、ふと、今見下ろしている木々の中の一本の上に住めば、こうした問題を一度に解決できるのではないかと思いついた。今日、ブリティッシュ・コロンビア州で三年間も木の上に住む人がいたら、亜寒帯雨林を救おうとしている人だと思われるだろうが、私が救おうとしていたのは、家賃問題に陥っている自分自身だった。マルカム・ラウリーと隣人たちは何物にも煩わされていなかった。なぜなら彼らの掘立小屋は、陸上の建造物を管轄する市当局と、海上の航行に影響を与える建造物を管轄する国立港湾局の狭間に位置するため、無許可で放置されていたからだ。では、木の上の建造物はどこが管轄するのだろうか。

ボールの土地の南側には、一九一二年にバンクーバー市に九九年間の期限付きで貸し出されたアドミラルティ・ポイント政府保護区が隣接していた。花崗岩の岬には「バンクーバー市は、この保護区を占有する権利を一切認めていない」という青銅の銘版がセメント固定されていたが、不法占拠者の小さなコミュニティがアドミラルティ・ポイントの海岸線に住みついていた。旧ボール邸の敷地南端には、直径約九〇センチのベイマツがあった。満潮時には海面がこのベイマツの数メートル下まで迫った。この木はジョン・ホールが海岸を調査した時からそこにあったはずだ。伐採を逃れてきたのは、下枝が光を取り込むために海面方向に伸びたため、木の幹の方にきれいに材木として使える部分がなかったからだろう。伐採業者にとっては魅力のない木でも、その上に家を建てようとする人にとっては魅力的な木だった。

地上約九メートルで直径約二〇センチの下枝にたどり着いた後も、私は家の構造に使える枝組みを見つけるためにそのベイマツに登った。地上約九メートルのところで直径約二〇センチの枝を見つけたがまだ登り続けた。そしてさらに高い場所で、良い枝組みを見つけた。ここにツリーハウスを建てようと決めた場所は地上三〇メートル近くにあった。一一月末にツリーハウスに引っ越した時は、強風が吹き荒れていた。気温はみるみるうちに下がり、二週間は氷点下のままだった。「朝、外を見ようと窓を開けたら、窓から入ってきた風が、新しく作ったドアのガラスを反対側の壁に吹き飛ばした」と私は父に報告した。[33]

窓は五つあった。ふたつは改築する家の廃材から調達した、小さな木枠の八角形の窓、もうふたつはバンクーバーの中心街の路地に捨てられていた古いテレビセットの前面から取り出した強化ガラス、そして五つ目は、先ほど吹き飛ばされた玄関のガラスパネルだ。八角形の窓のひとつは、入り江の向こうのボールダー島の方角、ダラートンや現在のラウリーレーンの下にある岩場の方を、もうひとつは家の裏側の林冠の方を向いていた。ベッドの足側にある板ガラスの窓は北を向いていて、ディープ・コーブの方角にベルカラ湾とタートルヘッドとインディアン・アームの狭い入り口が見えた。ベッドの頭側にある窓は下向きに取り付けられていて、木の根元とアドミラルティ・ポイントの間の荒々しい海岸線が見渡せた。

私は木の根元に流木を積み上げて置き、厚いキャンバス地の郵便かばんに入れて、樹上へ運び上げ、小さな鋳鉄製の船舶用ストーブ「トラウト（鱒）」に薪をくべた。この手のストーブは、ヴィクトリアのアルビオン・ストーブ・ワークスが製造しており、当時、小型の漁船によく使われていたので、すべて魚から名前が取られていたが、「トラウト」は最小のモデルだった。このストーブは、薪が少なくても暖を取ることができた。家の骨組みは、一四本の枝を組み込んだほか、近くの森で切った若木を、タールを塗ったナイロン製の網の補修用のひもで固定して作った。床はマツとトウヒ、屋根と外壁はスギのシェイク、内壁はスギの羽目板だった。私は海岸を旅する夏以外は、丸三年間そこに住んだ。長期間人が住んでいなくても、家も家財も乾燥が保たれていた。

亜寒帯雨林の地面は湿った日陰のスポンジのようで、カビが繁殖し腐敗が進行する。一方、木の上は風通しがよく、日光にさらされている。年間一八〇〇ミリ以上降る雨は、地表を水浸しにするが、立ち止まることなく通り過ぎていく。

入り江には、カイツブリ、アラナミキンクロ、ヒメハジロ、シノリガモ、アイサ、アビといった何千羽もの越冬海鳥や、日中は水中で狩りをし、夜間は近くのベイマツの木をねぐらとするウの群れが生息していた。私は約三〇メートルの高さから水の中を見ることができた。カイツブリは一斉に水に潜って逃げようとする小魚の群れを狩り、数分後に集団で別の場所から再浮上する。クロガモ類やヒメハジロは海岸近くの浅瀬に潜って岩に付着したフジツボやムール貝を食べ、すりつぶした貝殻を排泄して海岸に打ち上げ、カモの群れと密接な関係があるポケットビーチの白砂を補充する。

ムササビは疫病神だった。彼らは林冠に生息し、地上を避け、夜間にだけ出てくる。北西海岸では、人間以外の霊長類がいないため、彼らはその役を担うべく進化しているようだ。ムササビは夜中に屋根の上に降り立つ。丘の中腹から大きな弧を描いて滑空してきたかと思うと、最後に少しだけ浮上して、爪を広げて着地する。

彼らはこの家をベイマツの松笠の貯蔵庫として利用しており、松笠が熟してアンティチョークのごとく剝がれるようになると、中に隠された種を食べていた。金属やガラス容器の中に入れておかないと、食べられるものは、なんでもムササビに食べられてしまった。そのうち容器の蓋をはずす方法も、どういうわけだか覚えられてしまった。私は生け捕り罠を作り、何十匹ものムササビを捕獲して、飛んで戻って来られない、入り江の向こう側やボールダー島に連れて行った。

このツリーハウスは、冬の南東の強風からは守られていたが、前線の変化とともに押し寄せる南西風にはさらされていた。五〇～六〇ノット（風速二五～三〇メートル）を超える突風が吹くと、この木は数本の枝を幹のところできれいに折って、風の抵抗を弱めるのだった。船の運動は周期的で、船の固有周期と周囲の波の周期の重ね合わせである。ツリーハウスの動きは非周期的で、嵐になると三～三・五メートルもゆがみ、同じ道を二度と辿らない混沌とした軌道を描いた。

木のてっぺんからは、ベルカラ半島からインディアン・アームの上の山々まで見渡すことができ、冬になると北極方面から吹く風がフィヨルドを伝ってこのツリーハウスに向かってきた。窓から紅茶を注ぐと、地上に届く前に凍ってしまう。コルディエラ氷床の先端が岩盤まで削り取っていったのと同じ道を、今度は北極方面の空気が通り抜け、木々の枝を引きちぎっていくのである。

電話もパソコンもインターネットも、そして電灯すらない生活で、考える時間は計り知れないほどあった。ふと、木が考えることがあるとしたら、一体何を考えているのだろうと思った。それはわれわれが考えるようなやり方ではなく、ひとつの神経細胞が時間をかけて情報を統合して考えるというやり方になるだろう。何かを思いつくまでに何年もかかるかもしれないし、森全体が、地中の化学シグナル伝達経路によって確立されたシナプス・ネットワークを使って、何世紀もかけて思考を形成しているのかもしれない。三年後、私はまだ理解からほど遠かったが、樹木は現実的・具体的な意味で、ジョン・アンブローズ・フレミングが言った「顕現した普遍的精神の思考」なのではないかという予感だけが残っていた[34]。

私はふたつの世界の狭間にいた。亜寒帯雨林に囲まれ、眼下には海が広がっていたが、バラード入り江からバンクーバーの中心街の方向を見下ろすと、地平線上には建設用クレーンが現れ、高層マンションを後ろに残して広がっていくのが見えた。冬の闇のなか、午後遅くバーネット・ハイウェイを帰宅する通勤者の車のヘッドライトは遅々として前に進まない。空気が澄んでいると、午後九時を知らせる大砲の音が今でもスタンレーパークのブロックトン・ポイントから九時四〇秒に聞こえてくる。錨を下ろした船が出航前の晩にクロノメーターをセットしていた時代の名残である。

樹木の年輪は、自然が時間をデジタル化したものだ。ツリーハウスの壁に使われているスギの板は、七〇〇年の時を経たものもあった。約一八センチの板の木目を数えたところ、一四二六年まで遡ることができた。その中間にあたる一六七九年、ライプニッツは、機械的な経路をビー玉が転がるデジタル・コンピューターを想像していた。約六センチ前の一七七八年には、ジェームズ・クックが北西海岸に到着している。ベーリングとチリコフはその約一・三センチ過去の年に到達している。私の人生は、これまでのところ約六ミリの長さだ。

第6章　ひも理論

丸太船で南米からポリネシアを目指したコン・ティキ号の探検記に刺激された著者は、ロシア人が現地人から学んだカヌー「バイダルカ」作りに目覚め、人類がひもを結んで組み立てる工法に生物的な物づくりの神髄を見、さらには大型のバイダルカで遠洋航海へと旅立つ

石器時代と呼ばれるのは、旧石器時代の道具の中で石器が最も高度な技術だったからではなく、最もよく保存されているからだ。結ぶ、縫う、編む技は、刃物の製作と同じくらい高度なものだったが、間接的な記録しか残っていない。

物を結ぶことは、切り離すことと同じくらい重要だ。結び目はナイフと同じくらい便利で、網は槍と同じくらい役立つ。引っ張るという技は、誰かが発明したというよりも自然に採用されてきた。森に垂れ下がる蔓(つる)、動物を解体するときに露出する腱、剥ぐと伸びる皮。風になびく浜辺の草から籠細工の発想が生まれた。網作りの歴史はクモの巣に始まる。

更新世末に北米で栄えたクローヴィス文化の伝統に花開く、両面調整有樋尖頭器〔槍の柄の先につける狩猟用石器〕の出現は、石そのものの加工技術の進歩であると同時に、尖頭器を、投げる武器の柄に取り付ける技術の進歩でもあった。人類が地球を股にかけることができたのは、火や火打石と同じように、結ぶ技や縫う技を持っていたからだ。

Mount St. Elias.

セント・イライアス山が北西微西に20リーグの時の景観

「時折、奇妙な状況に陥ることがあるのだ」とトール・ヘイエルダールは、ブリティッシュ・コロンビア州沿岸のフィールド調査に端を発する一九四七年の航海について語り始める。「ごく自然に、少しずつその中に入っていく。でも真っ只中にくると、ふと一体どうしてこんなことになったのだろうと驚くのだ」[1]。そして、ヘイエルダールは、ふと気がついたら五人の仲間と太平洋の真っ只中にいて、南米のバルサの丸太をつなぎ合わせた筏に乗って、ポリネシアまで六九〇〇キロの航海をする状況に陥った経緯を説明した。彼らは、航海の一〇一日目にポリネシアに上陸した。『コン・ティキ号探検記』は私が初めて読んだ大人の本だった。

ヘレン・デュカスという新しいベビーシッターが現れたのは、私が八歳の時で、私には異母妹が二人いた。ヘレンは一八九六年にドイツで生まれ、七人兄弟姉妹の一人としてフライブルクで育った。一九〇九年に母親を亡くした後、兄弟の面倒を見るために学校を辞め、一九一九年に幼稚園の先生となり、一九三三年にプリンストンに赴任するアインシュタインに同行し、一九五五年に彼が亡くなるまで、個人秘書と家政婦を務めた。

世界にとって、アインシュタインはその業績を通じて不滅の存在になった。プリンストンの友人や隣人にとって、アインシュタインはヘレン・デュカスを通じて不滅の存在になった。彼女は一九八二年に亡くなるまで、アインシュタインの遺言執行人であり記録保管人であり、継娘マーゴットの話し相手だった。アインシュタイン家には子どもがいなかったので、その欠落を補うためにヘレンが選んだのがわれわれだった。

ある冬の日の午後、外で遊ぶには寒すぎたので、私は父の書斎にある大きな緑色の、スプリングが効いた人工皮革のリクライニングチェアの上で跳ね回って、ヘレンを困らせていた。ヘレンが「何か読んだら？」と言うので、私は「読むものなんてないよ！」と答えた。書斎には本がたくさんあったが、子どもの本はなかった。ヘレンは本棚に行き、一冊を選んで「これよ。これを読みなさい！」と言った。

その本がヘイエルダールの『コン・ティキ号探検記』だった。私は緑のリクライニングチェアからペルーのバルサの森に運ばれた。手で伐採された丸太はパレンケ川やグアヤス川を下って海へと運ばれ、ペルー海軍の困惑した視線を浴びながら、ひもで結わえ付けられる。できた筏は、港から曳航されて海へ出され、フンボルト海流と貿易風を受けて南洋の島々へ向かった。

一九四七年五月一七日の朝、ヘイエルダールが「甲板に七匹のトビウオ、船室の屋根に一匹のイカ、トースタインの寝袋に正体不明の魚一匹を発見した」ことを、私は三番目の文章で知り[2]、「九本のバルサ丸太を普通の麻縄でつなぎ、釘や金属は一切使わなかった」ことを四枚目の写真のキャプションで知った。

『コン・ティキ号探検記』を読んでから、私は無性に物をくくりつけて舟を作りたくなった。短波ラジオのアンテナが必要になった時は、オッペンハイマー家のフェンス際に沿って生えていた竹を縛って約一二メートルの柱を作った。初めてカヤックの骨組みを作ったときはネジを使えという指示に従ったが、窯で乾燥させた木材を分割するところではひもで縛ってまとめた。ロッククライミングを始めたとき、私は岩そのものよりも、結び目やロープ、スリングに興味を持った。セーリングでは、帆よりも艤装品に興味があった。住む場所が必要だった私は、ベイマツの木にツリーハウスの骨組みを縛りつけた。斧で右手の甲をぱっくりと割ったときは、左手でデンタルフロスと帆針を使って縫い合わせた。結ぶと縫うで解決できない構造的な問題など私は見たことがない。

アインシュタインは五歳の頃、病気で寝込んでいた時に、小さな方位磁針を渡され、それがきっかけで電磁場の性質について考え始めたという。私も小さな方位磁針をもらったが、物理学者にはなれなかった。地球の磁場に合わせて南北を指すことは分かっていたが、「なぜ磁場があるのか」という疑問は持たなかった。

一九四八年、国連教育科学文化機関（UNESCO）が「被災国の科学教師のための提言」という小冊子を発行し、一九五八年に「みんなの科学実験七〇〇選」として再刊された。私は、廃品や廃材だけを活用したこれらの実験で手を動かすことで、学校で習ったことよりも多くのことを学んだ。ニュージャージー州プリンストンの教育制度には優れた点がいっぱいあったが、問題点は、生涯にわたって手工業者と知的労働者を区別する考え方である。ヘレン・デュカスはこれに異議を唱えていた。

一九三九年九月、妻リブと幼い息子を連れてノルウェーを離れ、バンクーバーに到着した時、ヘイエルダールは二五歳になったばかりだった。彼の年上のいとこイェンス・コンラッド・ヘイエルダールは一九二〇年代にバンクーバー島に移住していた。東から西へ、トール・ヘイエルダールは海を渡った。わずかなお金と折りたたみ式のカヤックを持ってきた。彼はある仮説を信じていた。それはアメリカ北西海岸とポリネシアの物質文化が似ているのは初期の航海者が東から西への航海を行なった証拠であるという仮説だった。

「彼は燃料を買う金がないと言っていた」。ブリティッシュ・コロンビア州セントラルコーストのベラクラの住人クレイトン・マックは、ノルウェー人の観光客へイエルダールが仮説を証明するのを支援し、自分の船を使ってペトログリフを探すことを提案した。「彼は私に自分は一文無しだと言った。ノルウェーを襲ったドイツ軍に全財産を奪われた、銀行からも金を奪われたとね」。マックが燃料代を出した。「日中は岩に描かれたインディアンの絵を見に行った。夜には座り込んでコーヒーを飲みながら語り合った。ヘイエルダールは私に、ハワイ人は元はベラクラ人なのだと言った。『でたらめを言うな』と私は言った。当時の人間が大洋を横断するなんてできるわけがない。するとヘイエルダールは『俺は自分のカヌーを作る。いつか横断してやるんだ』と言っていた」[3]。だがこの後、ヘイエルダールは召集され、ナチスの侵攻からフィンマルクを解放するためノルウェーの自由軍に参加することになってしまった。

もしも戦争がなければヘイエルダールは、バルサの筏ではなく丸木舟でポリネシアへ向かって航海したかもしれない。戦争が終わると、次は先コロンブス期の北欧人がメソアメリカまで航海したという根拠の乏しい仮説を信じて、ヘイエルダールは北西海岸に戻るのではなく、ペルーに向かった。ヘイエルダールのポリネシア人移住説は現在では否定されているが、だからといって彼とコン・ティキ号の乗組員がしたことの価値が減じられるわけではない。

一八世紀にアメリカ北西部の海岸に到着したヨーロッパ人は、ふたつの集団に出会った。皮舟を作る人々の集団と、丸木舟を作る人々の集団だ。皮舟を作る人々は、雑多な流木を組み合わせ、ボートの最小限の骨格を作り上げた。丸木舟を作る人々は、一本の木の幹から始めて、カヌーに必要でない部分をすべて削り落とした。丸木舟は亜寒帯雨林の産物で、皮舟は海の産物だった。

ふたつの舟作りの種族は、地理的に離れていたが、時間軸においても間隔を空けていた。皮舟の製作者は、丸木舟に必要な森林が生い茂る前に到着していたようである。両者の境界は、長期的には氷河の後退と森林の増加によって、短期的には両種族が互いの領域に侵入しあい、文化を盗みあうことで、常に変化してきた。両者が重なる地域も存在した。例えば、プリンス・ウィリアム湾では、チュガック族の皮舟職人が丸木舟を作ることなく、森林の多い海岸線に住みついていたし、ヤクタットでは、トリンギット族の丸木舟職人がチュガック族のカヤックを取り入れて一部の用途に使用していた。

ロシア人の到来によって、この不安定な均衡に終止符が打たれた。一八世紀、植民地主義が広がって、土着文化の物質的基盤を変容させ、関連する文化を崩壊させ、土着の技術を消滅させた。これに対してロシア人は、アリューシャン列島への入植に際してアリュート・カヤックを採用し「バイダルカ」と名づけ、その後、その舟で亜寒帯雨林の北西海岸の丸木舟カヌー地帯に深く分け入っていったのだ。

難破したセント・ピーター号のステラーと生き残った仲間たちがカムチャツカへ帰ると、商人のエメルリアン・バソフが出資者となり、先代の船の名前を受け継いだ小型船「セント・アポストル・ピーター号」を建造した。そして元ベーリング隊の乗組員たちを多数再招集し毛皮を採集するためにベーリング島へ向かう航海を開始した。一七四三年八月一日に出発し、ベーリング島で一冬を過ごし、翌年に大量の捕獲物を積んで戻ってきて、乗組員たちは五〇枚のカワウソの毛皮をニジネカムチャツクの「北方の狩人と漁師と船乗りのための守護神」を祀るセント・ニッチオラス教会に寄贈した。[4] 一七四五年セント・アポストル・ピーター号は再び出航し、さらに東の

「未知の島々」へと向かい、一六〇〇枚のラッコの皮を持ち帰った。その後、セント・アポストル・ピーター号による航海は三回行なわれ、この影響で、アリューシャン列島からコディアック島、プリンス・ウィリアム湾に至るまで、次々と船を出す民間事業者が現れた。

ラッコは、他の北方系海棲哺乳類のような脂肪層ではなく、厚い高価な毛皮で覆われている。アジア沿岸では絶滅寸前まで狩られ、その毛皮は中国の皇帝に好まれ、キャフタや広東（カントン）の市場で、高値で取引されていた。一七八〇年代、イギリスとアメリカの商人たちが北西海岸に針から斧、銃器に至るまでの商品を船に積み込んで到着した。彼らはそれを毛皮と交換し、さらに毛皮を中国に持ち込んで茶や絹と交換し、帰路についた。ロシア人は毛皮と交換するものをほとんど持たず、自分たちで毛皮を捕獲し、時には力ずくで現地の人々を動員した。

セント・アポストル・ピーター号とその兄弟船は、カムチャツカの海岸で建造された〝シチキ〟の名で知られる種類の船で、小さな木の板を、海棲哺乳類の皮製の縄で結びつけて作られた。帆布がない場合はトナカイの皮の帆を備えていることもあった。この船の起源は、一〇世紀にノヴゴロドを拠点としたスラブ商人が北欧の侵略者と接触し、ヴァイキング時代の造船技術と航海術を採用したことに遡る。船は板張りの船と皮舟の間の混合種だった。船を操る乗組員たちもロシア人、カムチャダル族、そしてロシア系カムチャダルの人々が混合していた。

探検を率いたのはロシアの「プロミシュレニク」と呼ばれる人々だった。彼らは白海沿いに住んでいたポモリー族の末裔で、船大工、セイウチ狩り、毛皮や海獣牙の商人などをして暮らしていた。彼らは、シベリアを通って東に移動し、北極航路を開拓してカムチャツカ沿岸に定住した。資料と現地調査を組み合わせて、この複雑な時代に光を当てることに生涯を捧げているロシア系アメリカ人の歴史家であり民族誌学者のリディア・ブラックはこう言う。「（ロシア探検隊が）アラスカで出会った人々の生活や姿、習慣は、彼らにとっては目新しくも不思議でもなかった。彼らはアリュート族と戦い、最終的には征服してしまったが、共有したものも多くあった」[5]。ロシア探検隊はシベリアやカムチャツカで定着した慣習に従い、アメリカ先住民に毛皮によるイアサク（貢ぎ物）の支払いを強要した。カムチャツカに戻ると、政府が彼らに対してその貢ぎ物の一〇分の一を取り分として要求し、その後教会も分け前を要求した。

一七六二年に皇后となったエカチェリーナ大帝は、新しく発見された島々とその住人たちに個人的に関心を持っており「新しく加わった臣民に非人道的な行ないをしてはなりません」、「発見したことをすべて報告しなさい」と指示を出した。しかし、この指示はしばしば無視された。一七六六年、エカチェリーナはシベリア総督ドゥニ・チチェリンに宛てて、「これまで知られていなかったアリューシャン列島の六つの島々の発見に関する貴君の記述を読み、嬉しく思います」と書いている。「とりわけ喜ばしい発見は」、彼女はサンクトペテルブルクに届けられた発見物に触れ「草で編んだ袋、魚の腸で作った糸、とても精巧な作りの骨製の針です」とチチェリンに感謝を伝えた。

「貴君が届けてくれた皮を使ってこちらでマフを作らせました。ひとつそちらに送ります。皮の加工のお手本になるでしょう」、「現地のおしゃれな女性は毛皮の服にフラウンス（ふちかざり）をつけていますね。特に鮮やかな色のものを選んで、こちらに送りなさい。もしフラウンスが何か知らなければ、貴君の奥方に訊いてみなさい。教えてもらえるでしょう」と続けた。

エカチェリーナはチチェリンに「現地の先住民を一人連れてきなさい。ただし、嫌々連れてきたり、無理やり連れてきたりせず、喜んで来る人だけを連れてくるように」と指示し、余白に「プロミシュレニクには、新しく発見した島の住民に親切に接し、イアサクを徴収する時に騙したり、不当な扱いをしたりしてはならないと伝えなさい」と書き加えた。[6]

地元住民に対する不当な取り扱いや、外国商人の侵入があるという報告を受けて、領有権を再主張し、報告の詳細を確認するために一七八六年、エカチェリーナは、グリゴリー・イヴァノヴィッチ・ムロフスキーの指揮下で、バルト海からアリューシャン列島およびアメリカ北西海岸への海軍部隊の派遣を命じた。戦艦四隻と武装輸送船一隻が就役し、将校三四名と科学者の一団など、総勢六三九名が乗組員に任命された。ベーリングのような悲惨な航海を避けるため、抗壊血病薬や脱塩装置、そして乗員一人につき一二足の靴下などの特別な衣類が調達された。

ムロフスキーには、バンクーバー島とアリューシャン列島の間のロシア領に侵入した外国人の定住地や船舶を破壊する権限が与えられていたが、先住民に対して武力を行使すること、攻撃された場合においても報復することは禁じられていた。クックの三回目の航海でディスカバリー号に乗船し、後にロシア軍に奉職を申し出たジョセフ・ビリングス率いる別の陸上遠征隊は、オホーツクとカムチャツカから出発してムロフスキー艦隊とアラスカで落ち合う予定であった。[7]

一七八七年、スウェーデンがロシアに宣戦布告したため、エカチェリーナはムロフスキーへの命令を取り消し、代わりに彼の艦(ふね)を対スウェーデン艦隊用に配備せざるを得なくなった。ビリングスは、すでに一七八五年に「北東秘密地理天文探検隊」の指揮官としてサンクトペテルブルクを出発していたので、探検に行けという命令を可能な限り遂行することになった。ビリングスは二四歳、副官ガヴリール・A・サリチェフは二二歳であった。彼らは、ベーリング‐チリコフ探検隊と同じ陸路を旅した後、オホーツクでスラバ・ロッシイ（ロシアの栄光）号とドブロエ・ナメレニー（良き意図）号の二隻を建造した。ドブロエ・ナメレニー号は一七八九年九月にオホーツクを離れる際に難破し、鉄を回収するために燃やされた。スラバ・ロッシイ号は単独でカムチャツカへ出航し、乗組員はそこで冬を過ごし、一七九〇年六月一日にアリューシャン列島のウナラスカに到着した。彼らはアリュート族のカヤック乗りに遭遇した。遠征隊の事務官マーティン・ザウアーは、アリュート人の漕ぎ手たちが「人間というより両棲哺乳類の動物のように漕ぎまわる」と述べ、「彼らは普通の穏やかな海ならば一時間に一〇マイル（一五キロ）ほどを楽に漕ぎ、大風が吹く中でも航海を続ける」と付け加えている。[8]

ザウアーは「船首はふたつに分かれていて、下部は鋭く、上部は平らで、魚が口を開けたような形をしており」、「海藻が絡まないように、上部と下部の間に棒をくくりつけている」という観察を記録した。[9] これは一七七八年にジェームズ・クックがウナラスカで観察したカヤックの先端部を描写した報告と同じだ。「二叉の部分では上部が水面から突き出ていて、下部は水面に接している」、「二叉が行く手に来るものを何もかも摑んでしまうのに、なぜ彼らがこのような設計にしたのか理解しがたい」とクックは書いていた。[10]

アリュート族は船首波の位相キャンセル効果をすでに発見していた。彼らの発見を再発見することで、今日すべてのオイルタンカーやほとんどの大型貨物船が持つ、分割された球根のようなバルバス・バウ（球状船首）が生まれた。船首下部の水面を押し下げるように動く物体は、山から始まる波を作り出し、船首の下部のように水面を押し上げるように動く物体は、谷から始まる波を作り出す。ふたつの波が打ち消しあうことで、造波抵抗が少なくなるため、船の速度と効率が向上し、静粛性が高まり追跡者に発見されにくくなるのだ。

最初の接触時に目撃された、口を開いたような船首と鳥の尾のような船尾を持つ船は、それからまもなくして姿を消した。現存する船はほとんどない。ロシアが初期の世界一周航海で収集した、わずかな数の標本が残されている。それ以外では未調査の洞窟埋葬所に西洋と接触する以前に造られたカヤックの骨格が眠っているという噂があるのみである。海棲哺乳類の追跡という目的だけでなく、島々の集団間の戦争という目的によっても生み出された高速カヤックはロシア人にとって脅威だった。徒歩や小型の馬に乗ったアパッチ族が追っ手のアメリカ騎兵隊を圧倒したように、アリュート族の戦士たちは、敵を上回るスピード、ステルス性、機動性を生かして、最初のロシア占領に対する一連の反乱を画策することができた。

ロシア統治下でラッコ漁のために、より大型のカヤック船団が作られ、遠洋までをカバーするようになった。競合する狩猟集団同士の対立が激化し、狩猟者の収入の未報告や過少報告が問題になった。そこに起業家グリゴリー・シェリホフの強い働きかけがあって、一七九九年にロシア・アメリカ会社が設立された。シェリホフは一七八四年にコディアック島のレフュージ・ロックに避難していた非戦闘員を虐殺し、後にエカチェリーナの指示で戦争犯罪人として取り調べを受けた人物である。

東インド会社やハドソン湾会社を手本にしたロシア・アメリカ会社は、毛皮の収集活動を管理し、同時にその毛皮の動物を捕獲するために使われるカヤックを作る職人も管理した。政府公認の独占企業である。

一七四一年からロシア領アメリカがアメリカに売却される一八六七年までの間に、アラスカからカリフォルニアまでの範囲でロシアのラッコ狩りの遠征隊が捕獲したラッコは推定二六万四八〇〇匹にのぼる。[11] 七五〇隻ものバイダルカ船団を率いてやってきた狩猟者たちは、カヤック製作者と丸木舟製作者の長年の対立を激化させた。アリュート族とアルティイク族のカヤック乗りたちは数の力とロシアの銃器を使って、チュガック族とトリンギット族の領域に侵入し、見つけうる限りのラッコを略奪していった。トリンギット族が一八〇二年にシトカ、一八〇五年にヤクタットのロシア人入植地を破壊したのは、カヤック製作者に対する長年の敵意と、ロシア人の不品行に対する怒りが原因だった。

ロシアのラッコ狩り遠征隊は、一〇〇マイルにわたって港がなく沖合二マイルまでずっと波が荒いアラスカ湾を、年に一度横断しなければならなかった。カヤックの漕ぎ手たちは、波に呑まれて海で溺死するか、陸に退避してトリンギット族（ロシア語でコロシュ）に殺されるか、選択を迫られた。

「漕ぎ手の多くは、そんな無茶な航行を二回もすると、熱を出してぐったりしていた」と、アラスカでのカヤックの長距離航行を生き延びたガヴリール・ダヴィドフは述べている（ダヴィドフは、一八〇九年に仲間のニコライ・フヴォストフとの祝宴の後に、酒に酔った勢いで開いた跳ね橋を飛び移ろうとして、二五歳でサンクトペテルブルクのネヴァ川で溺死した）。[12] 安全な場所まで進む力はあったのに、カヤックがバラバラになったこともあった。

キリル・フレブニコフが作った「バラノフ滞在初期にコディアック・アリュート族に起こった

死亡事故のリスト」には、一七九九年にシトカから帰還した漕ぎ手の「貝の食中毒」による死亡が一三五人、一八〇〇年には溺死が三五人、一八〇二年に「シトカに向かう途中でコロシュに殺害された」一六五人、一八〇四年に「シトカを攻撃中にコロシュに殺害された」一六人、一八〇五年に「シトカからコディアックに向かう途中で溺死した」一〇〇人と、同年に「嵐の中バイダルカに乗り溺死した」二〇〇人が記録されている[13]。

ロシアは、バイダルカの全長だけでなく、航続距離も延ばした。乗客と貨物の他に、小型旋回銃や二ポンド（〇・九キロ）のファルコネット砲程度の大きさの武器を運搬可能な、全長九メートル、三ハッチのバイダルカの建造が命じられた。最初の詳細な記述は、クックの第三回航海の日誌にある。一七七八年一〇月一四日、当時三三歳のロシアの航海士ゲラシム・グリゴリエヴィチ・イズマイロフは、ウナラスカでイギリス船を捜索していた。チャールズ・クラークの記録によれば「イズマイロフは、偉大なる国の町がある湾に入った」。彼は三〇～四〇隻のカヌーを従えていた。ほぼすべてが一人乗りのカヌーだったが、ヨーロッパからの品物を積んだカヌーだけは二人が漕いでおり、三つのハッチを備えていた。三つ目のハッチはロシア人の御仁〔イズマイロフ〕が座るためにあった。この小さな船団の船乗りたちは全員がその御仁に恭しく仕えており、その大部分が彼のための仕事に忙殺された。ある者は彼の夜の休息のために仮住まいを建て、ある者は彼の夜の饗応のために魚に様々な下ごしらえをし、その他様々な雑事をこなし、可能な限り彼が快適に過ごせる環境を整えた[14]」。

クックはイズマイロフを「非常に聡明で知的な人物」であり「この地域の地理に非常に精通し

ている」と評価している。レゾリューション号に招かれたイズマイロフは「すぐに現行の地図の誤りを指摘した」[15]。その六年後、イズマイロフは、トリ・スヴィアティテリア号（三聖人号）を指揮し、シェリホフがコディアック島民を服従させて永住地を確立するのを助けた。その後、本土沿岸からヤクタット、リトゥヤ湾、さらにその他の地域を探索し海図に収めた。イズマイロフはビリングス - サリチェフの検死審問で証言した際に、シェリホフからの直接の命令で非武装の囚人を殺害したことを認めた[16]。彼は数多の狩猟探検を指揮し、一七八七年には記録的な一七万二〇〇〇ルーブル相当の毛皮を携えてカムチャツカへ帰還した。

「イズマイロフ氏は、今の働き口よりも、もっと高い地位につける能力を持っているようだ」と、クックは互いに訪問を重ねた後で結論した。「彼は天文学や他の数学の必要な分野にかなり精通していた。私は彼に八分儀を与えたことがある。彼はおそらく[illegible]って見たもの[illegible]ったにもかかわらず、非常に短い期間でこの道具のほとんどの用法を習熟してしまった」。ディスカバリー号の船長であるトーマス・エドガーは「このイシュミロフ〔マ〕はヤクーツク出身で、非常に抜け目のない筆まめな男で、思考が乱れることがなく、ものすごく早くいろいろ思いつく」と語った[18]。

三ハッチのバイダルカは、ロシア・アメリカ会社の軽便な輸送手段になり、物資や収穫した毛皮、会社の社員、来賓客、医療従事者、ロシア正教会の司祭を運んだ。司祭たちは郊外の集落で礼拝を行なうために、船に収まる大きさの巻物式イコン（聖像画）といった精巧に作られた携帯用教会一式を持ち運んだ。アラスカを訪れる多くの人々が、この三ハッチの舟を利用した。ドイツの医師で冒険家のゲオルク・ハインリッヒ・フォン・ラングスドルフは、アラスカとカリフォルニアを旅した後、一八一四年に「私見では、これらのバイダルカは人類がこれまでに発見した中で、あちらこちらへ移動する最良の手段である」と書いている。[19]

アリューシャン列島の人々は、一万年もの間、この列島を我が物としてきたが、ロシア人の到来と、それに続いた一連の影響により苦しみを味わった。エカチェリーナ二世は、新しい植民地を安定させるために、ロシア人と先住民の結婚による子どもを嫡出と認めた。彼らは自由ロシア市民として認められ、兵役を免除され、ロシア・アメリカ会社の費用負担で教育やその他の恩恵を受けることができた。二代、三代と続くうちに、ロシア領アメリカにおける日常的な行政や技術的な業務の大部分は、先住民居住地出身の「クレオール」の手に委ねられるようになった。ロシア正教会は、キリル文字で書かれた聖典を、先住民の言語に音訳した。これにより言語が後世に残った。ウナラスカ管区の司祭長で、後にモスクワの大司教となり、一九七七年に列聖されたイヴァン・ベニアミノフは、アラスカで初めて体系的な気象記録、アリュート語・ロシア語の辞書、アリュート族の包括的な民族誌を、直接収集した情報を基に編纂した。「アリュート人のバイダルカは、この種の舟として完璧であり、数学者を連れてきても、この舟の耐航性を高めるために何かを加えることはまずできないだろう」と彼は結論している。[20]

乱獲によりオットセイやラッコの数は壊滅的に減少したが、ロシア・アメリカ会社が海獣保護プログラムを制定し、数は回復に向かった。他にも様々な事業が開発された。ケナイ半島での石炭採掘、コディアックからカリフォルニアへの氷の輸出、カリフォルニア伝道用に原産の銅を用いた教会の鐘の鋳造、北太平洋地図帳の出版などがあった。この地図帳は、クレオールで社員航海士のミハイル・カディンが描いた海図を基に、同じくクレオールの機械工コズマ・テレンテフがシトカで銅板を彫り、サンクトペテルブルクで印刷された。

一七九九年にノボ・アルハンゲリスク〔新たなるアルハンゲリスクの意〕として建設されたシトカは、図書館、病院、博物館、複数の教会、学校などがあり、コディアックを規模で抜いてロシア領アメリカの首都となった。シトカの小さな兵舎にシベリア警備隊が形だけ配置されていたが、ロシア領アメリカ植民地には、世界を周回するロシア海軍の艦艇が不定期に訪れる以外、軍隊は存在しなかった。一八一二年、サンフランシスコのすぐ北、カリフォルニアの海岸にフォート・ロスという小さな村がつくられ、ラッコ狩猟隊の活動拠点として機能し、アラスカの集落に果物や穀物を供給した。

一八五三年から一八五六年にかけて、ロシアと英仏の同盟の間にクリミア戦争が起こり、イギリスはハドソン湾会社〔イギリスの会社〕の拠点である、バンクーバー島のヴィクトリアを拡張、要塞化した。一八五八年、ブリティッシュ・コロンビア州の内陸部に金鉱が発見され、入植者の数が急増した。一八六二年、ロシア・アメリカ会社の契約更新の時期になると、ロシア上層部で、アメリカ人（先住民）の集落をハドソン湾会社の侵入から守る費用をロシアが負担していることに不満の声が上がった。その結果、アラスカ住民には何の相談もなしに、ロシアは、ロシア・アメリカ領と固定資産を七二〇万ドルでアメリカ合衆国に売却した。

故郷でもないロシアへ「帰郷」させてやるというロシアの提案を受け入れたアラスカ人はほとんどいなかった。二〇〇〇人以上いたクレオール（現地生まれのロシア系住民）たちは一夜にして特権的立場を失った。スミソニアン自然科学博物館の自然科学者で、新領土を最初に調査したウィリアム・H・ダルは、「クレオールはアメリカ市民として選挙権を行使するにはふさわしくない」という見解を述べた[21]。先住民の権利の問題は、一九七一年のアラスカ先住民権益措置法の成立まで未解決のままだった。

一八六七年一〇月一八日午後四時、クリミア戦争でフランスとイギリスの艦隊の攻撃からペトロパブロフスクを守り、弟とともに名声を得たロシア・アメリカ会社の総支配人、ロシアのマクストフ王子を含む集まった人々の前で、ロシアの旗がシトカの地に下ろされた。しかし、旗は旗竿に引っかかり、ロシア人船員によって切り離された後、地上に落下した。その後、シトカ湾に停泊していたアメリカ海軍の軍艦オシッピー、ジョン・L・スティーブンス、レサカ、ジェームズタウンから乗組員たちの敬礼を受けて、アメリカ国旗が掲げられた。

南北戦争で功績を残したアメリカの将軍ジェファーソン・デイヴィスとヘンリー・W・ハレックが派遣され、臨時政府を樹立した。魚介類が豊富で入植者が少なかったため、近年のアメリカ西部のインディアン戦争につながるような争いは回避することができた。ハレックは最初の人口調査で、「エスキモー族」を「人間性の水準が低く、概して無害だが、白人の小集団に対してはしばしば裏切り、敵対する」と評し、「キーナイ族」を「誇り高く勇敢な種族で、平和で友好的」だが「いかなる侮辱や不当な扱いにも戦う準備がある」と評した。アリュート族は「概して親切で友好的で、とても勤勉」としながらも「今は友好的なふりをしているだけだ」と、トリンギット族は「皆裏切り者で、好機があれば略奪を企んでいるようにみえる」と警告した[22]。

先住民ではない流れ者のラッコ狩猟者が流入し、一八八五年には四一五二匹の最高捕獲高が記録されたが、すぐに捕獲高は激減した。以降、ラッコ狩りは伝統的な方法を用いる先住民の狩猟者に限定して認められたが、一九一一年には全面的に違法になった。次の大きな変化は第二次世界大戦だった。アリューシャン列島は、米国は日本を攻撃する基地をつくろうとし、日本も米国を攻撃する基地をつくろうとし、戦場になった。戦地の住民は、日本軍の捕虜になるか、それともアメリカ軍の保護を受けて安全なアラスカ南東部へ避難するかの選択を求められた。しかし避難先には捕虜収容所と変わらない状況が待っていた。避難民たちはエクスカージョン入り江などにあった缶詰工場の狭い場所に大勢が詰め込まれた。

戦争のために飛行場が建設されて人々の暮らしは大きく様変わりした。カヤックを操った人々の最後の生き残りたちは、戦争を生き延びたが、その後にやってきた飛行機、船外モーター、ガソリンに敗北した。一九三八年、ウィリアム・S・ラフリンは、アレシュ・フルドリチカとともにアリューシャン列島を訪れ、スミソニアン博物館のために、洞窟でミイラを収集した。彼はその一〇年後に、かつて三五の大集落があったウムナック島のニコルスキー村に戻ってきて、最後の二隻のバイダルカを持ち去った[23]。

一九一〇年、ワルデマール・ヨヘルソンとディナ・ブロツキーがニコルスキー村で握力テストを実施したとき、スティーブ・ベゼゼコフという男が握力計を強く握り破壊してしまったことをラフリンは記録し、「これだけカヤックを漕いでいれば体格に表れて当然だ」と書いた。彼は一九五〇年に発掘された人体標本に言及し、「アリュート族の男性の上腕骨は、ドイツ人が『massigkeit（大塊）』と呼ぶものであり、個々の筋肉の挿入部、すなわち起始部の大きさと起伏が、人類の中で最大限に発達した例である」、「このような複数の、発達した起始部は、極めて高いスタミナの指標であり、高い冗長性を持ち、何日も休みなく飛び続ける渡り鳥のように、休憩なしで漕ぎ続けても筋肉が疲労を起こすことはない」と書いている。[24]

アリュート族のカヤックは、二叉に分かれた船首が最も注目されるところだが、それと同じぐらい天才的な設計が、切り詰められた形状の船尾にある。この設計によって、高速でのプレーニング〔ボートが滑走状態に入ること〕が容易になった。高速船にとって船首波以上に損失が大きいクォーター波を最小限にするために進化していた。

波と造波抵抗は、船の前部が水面を分ける時と、船体後部で船尾に向けて狭くなる「クォーター」に来る時に発生する。バイダルカは船尾がフレア状でボリュームがあるため、クォーター波を最小限に抑え、追い波時には強力な揚力を発生させることができる。

さらに絶妙なのは、バネ式の非散逸性関節状骨格と、海棲哺乳類の皮が持つ非線形の弾力性効果だ。摩擦の少ないクジラのヒゲ繊維のひもで固定されたバイダルカの骨格には、精巧な海獣牙製の球と軸受けの関節が複雑に組み込まれており、六〇カ所もの可動部がある。おそらくこの仕組みのおかげで、向かい波のエネルギーの一部を、骨格の中を透過させることができ、カヤックと漕ぎ手の物理的作業負担をなくすことができるのだ。

ニコルスキー村の最後のバイダルカが持ち去られてから一五年後、私は一二歳で、ニュージャージーに住んでいた。粗削りな木枠のカヤックを作り始めていたが、一万年にわたって蓄積された舟作りの知識が今にも六四〇〇キロ離れた場所で消滅しつつあるとは思いもしなかった。自分一人でつまずいているのではなく、ニコルスキーやウナラスカ、アッカに行って、当時まだ生きていた最後の名工たちから学ぶこともできたはずだった。

それから五年後、われわれはディソンクア号でブリティッシュ・コロンビア州の海岸に向かっていた。多くの土地で、人口は西洋接触前と比べると減少していた。最初の冬は、バンクーバー島の北西端にあるクアチーノ湾で過ごした。ここには、ノルウェー、イギリス、フィンランド、アイルランド、デンマークからの移民や、カナダ東部や草原地帯からの難民が、住居を築き定住していた。マハッタ川の近くにシトカトウヒの林があった。この林はチャールズ・ブランドの所有物だった。彼の妻リリアンは、アイルランドで飛行機の設計、製作、飛行に携わった後カナダへ移住した。娘のメアリーとドーラは共に芸術家で、生涯この地に住んでいた。われわれはこの林で二本の丸太柱を切り出した。

われわれは丸太にフィールドドレッシング〔枝葉を取り払うこと〕を施してから、船で曳航し、ヘカテ入り江にある、かつてはノルウェー人の邸宅の一部だった船小屋にそのまま運び入れた。母屋には浜辺の丸太を切る一気筒ドラッグソーがあった。丸太を専用の巻き上げ機で所定の位置まで運び、切りだすと、ストーブ横の台所に続く仕掛け扉を開けて母屋の地下に収納した。家の裏にはガソリン式の洗濯絞り機があり、バイクのようにペダルを数回踏み込むとエンジンがかかる仕組みになっていた。

ブリティッシュ・コロンビア州は丸木舟カヌーの種族の縄張りだったが、最小限の労力で最大限の性能を持つ舟を作れと言われたら、答えはカヤックだった。春になり、私はバンクーバーへ戻った。フォルス・クリークの国立港湾局の漁業ターミナルに舟を係留して、それとは別のカヤックを作り始めた。エドウィン・タッパン・アドニーとハワード・シャペルが書き、一九六四年にスミソニアン博物館から出版され、三・七五ドルで売られていた『北米の樹皮製カヌーと皮舟』にあるヌニヴァック島のカヤックを参考にして、舟の輪郭を作図した。私はそのカヤックのトレードマークである船首の開口部、船尾のハンドグリップテール、大きなハッチに惹かれたが、不安定な全体の形状とともに初心者には不向きであることが判明した。

フレームは、アルミチューブで作った。このチューブはフレーザー川のノースアーム、フレーザー通りの端にあるウィルキンソン金物という店で買い、自転車のフレームにくくりつけて、キツラノの異父姉の家に持ち帰ったものだった。自転車を二ブロックほど漕ぐと重さで左右に揺れ始めるので、揺れが落ち着くのを待って、また二ブロック漕ぐというふうにして帰ってきた。廃品の金属で治具を作り、それを使ってチューブを曲げ、リブとストリンガー〔カヤックの構造の一部〕を製作し、近所のレドンネットという名前の店で購入した引き網に使う紐で固く縛って固定した。高強度薄肉アルミチューブ二本を六〇ポンド（二七キロ）の麻ひもで八重に巻けば、八×四×六〇ポンド、つまり一九二〇ポンド（八六五キロ）の荷重まで耐えられる計算だ。紐は荷重を均等に分散させるので、金属疲労や溶接部の割れを心配する必要がない。自然界ではどのように高負荷の接合問題が解決されているかを考えてみよう。骨折の修復、幼児の頭蓋骨の縫合、動物の皮膚の切り傷の治療、波打ち際の岩とムール貝の殻の接着、どれも繊維のひもが荷重を支えている。

私の舟が水に浮いたのは、技術力ではなく幸運だった。私は消えゆく技術を学ぶことはせず、より大型で安定した舟を作った。ハワード・シャベルは『北米の樹皮製カヌーと皮舟』の中で、アラスカで使われた三つのハッチを持つバイダルカに言及はしているが、正統ではないロシアの外来種として、本の研究対象からは除外した。シャベルがこの本で取り上げたのは、ワシントン州歴史協会・博物館所蔵の「コディアック島のカヤック、二穴アリューシャン型」（一九六二年にジョン・ヒースによってラインが外されたもの）だった。私はアルミチューブを買い足し、ラインを上部に上げ、三つ目のハッチウェイと竜頭突起を加え、全長を三一フィートに拡張した。

ヘイエルダールは、コン・ティキ号を作って、バルサ製の筏で太平洋を横断できることを明らかにした。私の場合は、三ハッチのバイダルカを作ってみると、ロシア人がなぜ二ハッチの設計を選んだのかが明らかになった。バイダルカは船上で人が立ち上がれるほど安定していて、高速で漕げて、五〇〇キロの積み荷を運べる。荷物重量の限界は、積載能力ではなく、キャンプ設営や撤収のときに、足が滑る砂浜の上を、どれだけの荷物を運ぶ気になるか、で決まる。一九七二年八月に私のバイダルカは進水し、夏季は漕ぎまわった。冬季（私のツリーハウスの最初の冬）には三角形のラグセールを二枚取り付けた。一九七三年四月初旬、ディソンクア号の曳航で北へ向かい、デソレーション湾に到着した。私には認証ライフジャケットも、無線機も、ランニングライトも、GPSもなく、ハンドコンパスと時代遅れの紙の海図が数枚あるだけだった。

デソレーション湾では潮の流れが分かれる。南に向かう流れは、セイリッシュ海を経由して太平洋に戻る。北に向かう流れは、迷路のような海峡を通ってジョンストン海峡に至り、そこから太平洋に出る。北の狭い海峡では海流が一二ノット（時速約二二キロ）に達し、不思議な現象が起きる。潮が引いて二時間してもなお海流が外から入ってくる。そして満ち潮になると外へ水が流れ出すのだ。一七九二年、バンクーバーは「潮流が不規則で正しい予測ができない」と不満を書いている。「満潮時刻さえいいかげんで定まらない[25]」一七九二年七月、バラード入り江の共同測量から四週間後、バンクーバーとブロートンはディスカバリー号とチャタム号で、現在シーモア・ナロウズとディスカバリー・パッセージとして知られている場所を無事に通過した。一方、スペイン人のガリアーノとバルデスは、小型スクーナー船スチール号とメキシカーナ号に乗り、「イギリス人が最悪と考えた」デント・ラピッズを含む、現在コルデロ水道として知られる北側の狭い海路の通過を試みた[26]。

ガリアーノとバルデスがアラン海峡の入り口を上陸用ロングボートで探索していると、スギの樹皮の収穫から戻ってきた現地の住民たちに出会った。住民たちは「この海峡で初めて見る新鮮なサケと、大量のイワシ」をガリアーノたちに提供するとともに、「ロングボートで海峡を通るのは危険で、渦に巻き込まれれば助からないだろう」と教えた。そしてスクーナー船で海峡を通過しようとすることについても「船の大きさと水の抵抗から考えると、彼らのカヌーのような無事の航海は見込めず、悲惨なことになるだろう」と警告した。

凪を待った後、出発した二隻のスクーナー船は「水が一ヤード以上沈み込む激しい渦」を経験した。スチール号は「船上の人間がめまいを起こすほど激しく三度回転し」「操船不能」状態に陥ったが何とか通過することができた。彼らはデント島の後ろの「恐ろしい」停泊地で夜を過ごした。「海峡の激しい荒波が恐ろしい騒音を立て、とてつもない大きさの波を引き起こした[27]」

われわれは四月一七日、クアドラ島のヘリオット湾にディソンクア号を停泊させた。私の航海日誌には「パブを訪れたが、ジョンストン海峡をカヌーで渡りたいという者は誰もいなかった」

と記されている。翌日、私はディソンクア号に別れを告げて、北へカヤックを漕ぎ、満月の日没、引き潮の始まりとともにユカルタ・ラピッズに入った。西に曲がり、ギラード・パッセージに来ると海流が速くなった。本格的な引き潮になった。いつも大きな船でその場所を通過していた時に、私はデビルズホールの向かいにある小さな島で一晩を過ごしてみたいと思っていたが、今日こそチャンスだと思った。

まるで空港のトイレの水が自動的に流れるように、一晩中、間隔をあけて渦潮が出現した。アザラシとカワウソが私から数メートル離れた岩場に身を乗り出して、獲物の骨や外骨格をバリバリ食べている。渦潮は深みから何の前触れもなく現れて、消えて、また現れた。浮力の高い大きな丸太が流れてきて渦に吸い込まれて見えなくなったが、少し離れた穏やかな水面から姿を現した。

夜明けとともに、私は湧き上がる渦潮の流れに乗って、ジョンストン海峡へ進んだ。南東から吹く風が強くなって、カヤックに追い風になると帆はいっぱいに張り、続く海で一二ノット以上の速度を出した。私はその夏に、クイーン・シャーロット海峡とクイーン・シャーロット湾を探索した。ポール・スポングがハンソン島で拡大中の施設を拠点にして、ケープ・コーションの周辺の外洋にも出た。八月にリバーズ入り江から戻り、アラート湾のニムプキッシュ・ホテルを訪問した。ビアホールに、キャロル・マーチンという場違いに思える人物がいた。彼はブラックフィッシュ湾で小型タグボートのエンジンが故障したので、ウォーターポンプの交換作業の間、そこで待っているところだった。彼は、スポングの家の近くにあるダブル湾の波止場にタグボートとバージを係留し、ヒッチハイクをして町に来た。

マーチンは、デュランゴに近いコロラド州ベイフィールドの牧場主をしていた。エルク猟のガイドで、元学校長でもあった。彼は牧場を売り払って北へ移住しようと決めた。約一一メートルのタグボートの後ろに、全長約三四メートルの引退したフォス社製チップバージ〔平底荷船〕を曳航してアラスカのジュノーまで行こうとしていた。九歳の息子を見習い船員として連れていた。曳航物と比べると小さく見えたが、彼のタグボートであるウィジョン号は、第二次世界大戦で働いた港湾用タグボートだった。GM6‐71エンジンを搭載していたが、コンパスがひとつある以外は、牽引用ウィンチも錨も命綱も、無線もレーダーも水深計も、その他の計器も備えていなかった。船体はアラスカ産のベイヒバで板張りされていたから、北の生まれ故郷に帰ってきたということになる。アラスカ南東部で地引き網漁をしていたマーチンは、ワシントン州タコマでこのタグボートを購入した。牛三頭、馬四頭を含む積み荷をコロラド州からトラックで運んできてバージに載せた。出発時にはパスコバレーの干し草二五トンを積み込んだ。

6‐71エンジンは、ゼネラルモーターズのデトロイト・ディーゼル部門の主力商品だった。市バスからDデイの上陸用舟艇、シャーマン戦車まで、二〇世紀後半にアメリカを牽引した直列六気筒ディーゼルエンジンである。巨大客船クイーンメリー号をスキッフボートで曳航することは原理的には可能だが、風と潮に逆らうことは不可能である。マーチンの船は、凪にフルスロットルで四ノット弱（時速七キロ程度）の速度しか出ない。手漕ぎの舟の速度だった。私は潮の満ち引きと流れについての知識を総動員して、ウィジョン号を海岸まで苦労して動かした。マーチンは陸でウォーターポンプを購入し、ヒッチハイクでダブル湾へ戻ってきて、エンジンを修理した。修理の間に私は自分の荷物を取りに行き、三ハッチのバイダルカもバージに積み込んだ。それはノアの箱舟のようだった。

インサイド・パッセージで長い時間を過ごすと、思い浮かぶことは全部、そのうち普通ならば考えもしないようなことまで頭の中に浮かんでは消える。思考のタガが外れたように。「確か君たちは馬に興味がありましたね？」と、当時乗馬を始めたばかりの、いまや四人いる異母妹たちに手紙を書いた。「馬に詳しいわけではありませんが、毎日、馬に飲ませる大量の水を運んでいます。パロミノ〔金色からクリーム色の馬の毛色〕がいて、栗毛の雌がいて、その四カ月の仔馬がいて、四頭目としてただの茶色い馬がいます。牛たちはとても行儀がいいのですが、白い牛は違ってバージから転落し、引き上げるのが大変でした[28]」

われわれは歩くような速度でゆっくり北へ進んだ。チップバージは高さ三メートルの木材の壁で囲まれているが、マーチンはその一側面にチェーンソーで出入口を開け、そこから家畜、フルサイズのトレーラー、ピックアップトラック、二五トンの干し草、スピードボート、家を建てるのに十分な材木を積み込んだ。壁の外には北西海岸が広がっていた。風、波、朝霧、長い夕焼け、そして定期的に聞こえる海鳥の群れの立てる音。海鳥たちはタグボートやバージがゆっくりと静かに近づいていっても、気に留める様子もなかったが、船に触れると飛び立っていった。われわれは計器なしで航行していたが、流木に衝突して穴をあけられないように、とてもゆっくり進んでおり、進路を決めるのに十分な時間を取ることができた。

壁の内側は、まるでコロラド州のようだった。頭上には空が見えるが、バージの壁の向こうは見えないので、曇った午後にデュランゴの家畜の柵囲いの中を歩いているようにも思えた。われわれは一日に一度、曳航作業を止めて、はしけにつなぎ、雑用をこなした。家畜に餌と水をやり、厩舎を掃除しなければならなかった。だが、この雑用は、小さな操舵室と昼夜を問わず全開で稼働するエンジンから一・八メートルしか離れていない四つの粗末な寝台だけのタグボートに詰め込まれていたわれわれにとって、足を伸ばすいい機会だった。マーチンはバージの甲板の上に一五センチほどの厚みのウッドチップの層を敷いていた。ウッドチップは金属製のフェンスに囲まれた厩舎や、バージの端に防水シートに覆われて積まれた干し草とよく調和していた。北上するにつれて寒くなり、雨も多くなってきたが、新鮮な干し草の山を割ると、ワシントン州東部の真夏の香りが漂ってきた。

時々ふたつの世界が衝突した。例えば、ピーターズバーグの缶詰工場の桟橋にバージを可能な限り静かに接岸させたつもりだったが、それでも桟橋が衝撃で揺れてしまった時には、缶詰工場の従業員が飛び出してきた。アングーンでは、牛や馬を見たことがない子どもたちがわれわれを歓迎してくれた。ランゲル海峡を通過するために干潮を待っている間、われわれはバージを錨で固定しなければならなかった。甲板には約九〇キロの旧海軍の錨がワイヤーロープに取り付けられていたが、われわれにはそれを巻き上げる手段がなかった。あらゆる事態に備えていたマーチンは、バージの片側に何も置かない通路を作ってあった。バージの上でピックアップトラックをローギアに入れて前後に動かすことで、錨を巻き上げるという策だった。トラックが前進して錨のケーブルを水中から甲板上に巻き上げる。われわれ船員がケーブルをきれいにまとめる。これで二四メートル分の長さを引き上げることができた。そしてマーチンは次の引き上げ分のためにトラックをバックさせた。われわれのグループには、マーチンの息子（すでに母親と弟たちはジユノーにいた）と、ツーソンからタコマまでのドライブで拾った一六歳のヒッチハイカー、カナダのガルフ諸島で拾ったもう一人のヒッチハイカー、そして私がいた。

甲板には、エルクの肉を詰め込んだチェストタイプ冷凍庫〔上部扉を上に開くタイプ〕が置かれていた。マーチンは秋になると、デュランゴの北、ヴァレシト・クリークの高地でよくエルク猟をした。奇遇なことにその猟場は、一九六九年のアポロ月面着陸の後、私が働いていたシエラクラブのベースキャンプへ登っていくあたりだった。九月初旬にキャンプを閉めて下山した時、馬に乗ったエルク狩猟者の集団が登山道を登ってくるのとすれ違った記憶があった。マーチンと私の道は再び交わった。私は毎日、冷凍庫の真上の空を眺めながら、錨巻き上げに使うトラックに目をやりつつ、エルクの肉を食べた。

トレーシー・アーム河口での燃料切れなど、冒険と試練の三週間の後、われわれはジュノーに到着し、家畜と家畜トレーラー、トラックを陸に降ろした。ここで私はこの航海で最大のピンチを迎えることになった。マーチンは奥さんの運転でジュノーに先に到着していた二台目のトラックを持ってきて、私にキーを渡したのだ。町のすぐ北の海に面した草地を、放牧地として借りたので、そこに家畜を入れるからついて来い、というのだ。私は運転免許証を持っていないことを告げた。「ここはアラスカだ」と彼は答えた。「ここはアラスカだ、免許なんか必要ない！」。運転の仕方を知らないことをどう説明すればいいのだろう。コロラドの牧場主にとって、それは、私が火星から来たと明かすのと同じくらい理解しがたいことだった。

家畜を牧草地に落ち着かせた後、ガスティノー水道の真ん中にある杭にバージを固定し、市営の船着き場にウィジョン号を係留し停泊させた。私はマーチンのもとで一カ月間、家畜が越冬するための小屋をつくる仕事をした。夜はバージの上に残った干し草の山をかきわけて小部屋を作り、そこで寝ていた。まるでエジプトのピラミッドの隠し部屋のようだったが、ワシントン州パスコの乾燥した七月の午後のようでもあった。雨の中の作業で濡れた服のままで寝転がっても、数分もすれば乾いてしまった。

九月下旬、私は家畜小屋づくりの仕事で三〇〇ドルを貯めたので、ジュノーを北上し、ポイント・リトリートとリン運河を通ってグレイシャー湾に向かってカヤックを漕いだ。クーベルデン岬を回りアイシー海峡に入ると、その名の通り、晴天の夜にも霜が降りるほど気温が下がった。氷床は後退しており、景色は一八〇四年八月の湾のような絶景ではなかった。アレクサンドル・バラノフは、三〇〇隻のバイダルカの一団を伴ってエルマク号でスペンサー岬を回り、アイシー海峡に入った時に「地獄の口に入るようだ！　山のような氷山に囲まれて、帆桁にぶつかった！」と描写していたのだ。[29]

グレイシャー・ベイの河口にあるグスタバス岬とバートレット湾の間の海岸を漕いでいると、浜に人がいたので、流れに任せて近づいてみた。科学の教師と一緒に林間学校をしているジュノーの高校生のグループだった。引率していた教師チャールズ・ジュラースはザトウクジラの「バブルネットフィーディング」を発見したことで知られていた。ザトウクジラが円形の泡のカーテンを放ち、小魚を程よい大きさの群れにまとめてから呑み込む行動だ。前夜、私がグスタバス岬近くの海岸で寝ているとザトウクジラの群れがやってきて、噴水孔から声を出し始め、それに陸からオオカミの群れが応えたことをジュラースに話したのだが、彼は驚くそぶりを見せなかった。

彼は国立公園局の本部があるバートレット湾に私を招待し、公園局の主任生物学者グレッグ・ストレベラーを紹介してくれた。ストレベラーはゲオルク・ヴィルヘルム・ステラーとベーリング-チリコフ探検隊の生活と日誌を研究していた。一七四一年にチリコフ隊の乗組員が行方不明になった地域を支配していたフーナ・トリンギット族とロシアの交流をはじめとするロシア領アメリカで繰り広げられた冒険に豊富な知識を持っていた。

グレイシャー・ベイ国立公園は、当時まだ国立公園ではなかったが、スペンサー岬からフェアウェザー岬、そして一九五八年に巨大な波が湾の片側の成熟した森を五〇〇メートルの高さまで奪い去ったリトゥヤ湾に至るまでの九六キロに及ぶ外海岸を含んでいた。外洋に張り出したラ・ペルーズ氷河のラインに守られた外海岸には、記録上最大のベイヒバの森が広がり、体重〇・五トンにもなるヒグマが生息していた。ストレベラーは、トーチ・ベイと呼ばれる人里離れた入り江で翌シーズンに活動する科学者のチームを集めていた。外洋に沿って続く氷原の地下にニッケル鉱採掘所をつくる計画が、環境に与える影響を調査するため、基礎的な情報収集をしようとしていたのだ。私はシエラクラブの山奥のベースキャンプで働いた経験があることを話した。「夏のキャンプの料理人の仕事に興味はあるかい？」「はい」

ストレベラーは、私が一九七四年五月から勤務を開始し、天候が悪化して南へ向かう時期が来るまで滞在することを定めた契約書を作成した。ジュラース一家、ストレベラー夫妻、そして管理責任者のボブ・ハウは、私を同じ棟に住まわせ、冬の間はバートレット湾の森林警備隊員用の小屋に約九・五メートルの私のカヤックを保管するように手配してくれた。バートレット湾で公園から許可を得て営業しているロッジは閉まっている時期で、ロッジの保有する観光船は南に出かけていた。私はケチカンまでヒッチハイクし、そこでベーリング海の蟹漁船に乗せてもらってシアトルに向かった。

四月にグレイシャー湾に戻り、アイシー海峡を通ってスペンサー岬を回りトーチ湾までカヤックをパドリングした。浜辺にはまだ雪が残り、アラスカ湾のうねりは冬のレベルだった。パドリングで行けるところはほとんどが未踏の場所だった。後に一九七八年の著書『宇宙船とカヌー』につながる《ニューヨーカー》誌の記事を書き始めていたケネス・ブラウワーが、ジャーナリストの国立公園訪問を奨励する制度を利用してキャンプを訪れ、私と一緒に南へパドリングすることになった。ストレベラーは、ステラー、ベーリング、チリコフの日誌の二巻組を郵送してくれた。私は三人の記録を一字一句調べ上げた。

頭上にはフェアウェザー山がそびえ、トーチ湾の出口の向こうにアラスカ湾が広がっていた。私はリトゥヤ湾の狭く波が荒い入り口に向かった。風が吹き抜ける浜辺から、開けたアラスカ湾を眺めながら、一七八六年にラ・ペルーズ遠征隊の二六人のフランス人船員が溺死した場所だった。私は、そう遠くない昔、グレイシャー湾の出口がまだ割れない氷の壁だった頃、何百というバイダルカの船団が行き来していた様子を想像した。

一九七三年、私はもっと大きな舟を作る計画を始めていた。全長約九・五メートルのバイダルカを倍の一九メートルにするのだ。私は、「カナダ西海岸の海を行くカヌー」の企画書をカナダ議会の探検プログラムに提出し、一二〇〇〇ドルの資金援助を求め、カナダ・アルミニウム社には三六〇メートルのアルミニウムチューブの提供を打診した。しかし、どちらも断られた。

アラスカでの夏を終えてハンソン島に戻ると、私は巨大カヌーの製作に取りかかったが、大きさは一四メートルに規模縮小した。スワンソン島のウィル・マロフとハンソン島のポール・スポングの助けを借りて、私は風で倒れたシトカトウヒを約一二メートル長の板に製材し、新しい船の骨格に使った。公園管理事務所からの支援金で十分なチューブを購入することができ「マウント・フェアウェザー号」は完成し、一九七五年六月二一日に進水させた。

全長約一四メートルのカヤックは、あまり良いところがなかった。この舟でトール・ヘイエルダールたちが少人数で十分な食料と水を積んで北西海岸を脱出しポリネシアへ向かうことはできたかもしれない。だが、ロシア人がアリュート族のバイダルカの大きさを約九メートルまで拡張してそこで止めたのには、アルミチューブがなかったから以外にも理由があったのである。

私はマウント・フェアウェザー号で二年間海を漂った後、ロシア・アメリカ時代の大船団の一〇〇分の一の復元標本として、三ハッチのバイダルカ六隻から成る小船団を作ることを決めた。一九七七年五月初旬、スターボード・ライト・ロッジでパドル、雨具、ライフジャケット、帆を自作し、四カ月がかりで組み立てた六隻のバイダルカは、東海岸（イーストコースト）のオヒョウ漁船が引退して西海岸（ウェストコースト）の海産物加工船に変身したベティL号でアラスカに運ばれ、チリコフ隊の上陸班が一七四一年に消息を絶った場所に近いチチャゴフ島外海岸のアラスカ湾で進水した。

舟作りでは、ラッシング〔固定に使うひも〕をきつく締める力が、舟の構造的な強度に変換される。締めることで舟に生命が吹き込まれる。できあがった全長約八・五メートルのバイダルカは、速く漕ぐことができ、竜頭状の船首と扇形の帆を使って風下に飛ぶように走った。強風の中でも帆を張れるほど安定していた。必要であれば中で寝られる大きさがあり、潮の変わり目や風が弱まるまでケルプベッドに停泊したり、一晩中漕いでいることができた。上陸時には、帆をひっくり返して作った差し掛け屋根の下で寝た。

この六隻のバイダルカのうち最後の一隻は、二年後、私の面識がない新しいオーナーに漕がれて戻ってきた。私は、探検の企画や、より大型で革新的な舟を作ることを諦めた。代わりに、古代の設計を現代風にアレンジした舟を作り、初期のバイダルカがなぜ手漕ぎで、記録にあるような速度を出すことができたのかを解明する取り組みを開始した。私は流体力学を研究し、造波抵抗、散逸型と非散逸型の船体振動の比較、乱流における弾性表面の摩擦抵抗を学んだ。

流体中を移動する物体は、境界層が層流から乱流に変化する時に急激に抵抗が増加する。従来の抵抗軽減の研究は、この境界層の変化を遅らせることに重点を置いていた。しかし魚のように上手に泳ぐのでもない限り、この変化をなくすことはできず、遅らせることしかできない。未解明だったのは、海獣の皮で覆われたカヤックはその乱流の影響による変化を、遅らせることができるだけでなく、能動的にか受動的にかわからないが、打ち消すことができることだった。

〝原始的〟な技術しか持たない人々が、どうしてそのような高度な設計ができたのかと不思議に思うかもしれない。作ることはできても、仕組みを理解できてはいなかったと思うかもしれない。しかし、そんなことはないのだ。夜にパドリングしてみれば誰でもわかるはずだ。カヤックの設計においても超音速機の設計においても、現代の最も強力なツールは、流体力学のコンピューティングである。流体の流れの三次元モデルに全要素の速度と圧力を入力し、任意の解像度のCGで描画させることで、研究者の目に流れが目に見えるようになる。

夏の北太平洋にはプランクトンが大量発生する。プランクトンはかき乱されたり、押されたりして急激な圧力変化を受けると光のパルスを放つ。カヤックに乗ってパドリングすると、パドルの先端に複雑な光の渦ができるのが見える。魚類や海棲哺乳類が通過すると圧力勾配の変化の軌跡が光って見える。仲間のカヤックと一緒に漕ぐと、発生する乱流とエネルギー消費の様子が、リアルタイムに光として見えた。可視化するツールが開発されて、生物発光する流体の理解が進んだのはごく最近のことだ。

アリュート族のカヤックは、最高の速度、最小の抵抗、耐航性能〔頑丈さ〕において、同時に三つの頂点を極めた進化論上の複合的な最適者だ。そこはひとつの坂を上ってたどり着ける単純な頂点ではない。いちど見つかった頂点は、そのまま残ることが多いが、進化の適者生存ゲームを、もう一度最初からやり直したら、再び同じ頂点にたどり着けるのか否かは未解明の問題である。

アリュート族はカヤックを仲間の生き物のように捉えていた。生き物ではないが、生きているのだ。カヤックを構成するすべての要素には骨格から、外装（皮）、バラスト石に至るまで生命が宿っている。カヤックの波の上での振動を調整するために前方と後方に配置されているバラスト石はアシカの胃袋にある石の役割に似ている。カヤックとその製作者は、埋葬洞窟の同じ場所に埋められ、生前も死後も共に過ごした。

「生物とは何か？」。進化生物学者のカール・ウーズは、生命の系統樹はこれまで考えられているような木構造ではなく、第三の生命界を加える必要があると、定説のドグマに逆らって長年にわたり主張してきた。「子どもが森の中の小川で遊んでいるとしよう。流れが形づくる渦の中に棒を突き刺して流れを乱すと、渦は消えるが一瞬で元の流れに戻り渦ができる。子どもはまた棒を入れて乱す。また渦ができる。この楽しい遊びが永遠に続けられる。生物はこれと同じで乱流の中に現れる柔軟なパターン、エネルギー流のパターンなのだ[30]」

個々の構成要素は入れ替わっても渦は持続する。舟にも同じことが言える。コルデロ水道に現れる渦潮と同じだ。渦潮を構成する水は刻々と入れ替わっている。トリンギット族のカヌー、アリュート族のカヤック、ポリネシアのアウトリガーは、それを作る個人とは無関係に、何千年にもわたって持続する形態学的渦巻きなのだ。ヘイエルダールがその源流を説明することにこだわったポリネシア文化は、風景や海景そのものに潜在している。南太平洋の環礁にもう一度歴史を最初からやり直させて、時間を十分に与えれば、何回やっても東からあるいは西から航海カヌーの文化が現れるはずだ。北太平洋では、森のあるところには丸木舟が、森のないところには皮舟が潜在しているのである。

アリューシャン列島のカヤックは形態学的渦巻きだという着想は、アルミニウム・チューブのフレームと合成素材の外装を持つカヤックの中で思いついたのだったが、この渦巻きは流木の骨格と海棲哺乳類の皮に覆われた姿でいつかまた現れるかもしれない。あるいは成長してできる生物の器官と、人工的に構築された構造との境界が曖昧になって、完全に人工素材でできているが生命を宿した船という姿で戻ってくるかもしれない。アリュート族はそれをすでに実現していたのだ。

トール・ヘイエルダールは、太平洋地域における初期の航海術に関する理論を構築する際、北西海岸に注目し、バンクーバー島北部のクワキウトル族とニュージーランドのマオリ族のカヌー製作者、そしてその中間のポリネシアのカヌー製作者の間に類似性を見出した。「クワキウトル島民は、太平洋が唸り声をあげる海辺で育ち、幼い頃から深海漁をするために設計されたカヌーと共に育てられた。彼らの住む場所からハワイまでの距離と、ハワイからさらにタヒチまでの距離は同じくらいの距離である」と彼は指摘した。[31]

ヘイエルダールはコン・ティキ号の航海で名声を得た後に、初期の著作の着想を展開した八二一ページの『太平洋のアメリカ・インディアン』を出版した。この本には、地図とカヌーを作る人々の分布図があり、北西海岸から沖合のハワイやポリネシア諸島に向かって大きな弧を描いて流れる海流を示す挿絵が掲載されている。この地図に、彼はカルバート島北端からバンクーバー島北西のスコット諸島に向かって距離五〇マイル（八〇キロ）を示す大きな青い矢印を描いた。彼が考えていたハワイへの航海の出発点を示している。

ヘイエルダールがこの矢印を置いたカルバート島、グース島、ハカイ・パッセージ周辺は、約一万五〇〇〇年前の最終氷期極大期以降の海面の高さが現在の海面の高さに近い「ヒンジポイント」である。太古の平均海面水位は現在よりはるかに低かった。しかしその海面水位と地形との接点の状態は、氷の融解に対する陸地の反応が違うため、地域によって大きく異なっていた。

近年、近くの二カ所で人類の初期の居住を証明する発見があった。カルバート島で一万三〇〇〇年前の人間の足跡が、トリケ島では同じく一万三〇〇〇年前の海棲哺乳類の狩猟の証拠が見つかった。皮舟製作の直接的な証拠はまだ見つかっていないが、森林が丸木舟を建造する大きさに成熟する前に、北西海岸に海を航走する舟と海棲哺乳類の狩猟者が存在していたことを示す直接的な証拠が見つかっている。彼らは海岸一帯を占有していた。

私もヘイエルダールのように、ここはどこだろう、どうしてこんなことになったのだろうと思う時があった。一九七六年八月下旬のある夜、私はマウント・フェアウェザー号に乗ってジョンストン海峡を単独で航海していると、いつもは日没とともに弱まる北西の風が、暗くなるにつれて強まってきた。ベニザケの漁が始まり、海峡のあちこちで無数の小さな刺網（さしあみ）漁船が網を張り、海岸線の窪みには加工船が錨を下ろして漁獲物を受け取るのを待っている。舟は燐光を放つ海を疾走し、半透明の船体は淡いブルーの光を放った。

一二ノットで水面を滑走するマウント・フェアウェザー号は船首の平らなアルミ板が交差した部分が横から来る波を反射して、レーダーで捕捉したならもっと大きな船に見えるような固有の波を作り出していた。航行灯をつけておらず、暗闇の中では船体は見えない状態だった。刺し網船団から見たら、まるで灯りをつけない大型船が海峡を突っ走っているように見えただろう。

今日の刺網は端に灯りがついているが、当時はまだ灯油のランタンが小さな木の浮き輪の上で燃やされているだけだったので、網の迷路はわかりにくかった。われわれはたった約一〇センチの水面を漕いで、コルク性の網の糸の上を何事もなく滑っていった。刺網漁師たちはサーチライトでわれわれの方向を照らしながら、網の目をすり抜ける違法な船を見つけようとしていた。

ブロークン諸島に差し掛かると八月の空に星が弧を描いた。われわれはベニザケの漁場を後にし、この海峡を独り占めにした。何千年も前、おそらく更新世の終わり頃、本土とバンクーバー島の間の狭い海峡が開いたときから、人々はジョンストン海峡の風のトンネルを通って波の上を滑るように移動してきたのだ。

山に挟まれた海峡の水面には、われわれが進む後に、時とともに渦の道ができ、そして星々の中に消えていく。

第7章　エレホン再訪

ダーウィンと進化論で対立しニュージーランドに渡ったサミュエル・バトラーは、一八七二年に未来の機械が自己意識を持って人間を支配する小説『エレホン』を書いたが、現代のデジタル世界は、まさに彼が予言したのと同じように人間を機械の寄生者にしていないか？

一八三三年五月二四日、シュルーズベリーの校長でリッチフィールド主教のサミュエル・バトラーは「接触したことがないふたつの言語があるとして、双方の言語で、独自の語根〔単語の基本部分〕の数は増えていく。一方で言語として共通の部分というものも存在する。そしてその共通部分は増えることがない」と解説した。バトラーは、生徒たちに厳しい規律を課し、英国国教会の教義に忠実だった。彼は余暇の時間に、言語の種分化というテーマを研究し「両言語に共通しない単語の数は急速に増加し続けるが、両言語に共通する単語の数は変わらない」と考察した。この変化が、新しい言語の出現を促進し、何段階も離れた共通の親から派生した言語の間に痕跡を残すと彼は推測していた。そして「だからふたつの言語を見た時に、類似するところがある一方で、より多くの異質なところが見つかるのだ」と結論し「私の知っていることはこれですべてだ。これをヒントにして八つ切り判を書きたい人がいれば、そうすればいい。もっと乏しい材料で書かれた本だってたくさんあるのだから」と締めくくった。[1]

『種の起源』（八つ切り判、五〇二ページ）はバトラーの最も有名な教え子であるチャールズ

Mount Edgcumbe

エッジコム山が北西微北に8リーグの距離の景観

・ダーウィンによって、一八五九年に出版された。ダーウィンは、自伝の中で「バトラー博士の学校ほど、私の精神発達に悪い影響を与えたものはなかった」とだけ記し、校長から受けた影響について詳述することはなかった。[2] 影響力は逆方向により強く働いた。バトラーの息子で、ケンブリッジ大学でダーウィンの学友になり、後にランガーの校長になったトーマス・バトラー公爵は、ダーウィンが「私に植物学の趣味を植えつけ、それ以来、取りつかれてしまった」と語っている。[3] その後、バトラー家とダーウィン家の関係は悪化する。トーマス・バトラーの長男は、一八三五年に祖父の名をとってサミュエルと名づけられた。サミュエルは父の所属する教会の正統派を批判した。それと同じくらい懐疑的態度で、ダーウィン進化論の前提に異議を唱え、ダーウィンの最も執拗な批判者になった。ジョージ・バーナード・ショーは、「いくら天才の男とはいえ、一方でダーウィンを敵に回しながら、他方で教会とも敵対しては孤立してしまうだろう」と『メトシェラへ還れ』の序文で書いている。このショーの本はバトラーの思想に基づいて書かれており「超生物学のモーセ五書」と呼ばれ聖典扱いされた。[4]

若き日のサミュエル・バトラーは、小説家の道を歩み始め、家族は困惑した。母親が早死にしたのは、匿名で発表された小説『エレホン』の作者がサミュエルであることが明らかになったショックのせいだと、家族はサミュエルを非難したこともあった。彼は反ヴィクトリア朝的な傑作の半自伝小説『肉なるものの道』を書いたが、親族をこれ以上苦しめたくなかったので生前には発表しなかった。一八五八年にケンブリッジ大学を卒業したバトラーは、芸術家になることを決意していたが、彼の父親は「道徳意識が完成していない若者が、悪魔の誘惑の真っ只中に投げ込まれるようなものだ。賛成できない」と言って息子が芸術家の世界に入ることを認めなかった。[5]

バトラー公爵は息子に、職業を法律家、教師、教会の中から選ぶか、イギリスを出るかの選択を迫った。バトラーは、ロンドンで半年間、聖職に就くための無報酬の教区活動を行なった。その間、南アフリカとブリティッシュ・コロンビアへの移住を検討したが、結局ニュージーランドのカンタベリー開拓地を移住地に決めた。この開拓地は、一八五〇年に英国国教会の巡礼者たちが創設した。彼らが国から与えられた場所は「島の真ん中の原野」で、牧羊には使えるが、それ以外の目的には適さない土地だった。バトラー公爵は、息子のためにカンタベリー協会会長のカンタベリー大司教への紹介状を用意した。問題児をイギリスから遠くへ厄介払いできることに安堵して、祖父の不動産の遺産分与の第一回分を若きサミュエルに渡した。

バトラーは、ニュージーランド行きの船ビルマ号を予約していたが、貨物の家畜が客室部分にはみ出しているのを見て、予約をキャンセルし次の船を待つことにした。「まともな神経の持ち主なら、二等船室には乗らないものだ。どんな手を使っても一等船室に乗る金を集めるべきだ」と彼は忠告している。[6] ビルマ号は、一一月一七日に南緯四八度の氷山の間で目撃されたのを最後に、消息を絶った。バトラーは、『種の起源』が出版される直前の一八五九年一〇月一日、ローマ皇帝号に乗って出発した。一等船室の乗客は出発前日にグレーブゼンドで乗船した。三等船室の乗客は東インド埠頭ですでに乗船していた。「船の横からよじ登って甲板に立つと、甲板のぬかるみ、泣き声、キスの音、乗客の呼集、甲板に残された荷物、船内のあらゆるものが混然一体としていて、いささか驚いた」とバトラーは記録している。[7] 冷たい雨が降っていた。ほとんどの移民は二度とイギリスを見ることはなかった。バトラーの家族は誰も見送りに来なかった。彼は船室に落ち着くと、生まれて初めて祈りを捧げることなく眠りについた。

ローマ皇帝号は夜明けに錨を上げ、蒸気船タグボートでテムズ川の河口まで曳航された。船は帆を張って英仏海峡を抜け、ラムズゲート沖で潮を待つために錨を下ろした。イギリスとの最後のつながりが断ち切られる前のディールでも再び錨を下ろした。六週間かけて南下した。赤道に近づくと、不思議な潮の流れが海中から湧き上がるのを見て乗客は息をのんだ。「前方を漂っていた小麦粉の空樽が横に流れていった」

一一月の第三週、『種の起源』の初版がロンドンの書店に並んだ頃、ローマ皇帝号は「太陽を真上に」見ながら南半球に入った。画家志望のバトラーは甲板に影が落ちない様子を観察した。南洋の風は、すぐに船の帆と精神を高揚させた。「巨大なアホウドリ、モリモドキ（小型のアホウドリ）、ケープ雌鶏、ケープハト、パーソン、オシドリ、鯨鳥、マトン鳥、その他いろいろな鳥たちが船尾のあたりで絶えず旋回している」と、喜望峰に接近した際、バトラーは記している。[8]

一八六〇年一月二七日、クライストチャーチ近郊のポート・リッテルトンに到着した彼は、「三カ月で半周できるとわかると、世界がとても小さく感じられる」と書いている。[9] 二四歳の新参者は、五五ポンドを投じてドクターという名の老練な馬を購入した。「良い川馬で、とても強靭だ」。[10] バトラーと馬は一緒に周辺地域を探検した。バトラーがマオリ族と間違われるほど奥地まで分け入ったことも一度ならずあった。ランギタタ川の源流が分かれる亜高山地帯に腰を落ち着けた。バトラーは泥壁の小屋を建て、六〇〇〇エーカー（二四〇〇ヘクタール）の放牧地の所有権を申請し、約三〇〇〇頭の羊を飼い、一八六四年に三六〇〇ポンドで売却するまで、この地で快適な孤立生活を送った。バトラーはこの土地を〝メソポタミア〟と名づけ、羊には燭台のシルエットの焼き印を押した。

文明から遠く離れていたが、バトラーは世捨て人ではなく、気分転換と物資調達のためにクライストチャーチに降りていく時には、使用人や人間関係が密な町の住民との交流を楽しんだ。当時は弁護士で、後に最高裁判事になったジョシュア・ストレンジ・ウィリアムズ卿は「私は鋭い目をした小さな色黒の男のことを忘れることはないだろう」と回想した。「彼は、人里離れた場所に家畜囲いをつくって、牛車でピアノを運び込み、孤独な夕べをバッハのフーガを弾いて過ごしていたが、孤独から抜け出してクライストチャーチにやってくる時には、共に過ごす時間がこの上なく魅力的な仲間だった」[11]。メソポタミアでの生活の二年目にバトラーが雇ったロバート・ブースは、バトラーのことを「文学者で、居心地の良い居間には本が並び、安楽椅子が置かれていて、ピアノもあった……バトラー、クック、私の三人で居間に行き、立派な暖炉を囲んで、タバコを吸うか、薪をくべるか、本を読むか、バトラーのピアノを聴いていたものだ。私が経験した田舎暮らしの中で、最も文化的な体験だった」と回想している[12]。

バトラーに最も近い隣人、チャールズとエレンのトリップ夫妻は、一八マイル（二九キロ）離れたピール山のランギタタ峡谷に住んでいた。エレン・トリップは、カンタベリー初代主教ヘンリー・ジョン・ハーパーの娘で、バトラーを「変わり者で、突飛なことばかり言う人」と感じ、「うちの召使いを自分の思想に染めようとするのが私は嫌だった」[13]。エレンは、イギリスからニュージーランドへ発つ前、サミュエル・ウィルバーフォース主教から堅信礼を受けていた。このウィルバーフォース主教は、後に、公開討論でチャールズ・ダーウィンの代役を務めたトマス・ハクスリーに、あなたが猿の子孫であるなら母系の子孫なのか、父系の子孫なのかと尋ねた人物だ。

エレンは、人里離れた辺境の植民地で迎えた最初の雨季の間、ウィリアム・ペイリーの『自然神学』を研究していた。この本は「蔵書のうちたった数冊の乾いた本」の一冊で、その後ダーウィン理論が否定する、目的論的証明〔世界と自然の仕組みの精巧さは神の存在証明であるという考え方〕を講じていた。彼女はバトラーのものの見方を「とても腹立たしい」と思ったが、バトラーは「ピアノを優雅に何時間でも弾いてくれて、あれは心地よいひとときだった」[14]。エレンの子孫によれば、バトラーが去った後、彼女は「彼が残していったかもしれない汚れた霊を祓うために、燃える炭を振り回しながら部屋から部屋へと回っていた」[15]。

ダーウィンの本はすぐにメソポタミアの本棚に並べられた。バトラーは一八六五年にダーウィンに宛てて「ニュージーランドで『種の起源』が出ているのを見るといつも嬉しくなった。自然誌のことは何も知らなかったが、この本は非常に多くの興味深い問題に踏み込んだだけでなく、むしろ多くの問題提起をしているので、夢中になった」と書いた[16]。ニュージーランドの邪魔するものがない大自然の中で、バトラーはダーウィンの思想の壮大なスケールを一層拡大させた。彼は一八六二年一二月二〇日から、クライストチャーチの新聞で『種の起源』に関する哲学的な対話形式の連載を仮名で書き始めた。「最も近い人里から一八マイル、書店から馬で三日の距離に住んでいた私は、ダーウィン氏の熱狂的な崇拝者の一人になった」と後年にその頃を回想している[17]。

「この対談は、ダーウィンという人間をまったく知らない人物によって書かれたものだが、その精神と、ダーウィンという人間に関する明確で正確な見解を示している点が注目に値する。また、これが、まだ物質的関心しか考えられないような、設立からわずか一二年の植民地から出版されたことも注目に値する」と記事を読んだダーウィン自身がコメントしている。[18] バトラーの連載対話記事は《クライストチャーチ・プレス》紙上で七回続いた。このうち「バレルオルガン〔手回しの小型オルガン〕」と題された議論の返答にあたる記事は、ウェリントン司教の作とされているが、バトラー自身の作である可能性が高い。この記事を書いた人物によれば、ダーウィンには「新しいものは何もなく、彼の名前の由来であるダーウィン博士（祖父のエラズマス・ダーウィン）が前世紀の終わりに発表した古い話の焼き直し」であり、「讃美歌がバレルオルガンに合わせて歌われる教会で、不運にも讃美歌が途中から始まる曲目が組まれており、讃美歌が始まる前にジグとワルツが盛大に流されるとしよう」、ダーウィン理論には、そんな教会のつまらぬ讃美歌ほどの意味もないのだと。[19]

この連載は、一八六三年六月一三日に『機械の中のダーウィン』（投稿者名セラリウス）と題された意見表明で締めくくられている。「動物界や植物界のゆっくりとした進歩と比べると、機械界の大きな発展と、前に進む一歩の歩幅の大きさは圧倒的である」、「人類は、自らの後継者（としての機械）を生産し、自らを上回る力を与えている。あらゆる種類の巧妙な発明を機械に注入することで、自己調整と自己作用の能力という、人類にとって知性にあたるものを機械に与えている。われわれは機械に対していまや劣勢だ。日に日にわれわれは機械に従属するようになる。より多くの人間が日々機械の世話をするために奴隷として縛られ、多くの人間が日に日に機械生活の発展に全生涯のエネルギーを捧げるようになる」とこの投稿者は警告している。[20]

バトラーの挑む聖戦は、ダーウィンを倒すのではなく、ダーウィンを超える戦いだった。「彼（バトラー）はもう、人間が行き着くところまで行ってしまった。彼は超ダーウィン主義者だ」と、メソポタミアで使用人の一人だったエドワード・チャドレイは一八六四年三月一九日の日記に記している。[21]一八六四年一〇月、ロンドンに戻ったバトラーは、一八六五年七月一日付の《ロンドン・リーゾナー》紙に、自身のイニシャルで「機械的創造」という別の論評を発表している。「ダーウィン理論の理解者ならば、動物界と植物界の起源が何であれ、それを生み出した力は、この世界で働いている自然法則の内部に由来するものであり、超自然の何かに由来するものではない、ということを否定したりはしないだろう」とバトラーは主張した。「これから先はどう考えたらいいのだろう。自然が力の源ではなくなり、動物という進化の段階はこの地球上の生命の最終段階となるのだろうか？　機械の生命はわれわれのものとはまったく異質なものであり、それを生命と考えられるようになるには、厳しい知的鍛錬が必要であるが、そうした専門家でなくても、機械的な生命が徐々に発達していることに、直感的に異論を唱える声は聞こえない[22]」

バトラーは、こうした考えを小説『エレホン』としてまとめた。西欧から見て地球の裏側にあるランギタタ地方を、物語の舞台になる孤立した亜高山帯の渓谷に見立てた。その架空の地域の住民は、機械の中に生命や知性が発達するのを防ぐため、洗濯物絞り機や水絞り機以上の高度な機械化技術をすべて危険視し禁止していた。一八七二年に匿名で出版された『エレホン』は、熱狂的な支持を得て、初版は三週間で完売した。「批評家たちは、この本の著者が、酷評したらまずいことになる人物なのか、称賛したらとてもよい結果が待つ人物なのか、何も知らなかった[23]」。

残念ながら「私が著者であることが発表されると、たちまち需要が減少した」とバトラーは言う。[24]『エレホン』を書いたのは無名の男だと、《アテネウム》紙が発表するとすぐに、需要は九〇％減少した」と彼の友人で伝記作家のヘンリー・フェスティング・ジョーンズが書いている。[25]

一八七二年五月、バトラーはダーウィンに宛てて「私が最近出版した『エレホン』という著書の一部について、かなり誤解されているようなので、お詫び申し上げる。機械の章の話だ。……批評家の中には、私があなたの説を笑っていると考えた人がいたようで、誠に申し訳なく思っている」と手紙を書いている。[26]これに返信してダーウィンは、バトラーをダウンにある自邸に招いた。バトラーは週末にダーウィン邸に滞在した。その訪問のことを、客人バトラーは「忘れられない最も楽しい思い出だ」と書いている。[27]

ダーウィンは、バトラーの著作を高く評価した。進化論の対話だけでなく、一八六五年に出版した小冊子『四福音書によるイエス・キリストの復活の証拠、批判的検討』と、復活に対する疑問やその他のキリスト教正統派の教義の弱点を議論した『フェア・ヘイヴン』も称賛した。後者は「主の地上での活動における奇跡的な要素を、合理主義的な否定者とある種の正統的な擁護者の両方に対して擁護する著作」という副題を持ち「故ジョン・ピカード・オーウェン」（エレホン同様に架空の人物）に捧げられていた。[28]バトラーは、ダーウィンの賛辞に対して賛辞で応えた。彼「バトラーが私に語ったように『種の起源』は、彼の個人的な神への信仰を完全に破壊した。彼にとって『種の起源』は書物の中でも最も偉大な書物だった」と後年、詩人ジョン・バトラー・イェイツは説明している。[29]

ダーウィンに厚遇されたにもかかわらず、バトラーはダーウィンの理論に欠陥を見つけることに執着するようになった。ダーウィンがエラズマス・ダーウィン、ジョルジュ・ビュフォン、パトリック・マシュー、ロバート・チェンバース、ジャン＝バティスト・ラマルクといった先人の進化論提唱者の貢献に言及しないことに怒り、バトラーはダーウィンの理論を批判するようになった。ダーウィンの不完全な謝辞に対するバトラーの批判は、ダーウィニズムの基盤そのものに対する攻撃へと激化し、バトラーは持論を〝ネオダーウィニズム〟と呼んで、チャールズ（ダーウィン）以前の人々の理論から区別した[30]。

ダーウィンは、作家トマス・ハクスリーに「この件で、馬鹿馬鹿しいほど悩み苦しんでいる」と打ち明けた。「つい最近まで彼は私にとても友好的で、進化について知っていることはすべて私の本から学んだと言っていた[31]」。ハクスリーの助言によりダーウィンは言及を控えたが、『種の起源』の初版にあった「私の理論」と三六カ所の記述が、後の版ではこっそりと削除されている。

ハクスリーは一八八〇年にダーウィンに送った手紙の中で、「彼はミバート〔セント・ジョージ・ジャクソン・ミバート：解剖学者で自然淘汰論の急先鋒だったが一転して批判者になった〕に嚙まれてダーウィン嫌悪病の菌をもらってしまったのだろうか」と尋ねている。「それは恐ろしい病気だから、この病気で暴れているヤツ〔ハクスリーはイラストを挿入した〕を見つけたら、容赦なく殺してしまうことにしている[32]」

バトラーは、科学界の保守派に反対する運動を展開したが、ほとんど味方は得られなかった。「バトラー氏の著作『生活と習慣』を前にしたとき、われわれは、多義的で理解しがたい言葉で表現された彼の推論が、馬鹿げてはいるがなにがしかの科学的な想像力と言えるものなのか、それとも非科学の空想なのか、半信半疑になった。その疑いは彼にとって有利に働いた」と『進化、新旧』（サミュエル・バトラー著）の出版に際して《サタデーレビュー》紙は論評した。[33]

バトラーにとって進化論は、目的因やインテリジェント・デザインの信仰を排除するものではなかった。彼は、チャールズ・ダーウィンよりもエラズマス・ダーウィンを支持したのだ。エラズマス・ダーウィンは一七九四年に「世界は、全能の神の命令によって創造されたのではなく自ら生成したものかもしれない」と主張している。「無限を相対化してよいならば、結果の原因となるものを引き起こすには、結果そのものを引き起こすよりも、さらに大きな無限の力が必要であるように思われる」[34]。バトラーにとって、知の進化と進化の知は表裏一体のものであった。「種はこうして、ごく少しずつ、しかし効果的に、自分自身をデザインしていくのだ」とバトラーは説明した。[35]

「宇宙の主たる力の中から知性を排除しようとする試みは破綻している」とバトラーは宣言した。「生物にはデザイン、つまり作為性が内在する。しかしその作為性は、陶芸家が粘土を形づくるように、外側からわれわれを形づくる専制的な作為性ではなく、動物や植物に生命が受け継がれるように、最高の成果物である身体の中に、民主的に受け継がれる作為性なのだ」[36]。バトラーは、知能のボトムアップ進化もトップダウン進化も、ともに神の意志であると考えた。彼は、人類が自身を構成する細胞レベルの生命と知能を超越しているように、それぞれの生物種は、個体レベルの構成要素を超越した知能の集合体であると考えた。

「私が望むのは、これまでのように後ろに下がるのではなく、前へ進む一歩として、われわれ人類は生命全体という複合的な存在の構成原子に過ぎないと考える根拠を示すことだ。上位の複合的生命は、自己を明確に認識しているはずだ。しかし構成要素の人間は、その存在を意識してはいない」と彼は主張した[37]。「それは身体を構成する細胞が結合して、一人の人間の個体を形成しているのと同じである。個々の細胞は個体の認識を持っていそうになく、結合体であるわれわれの個々の細胞に対する認識と同様に、部分的で不完全な認識しか持っていないだろう[38]」

バトラーは、生物と非生物を正確に区別することは不可能であり、機械が含まれないような生命の正確な定義をすることは不可能であると結論した。「私の唯一の確信は、有機物と無機物の区別は恣意的であるということである。無生物分子から考え始めて、そこに生命を紛れ込ませるよりも、すべての分子を生命体として捉え、その死を連合や結合の崩壊と考える方が、他の考えと整合しており、したがってより受け入れやすい[39]」

今日においてバトラーの主張は、当時考えられていたほどには、もはや過激なものではなくなった。自己複製を行なう分子は、自らの目的に合わせて世界を形成している。生物を詳しく調べれば調べるほど分子機械の働きが見えてくる。また、複雑な技術のシステムを観察すればするほど、それらが生物のように振る舞っていることがわかる。生物の知能も機械の知能も進化システムである。最適解を見つけようとする自然淘汰の仕組みによって、内部にある現実世界の鏡像モデルを進化させていく。進化システムは、あらゆるところで創発的な知能を使っている。遺伝子の水平伝播など、新ダーウィン主義的でない進化の仕組みは、かつて考えられていたよりもはるかに自然に浸透している。生物の遺伝子を解読すると、生物種間の遺伝子配列の交換は、新ダーウィン主義者が考える生殖細胞に限定された遺伝子の木という概念よりも、サミュエル・バトラー（祖父）の言う「言語は種分化しながらも語を交換している」という概念に近いことがわかる。

非ダーウィン的進化は、今や機械の間にまで展開している。生物の遺伝コードがデジタル・コンピューター内に保存、複製、最適化され、生きた細胞に再分配されているのだ。これはテクノロジーが生細胞を制御しているということなのだろうか。それとも、真核細胞が細胞よりも早い段階で、独立した形あるいは寄生的な形にせよ自己複製プロセスを取り入れたのと同じように、生命がコードの電子的流通を採用しているということなのだろうか。

『エレホン』には三つのメッセージが込められている。われわれ自身の知能が個々の細胞レベルの知能に随伴して発生し超越したように、機械の知能は、確実に人間の知能に随伴して発生し超越する。機械が進化すれば、自己再生産は必然である。いったん始まれば、時計の針を戻そうとしても無駄である。

「現在の機械が意識と呼べるものを持っていないという事実は、永久に機械の意識が発達しないということを保証するものではない」。バトラーは「現存する機械の中からの、意識を持つ（あるいは超意識を持つ）機械の降臨」を警告している。[40] 自己再生産については「確かに、機械が別の機械を系統的に再生産できるのであれば、それは再生産システムと言えるかもしれない」。そして「再生産システムが再生産を目的としたシステムでないとしたら、それは何だろう？　そして、他の機械によって系統的に生産されていない機械など、この世にどれだけあるだろう（ほとんどない）」と付け加えた。[41]

クライストチャーチの南東約一一キロにあるポート・リッテルトンの港の地形は、死火山の噴火痕であり、急峻な丘に囲まれていた。一八六〇年一月にバトラーが到着したとき、リッテルトンとクライストチャーチの間の連絡は、陸路の荒れた乗馬道か、海路で風雨にさらされる岬を回る方法しかなかった。入植者たちは、すぐにふたつの地域を電信で結んだ。一八六二年七月一日にニュージーランド初のテレグラフ通信が開通した。一八六三年九月一五日、電信開通に関して《クライストチャーチ・プレス》に一通の投稿が掲載された。「なぜ私は機械そのものではなく、新聞に手紙を書かなければならないのか。なぜ、機械の怪物会議を招集し、蒸気機関を議長にして、作戦会議を開かないのか」と匿名の「狂気の記者」は疑問を投げかけた。「私が答えよう。それにはまだ機が熟していないからだ。われわれの計画は、人間の熱狂をわれわれ自身の利益のために利用すること、人間にわれわれを最大限に発展させ、気づかれぬ間に彼らをわれわれの奴隷にするというものだ」

そして狂気の記者はこう続けた。「私の目的は、機械化発展の最終形態、極限的完成とは何かを指摘して、ささやかな貢献をすることである。最終形態になるのはダーウィン主義者の末裔たちしか見ることができない、はるか遠い未来のことかもしれない。だから、私はあえて言いたいのだが、機械と人類の総合的な発展が、十分かつ実質的に完成するのは一体いつのことなのか？そうだ、それがいつになるのかを宣言させてもらおうか……嗚呼、白衣の女〔『白衣の女』ウィルキー・コリンズの長篇推理小説、一八六〇年〕のように、私は自分の秘密をほとんど公言してしまったようだ。語りすぎてしまった。今は全体のうちの一部を開示することで満足しなければならない。私は大きく一歩を踏み出すつもりだが、最後の一歩ではないのだ。

すべての人間が、あらゆる場所で、いかなる時間の損失もなく、自分の五感を通して、他のあらゆる場所で起きている、知りたいと思うことのすべてを、低コストで知ることができるようになれば、機械の発展においてかなりの進歩があったと言えるだろう。田舎に住む人は、自分の毛織物がロンドンで売買が成立しそうなことを聞き、買い手と自ら取引することができる。田舎の小屋で自分の椅子に座りながら、エクセター・ホールでの『エジプトにおけるイスラエル』の公演を聴くことができる。あるいは、ラカイア〔クライストチャーチから約五五キロ南に位置する小さな町〕にいながら、イタリアのオペラ劇場コベントガーデンで金を支払い、受け取ったアイスクリームを味わうことができる。……ユーザー事例は無数に作れる。これが、われわれが目指している時間と空間の大滅却だ。しかし実際にわれわれの世代が実現を見ることができるのは、そのほんの一部だ[42]」

サミュエル・バトラーにとって、リッテルトン - クライストチャーチ間の電信線は、インターネットやワールド・ワイド・ウェブの原形だった。エレホンの住民の懐中時計禁止令は、今日ワン・クリックで呼び出せる知能とわれわれを結びつける装置の出現の予兆だった。

私が初めて『エレホン』を読んだのは、一八七二年の初版から一〇〇年後、ブリティッシュ・コロンビア州のツリーハウスの中で、灯油ランプの灯りの下でだった。もしサミュエル・バトラーが一八五九年にニュージーランドではなく、植民地として誕生してまもないブリティッシュ・コロンビア州に渡っていたら、『エレホン』は迷宮のように入り組む本土の入り江の尖端か、バンクーバー島のフォービデン・プラトーが舞台になっていたかもしれない。

電気も電話もない生活で、私は少しの間、時計の針を巻き戻すことに成功した。しかし、現実からの逃げ場はなかった。私が海岸沿いの亜寒帯雨林に引きこもっている間、姉のエスターは技術の進歩を推進する人々の輪の中に入っていた。私よりも一歳八カ月年上で、一六歳で家を出てラドクリフ大学に入学した姉は、学生時代の大半を、彼女曰く「かつて有名人たちが皆そこで働いていたハーバードの大学新聞」《クリムゾン》紙の編集に費やしていた。[43] 彼女は卒業後、《フォーブズ》で事実確認係の仕事に就いたが、すぐに事実確認だけでなく記事も書くようになった。その後、《フォーブズ》を離れ、ウォール・ストリートの投資会社でアナリストとして働くようになると、そのレポートの千里眼ぶりで知られるようになる。

姉から四八〇〇キロ離れた場所で、私は平日になると、ベルカラの森を抜ける四〇〇メートルの小道を通って、かつてツレイル・ワウタス村があった場所を横切り、新しくできた道路の端の、カナダ郵便局の明るい緑色の郵便受けが並んでいる場所まで歩いて行った。当時、郵便物は船便ではなく陸路で届けられるようになっていた。南京錠のかかった郵便受けを開けると、時々、ニューヨークから届いたエスターからの速達便が入っていた。私が保存している一番古いものは一九七八年七月一九日付だ。それはニュー・コート証券から調査依頼された、フェデラル・エクスプレスというベンチャー企業に関する報告書だった。

「ファルコンジェット三二機、ボーイング七二七が六機、その他機種の様々なリース機、無線配車されたリースのバン一〇〇〇台を使用して、毎晩、約三万個の荷物が〝ハブ〟に運ばれている」とエスターは報告していた。エスターの分析は高く評価され、その結果、ニュー・コート証券とその顧客は投資で大儲けした。そして、彼女は予言めいたことも言っていた。「(同社は)高度なデータ処理ネットワークを稼働させており、将来的には、社内メッセージだけでなく、顧客のメッセージも送信できるようになるかもしれない」。当時、デジタル情報ネットワークといえば、プロディジーやコンピュサーブなどの閉じた独自サービスか、フランスのミニテルのような国営企業だけだった。

フェデラル・エクスプレスの最高情報責任者は、後にネットスケープの創業CEOとなり、公開標準になるワールド・ワイド・ウェブの商用化を推進したジェームズ・バークスデールだった。その頃登場したアップルⅡは、マイクロ・コンピューターの第一世代のひとつだった。機械が使う言語のコマンドを大量に覚えることなどせずとも、他社製のワープロソフトで自然言語の文章を作成することができるOSを搭載していた。これはパーソナル・コンピューターの前カンブリア紀とでも呼ぶ時代で、アップルのほかには、アミーガ、コモドール、アタリ、タンディなど、すでに消滅してしまったメーカーの時代である。新しいOSと、内部言語の階層化を実現した。人間の言語と機械語の隔たりを埋め、人間がより簡単にコンピューターを操作することを可能にしたと同時に、コンピューターがより簡単に人間を操作することをも可能にした。コマンドラインは双方向に機能するのだ。

子ども時代に芽生えたプリンストン高等研究所の電子計算機プロジェクトへの関心が再燃した。私は定期的に訪れていたバンクーバーのポイント・グレイにあるブリティッシュ・コロンビア大学図書館で、ある時、一八世紀の北太平洋航海に関する新刊だけでなく、ジョン・フォン・ノイマンの『計算機の設計』『オートマトンの理論』『数値解析』（彼の全集の第五巻）も借りてきた。フォン・ノイマンの一九五二年の講演「確率論的論理と信頼性が低い部品による信頼性の高い有機体の合成」は、『エレホン』好きの琴線に触れるもので、バトラーが《クライストチャーチ・プレス》紙に送った手紙の未発表版を私が創作するきっかけになった[44]。次のようなものだ。「『神経系の主要言語は統計的な性質を持つ』とフォン・ノイマンは説明したが、私はこう付け加えよう。『この統計的な情報の流れから、言語階層のいくつかを取り払うと、われわれの数学の認識、そして人間の意識と思考のすべてになるのだ。言語の階層構造は複雑なオートマトンの一般的な特徴であるとフォン・ノイマンは理論化した。機械がある大きさを超えると内部の情報の流れは、基本的な形式が何であれ、より意味の含有量が高い別の形式で情報を伝達する傾向を示す』」

私は続けた。「機械は人間に近くなり、人間も機械に近づいている。人間は、デジタルの電子の鎖の統計的リンクになった。現代の人間は、（まずデジタル的に、そして統計的に）おおよその確率で数学的に予測可能な行動やアウトプットをする存在と見なされるだろう。これらの信頼性の低い部品（人間）を使って、信頼性が高く自己組織化の可能性を持つ機械を組み立てる上で〝おおよその確率で〟は障害にはならない[45]」

ライプニッツの論理世界では、すべてのアイデアは定式化され、数値的なIDタグが与えられ、論理的に組み替えられる。ライプニッツは、ゲーデルやチューリングが明らかにしたように、機械的な決定論的システムであっても、創造的で予期せぬ結果を生み出すことができると考えていた。ライプニッツは、そのような機械が作られることを望んでいたのだ。フォン・ノイマンは、そのような機械を現実に作り上げたが、彼は現実の世界（インディアン保留地の外の領域）は、統計的、確率的な混乱であることを理解していた。それを理解し、ましてや制御しようと思うならば、確率的に動く機械を作るべきなのだ。

一九八二年にエスターは、電子技術者から投資家に転身したベンジャミン・ローゼンに編集長として雇われた。ローゼンは、チップの生産数や、各チップ上に実装されるトランジスターの数が爆発的に増加し始める中で、集積回路の最新動向を追いかける機関紙《ローゼン・エレクトロニクス・レター》を発行し、それに関連して購読者向けのカンファレンスを主催していた。単機能半導体が、胎児の細胞のように分裂し、集積回路になり、やがてシングルチップの本格的なコンピューターになると、ローゼンの新興企業はその波に呑み込まれていった。マイクロプロセッサーによって、安価なデスクトップ・コンピューターが実現し、その上で動作するコードが求められるようになった。その結果、本来まず排除すべきだった古い大型システムに縛られた既存企業よりも、実用的なコードを開発する新興企業が優位に立つようになった。

雑誌《ホール・アース・カタログ》の編集者スチュワート・ブランドが評したように、エスターは「優秀な野外生物学者のごとく」新産業を観察し、「極めて複雑な観察対象に対して、狡猾に距離を置きながらも愛情を抱いていた」[46]。やがてローゼンの投資は、メディア事業と利益相反を起こしてしまった。彼は一九八三年に、ニュースレターとカンファレンスをエスターに売却譲渡することで問題を解決した。エスターは、ニュースレターを「リリース一・〇（RELease 1.0）」と改称し、毎年開催されていた購読者カンファレンスを「PCフォーラム」と刷新した。すると《ウォールストリート・ジャーナル》紙に「コンピューター分野のリーダーは、絶対に見逃してはならない」と評されるようになった。エスターはニュースレターとカンファレンスの内容の重心をハードウェアからソフトウェアに移した。リリース一・〇は、他の媒体が追いきれない速さで動くソフトウェア産業の時代の記録者になった。初期のPCフォーラムは、まるで中学校のダンスのように、投資銀行家とソフトウェア開発者が部屋の反対側に並んで立った。エスターは、Tシャツにジーンズという格好で、銀行家の言葉を話した。

私は、エスターの弟として、四日間のカンファレンスに二二年間、毎年参加した。それ以外の三六一日は、業界の門外漢であったため、毎年カンファレンスで目にする変化は唐突でバラバラに見えた。一九八三年当時、パーソナル・コンピューターはまだ混沌としていた。三六〇キロバイトのフロッピーディスクを機種を超えて互いに読み書き可能にできるかどうかという物理的な問題から始まり、競合するOSやアプリケーションが、どのように、どの程度、相互通信できるのかが問題だった。メモリー容量、プロセッサー速度、ディスク容量は、年々マシンが小さくなるにつれて大きく、高速になっていった。フロッピーディスクドライブが登場し、一枚のディスクの両面を読み書きできるようになったように、小さな、あるいは突然の飛躍的な変化が起きる。ポータブルコンピューターが登場した。当初はミシンくらいの大きさで、一一〇ボルトの電源が必要で、五インチフロッピーに入れたプログラムを一度にひとつだけ動かせるものであった。デスクトップ・パソコンには複数の拡張スロットがあり、グラフィック、数値演算、メモリーキャッシュ、オーディオ、ビデオなどの機能を順次追加していくことができた。ある年には、誰もがイーサネットカードを追加し、ホテルにつないだT1回線でインターネットに接続していた。数年後には、ほとんどの参加者が外部カードスロット付きのラップトップ・コンピューターを持っていた。無線インターネットカードが配られ、臨時の無線ネットワーク・アクセスポイントが配備された。

成功は、必ずしも一番乗りのものではない。初期のタブレットサイズのペン型コンピューターGO。頑丈なノートブック型コンピューターの原形Grid。原始的なタッチスクリーンを備えた携帯型万能コンピューターApple Newton（後に後継機が世界を席巻することになるが、無線ネットワークだけが欠けていた）。PalmPilot。初期の「スマート」携帯電話Treo。そして、今日では当たり前の方法ですべてのものを接続しようとした分散パケットスイッチ無線データネットワークMetricom。多くの、本当に多くのものが存在した。そして時折、テトリスや、ハーバード大学のキャンパスの外へと拡大を試みる、生まれたてのフェイスブックのような画期的なプロダクトが登場した。

ASCII文字セット、スケーラブルフォント、イーサネット、ポストスクリプト、PDF、インターネットプロトコルなどの共通規格と、相互の合意が成立しない場合にはMS-DOSなどの事実上の標準が、市場支配力に物を言わせて進歩を進めていった。Apple IIの成功の後、Apple Lisaが登場したが、これは市場の失敗だった。その後、マッキントッシュが登場し、大成功を収めたため、Lisaの責任者スティーブ・ジョブズは追い出され、ペプシ出身のジョン・スカリーが経営権を握ることになった。

ジョブズは一九八九年にPCフォーラムに帰ってきて、NeXTコンピューターを披露した。NeXTコンピューターのUnixベースのOSの特徴は、他のどの先行機種よりも、今日のiPhoneに色濃く受け継がれている。ベージュ色の筐体を持つマッキントッシュ、IBM PC、PCクローンがひしめく中、NeXTは漆黒の立方体だった。ジョブズの宿泊するホテルのスイートルームで夜遅くまでパーティーが開かれたが、客たちの半分は、新しいコンピューターとその前例のないネイティブ・プログラム群を技術的に精査することに夢中だった。あとの半分はキングサイズのベッドに広げられたヨーロッパの高級美術書並みの品質のユーザーマニュアルを熟読していた。

一九五一年にジュリアン・ビゲロー研究室の数人の技術者たちが、三四七四本の真空管を使ってマシンを組み上げた。その直系と呼べる後継機が、スティーブ・ジョブズの部屋のコーヒーテーブルの上に置かれている一二インチのマグネシウム合金製立方体だった。単一シリコンチップ上で、一秒間に二五〇〇万回の命令サイクルで動いていた。NeXTの立方体は、スタンリー・キューブリックの『二〇〇一年宇宙の旅』のオベリスクのように、そこに存在し、人の手で目覚めるのを待っていた。しかしアーキテクチャーの効率性は過去三八年間変わっていなかった。動作中、ほとんどの論理素子は、次の命令とメモリー・アドレスが与えられるのを待つアイドル状態だったのだ。

この非効率なアーキテクチャーはビゲローが意図したものではなかった。一九四六年に、フォン・ノイマンの水素爆弾開発における問題に対する緊急解決策として登場し、それ以降、放置されたまま受け継がれてきたアーキテクチャーだった。現代のデジタル・コンピューターの論理的構成要素は、高速で連続動作が可能であるにもかかわらず「平均すると、ほとんどすべての構成要素が、ひとつまたは複数の他の要素の動作待ちをする形で相互接続されている。各セルにおける平均デューティーサイクルは恐ろしく低い」とビゲローは指摘した[47]。このような非効率性を補うために、プロセッサーは一秒間に何十億もの空の命令を実行している。プログラマーは何をすればこれを埋め合わせるのに十分な命令とアドレスを与えることができるだろうか。

十分に高速に命令を生成することができる唯一の方法は反復的、再帰的プロセスだ。「電子計算機は、非常に高速に命令に従うので、非常に高速に命令を〝食い尽くす〟ことになる。したがって、非常に効率的に高速に命令を作成し効率的に〝タグ付け〟を行ない、プログラマーよりもコンピューターを効率的に、より忙しく働かせる方法を見つけなければならない」と、ビゲローは述べている。「これは、機械にどのような形式で計算を与えるかという論理的に深い問題を、非常に浅慮なやり方で解こうとしているようにも見えるかもしれない。しかし、超再帰的、条件付き、反復的ルーチンが使われるのは、基礎と手続きの記述として記法上効率的だからである（独創的でないかもしれないが）。だからこの解決法は問題の核心からそう遠くない真理と考えられる[48]」

パーソナル・コンピューターは、利用者に優しいOSにより、プログラミングの経験がほとんどない人々にもコンピューター利用を可能にし、同時に機械に無制限に命令を与えることができるようになった。最初は、機械は一度にひとつのことを行なった。その後、プログラムは「終了と常駐」、つまり、仮眠状態になりながらもメモリーに常駐し、呼び出し命令に応じられるように待機するという技を学んだ。やがて、複数のプロセスを同時に実行できるOSが開発された。キーボードが付け加えられ、ライトペンに始まり、マウス、トラックボール、トラックパッド、その変種が現れた。そしていまやふたつの世界をつなぐ主要な接点になったタッチスクリーンなど、様々な入力装置の一団が加わった。

プリンストン高等研究所の技術者たちが、アラン・チューリングの万能機械を物理的に再現しようと着手した頃、技術上の最大の課題はメモリーだった。どのような形式で、光速ランダムアクセス可能なデジタル記憶装置の配列を構築すればいいのか？　即興の解決策は、一〇二四個のコンデンサーの配列を構築し、標準的な五インチの既製のブラウン管オシロスコープのガラス面に、三二×三二の帯電スポットを投射することだった。コンデンサーは、電子ビームが捕捉するリフレッシュ・サイクルの間に、各スポットの状態を記憶するのに十分な時間、静電荷を保持することができた。技術者たちは各リフレッシュ・サイクルの間に、二四マイクロ秒のアクセス時間で、個々の記憶領域の任意の場所の状態を読み書きできる制御回路を設計した。〇と一を識別するため、微弱な信号を三万倍に増幅する必要があった。この記憶装置は、トム・キルバーンとともにシリアル・アクセス実装を最初に開発した、英国マンチェスターのF・C・ウィリアムズにちなんでウィリアムズ管と呼ばれている。ビゲローはこの装置を「電磁環境擾乱（じょうらん）に対して人類が作った最も敏感な検出器のひとつ」と述べている[49]。

メモリー技術者のリーダーだったジェームズ・ポメレンはこう回想する。「装置が記憶するのです。大きな驚きでした。しかし少し残念なことに、この装置は何よりも、発生したすべてのノイズを記憶してしまうことが分かりました。装置に一を記憶してほしいのに、ノイズが発生して一を〇に変えてしまう。〇になったら〇のままです。メモリーは、ノイズの効果的な観察装置であることが分かりました[50]」。ブラウン管のガラス面は、外部との接触がないように保護されている必要があった。帯電した光の点が画面上で踊っているのが見えるが、この点に人間が少し触れただけで計算が止まってしまう。

現代の静電容量式タッチパネルは、この局所的な擾乱に対する感受性を利用し、人間の最も敏感なコミュニケーション手段のひとつである指先の接触を、直接機械が読み取れるビットに変換するものだ。絶滅したウィリアムズ管の末裔なのである。

サミュエル・バトラーの『エレホン』には、機械主義者たちと反機械主義者たちの内戦を戦った生存者たちが登場する。反機械主義者たちは、高度な兵器を禁止の例外として認め、戦争に使って勝利した後、技術の進化を停止させる。バトラーは晩年、『エレホン』に回帰した。一九〇一年に出版された小説『エレホン再訪』は、機械のその後の進化を描くよりも、信仰や家族関係の矛盾をあぶり出すことに重きを置いている。

バトラーの覚書には『エレホン再訪』のためのアイデアの断片が記録されている。彼はエレホンの人々が進歩への抵抗をやめ、機械の側につく物語を想像していた。そして「オートマタ（オートマトンの複数形）が多様化し、創造性を増し、ついには生命現象の様相を呈するようになる。宗教界は、オートマタは神によって、独立した種としてデザインされ、創造されたのだと宣言するだろう」と空想を広げている。「一方、科学の世界は、オートマタに神のデザインがあることを否定するだろう。原子の組み合わせに偶然の変異が生じ、広告の目的に好都合な変異体が生まれた場合（小説内でオートマタは主に広告に使われた）、それは自然淘汰によって保存され増幅されていくだろう」[51]

オートマタと広告と自然淘汰は、爆発力のある組み合わせである。グーグルがアドワーズを導入し、すでにコンピューターに組み込まれた「言語」だけでなく、まだ完全に組み込まれていなかった「意味」をも収益化したことは、リー・ド・フォレストがフレミングの真空管に制御グリッドを導入したのと同じく画期的だった。インターネット広告は、コンピューターが求める報酬（より多くのマシンサイクルと命令）と、人間が求める報酬（クリックするたびに返ってくるより多くの刺激）をグローバルな規模でとても効率的に増幅している。われわれは、人間の考え方と感じ方の制御術を学習する機械に対して、報酬を与えて進化させるシステムを解放してしまったのだ。

われわれはいまや、エレホンの住民である。人間と機械の戦争はすでに終わっている。戦場跡に居残っているのは反機械主義者ではなく機械主義者だけだ。おそらく、バトラーが提案したように、われわれにできることは、広告主導の知能の台頭を受け入れ、その導きに従うことであろう。「なぜ、動物の知能と野菜の知能が異なるように、既知のすべてと異なる、知能の新しい位相が生じないのだろうか？」とバトラーは問いかけた。「これまでに現れた生命と意識の多種多様な位相を考慮すると、これ以上進化させることはできないとか、動物の生命が万物の最終形態だと言うのは軽率だろう。火が万物の最終形態とされた時代もあったのだ[52]」

機械から逃れることはできない。「人間の魂は機械のものだ。機械製なのだ。人間がどう考え、どう感じるかは、機械が人間に課す仕事によって決まる」とバトラーは主張する。「これが機械のなせる業だ。支配するために奉仕するのだ[53]」。われわれが「サーバー」と呼ぶ機械は、われわれの主人となり、われわれは農奴になりつつある。

この未来は、見かけほど暗くはない。「彼ら機械の存在はわれわれ人間の存在に大きく依存するので、機械にはわれわれを厚遇する理由があるのだ。機械は鉄の棒でわれわれを支配するだろうが、われわれを食らうことはないだろう。彼らは新しい機械の再生産と教育においてわれわれの奉仕を必要とするだけでなく、食べ物を集め、給仕し、不調になったら修復してくれる召使いとして必要とするのだ」とサミュエル・バトラーは主張した。機械に気を配る人には、良い暮らしが待っている。「人間が機械に利益をもたらす存在であり続ける限り、人間の将来の幸福を心配する必要はない。劣等種になるかもしれないが、今よりずっといい暮らしができるだろう[54]」

「今よりずっといい暮らし」はどう定義されるだろうか。ゲームの勝利はどのような条件で決まるのだろうか。「自然が行なっていると思われるゲームを定式化するのは難しい」と、スタニスワフ・ウラムは一九六六年に書いている。「異なる種が競争する場合、敗北の定義は明らかである。ある種が完全に死滅すれば、それは明らかに敗北である。しかし、勝利の定義はもっと難しい。なぜなら、多くの種が共存し、おそらくは無限の時間続くからである。人間は自分たちがニワトリのはるか先にいると考えているが、ニワトリもまた永遠に存在していくことができるのだ[55]」

「まだ母乳を飲んでいるくらい小さな赤ちゃんが、iPadで遊んでいるのを見たの」と二〇一二年、サンフランシスコ国際空港から娘のローレンが私に教えてくれた。

サミュエル・バトラーは『エレホン』の中の「機械の書」でこう問いかけた。「人間は機械に寄生する存在になってしまうのだろうか？　機械をくすぐる心優しいアブラムシのような存在に[56]」

第8章　時間は存在しない

デジタル・コンピューターの処理の同期を取るためのカウンターとしてのクロックは、自然の時間とは違う数を数える不連続なものでしかなく、その論理が積み重なって人工知能にまで至るが、その基本はアメリカ先住民にIDを付与して管理していた時代と同じだ

アパッチ作戦の終盤、ネルソン・マイルズ将軍のヘリオグラフ諜報ネットワークの本部だったアリゾナ州フォート・ボウイから北に約九三〇キロの場所に、国家安全保障局が運営する九・三ヘクタールの複合施設がある。砂漠の空気は、もはや一八八六年当時のような透明性はない。米国陸軍信号隊は、人間が手で変調した上で山頂から山頂へと目に見える形で中継される太陽光線を収集していたが、ユタ州キャンプ・ウィリアムズにある国家サイバーセキュリティー・イニシアチブ・データセンターは、光ファイバーケーブルを通じて送信される信号を、外部から感知できない光パルスとして収集している。

このユタ州の施設は、アパッチ作戦の全期間にヘリオグラフ・ネットワークが伝達したトラフィックの一〇兆倍以上の情報を保存できる。電力は六五メガワットを必要とし、冷却水は毎分四五〇〇リットル消費し、二〇一四年の運用開始までに二〇億ドルを費やした。このセンターの精確な性能は不明である。あらゆる通信内容が、誰がいつ誰と通信したか等の関連メタデータとともに、マシンで読み取りが可能な形式で保存されている。

ラウンド・ヒル島北部の北西1/2西5リーグの距離の陸地景観

デジタル・コミュニケーションの大部分が、処理過程でバッファーに一時保存される。これは、一九世紀の電信ネットワークから二〇世紀初頭のデータ・ネットワークの回線交換に受け継がれた慣習だ。当時、受信したデータの流れは、穴のあいた紙テープに一時記録されてから、経路交換が行なわれ、指定の送信回線に届けられた。ローラースケートに乗った事務員がこの経路交換を行なっていたこともあった。われわれは、バッファーは短期間しか残らないという前提で、こうした中間保存、複製、中継を受け入れている。バッファリングされたメッセージがネットワークの次のノードに中継されると、テープは破棄された。ユタの施設は、まるで、これまで穴をあけたすべての紙テープを検索可能な形で保存しているかのような、無期限に持続する一元的不揮発性バッファーである。

通信内容は公的監視対象と結びつかない限り、読まれることはないという建前になっている。しかし、マシン知能の時代において、「読む」とは何を意味するのだろうか。数字として符号化された通信は、人間が見たり聞いたりするまでは「読まれない」という前提は、もはや成り立たない。デジタル・コンピューターのワーキング・メモリーに数字が入った瞬間に、それは「読まれる」のである。読むことが許される数字、禁止される数字の区別などあるのだろうか？

マシン知能にはふたつのアプローチがある。カヤックのように情報の断片を組み合わせて骨格を作る方法と、丸木舟カヌーのように知識の形が明らかになるまで不要な情報を取り去る方法である。

デジタル世界には「時間的に変化するが空間的に不変な差異」と「空間的に変化するが時間的

に不変な差異」という二種類のビットが存在する。ビットは、メモリーとして時間を超えて保存することも、コードとして距離を超えて作用することもできる。デジタル・コンピューターは、ふたつの情報、すなわち配列と構造を、明確なルールに従って変換している。この変換能力は、初期にコンピューターに求められた算術機能よりも普遍的なものになっている。自然界でも、配列（ヌクレオチド）から構造（タンパク質）へと変換する方法、そして逆に戻す方法が発見された。この循環がいったん確立されれば、あとの仕事は進化がやってくれる。

デジタル・コンピューティングはライプニッツに遡るが、彼はその基礎となる二進法の発見を中国人の功績であると認めていた。ライプニッツは『中国自然神学論』の中で、ニコラ・ド・レモンに「（『易経』の）六四卦は二進法を表しており、（中略）私はそれを数千年後に再発見したのだ」と書いている。「二進法には〇と一のふたつの記号しかなく、これですべての数を書くことができる。私はそれからさらに、それが最も有用な二分法の論理を表現するものであることを発見した[1]」

ライプニッツは、一六七二年、ブレーズ・パスカルが作った機械式計算機にヒントを得て、車輪を使った機械式計算機を作った。そして、一六七九年に記述があるように、二進法を使って車輪なしで動作するデジタル計算機を発想した。「この（二進法の）計算は、次のようにして、車輪のない機械で実行することができる」と彼は説明した。「容器には開閉できる穴があいている。一に対応する場所の穴は開けられ、〇に対応する場所の穴は閉められる。開いたゲートからは小さな立方体やビー玉が線路の上に落ちてくる。他のゲートからは落ちてこない。それ（ゲートの配列）は、必要に応じて列から列へと横へ移動させることができる[2]」

ライプニッツは、デジタル時代の基本エンジンであるシフトレジスターを発明していた。シフトレジスターは、少数のビットを線形配列に格納し、命令によってそれらを右または左にひとつずつ移動させる。あたかも、卵パックに入った卵の列からすべての卵を取り出して、ひとつ位置を移動させてパックに戻すのと同じである。卵を割ったり間違えたりすることはない。

二進数の文字列を左にひとつずらすとその数値は二倍になり、右にひとつずらすと二分の一になる。この演算は、それを実装する機械式ゲート、電気機械式リレー、電子真空管、固体回路（ソリッドステート・トランジスター）とは論理的に独立しており、今もマイクロプロセッサーの内部にサブミクロンのサイズで組み込まれている。ライプニッツは、自分の発明が実現するのを見届けることはできなかった。彼は、量子力学によって絡み合った素粒子が発見されたとき、人々がモナド（小さな心）の宇宙を連想し、彼のモナド論に生命が吹き込まれるのを見ることもなかった。彼は、シフトレジスターが再発明される二六八年前にこの世を去った。彼が死の直前にバート・ピルモントでピョートル大帝に投げかけた質問の答えを、北方大探検隊の生存者がアメリカから持ち帰るのは、その死の二五年後のことだった。

第二次世界大戦中、イギリスのトーマス・フラワーズの指導のもとに作られた暗号解読用コンピューター「コロッサス」には、ガス封入型サイラトロンを使った五段のシフトレジスターが使用され、同じく戦時中にRCAのヤン・ラジマンの指導のもとに真空管式シフトレジスターが実験的に作られた。戦後、ニュージャージー州プリンストンにある高等研究所で、ジュリアン・ビゲロー、ハーマン・ゴールドスタイン、ジョン・フォン・ノイマンらの少数の電子技術者のチームが、ライプニッツの構想を実現させた。電圧勾配が重力の役割を、電子パルスがビー玉の役割を、真空管が機械式ゲートの役割を、電線が線路の役割を果たした。

フォン・ノイマンと政府のスポンサーは、水爆の実現可能性の基礎となる放射線流体力学の計算評価を求められており、四〇ビットの数字をキロサイクルの速度で並列処理できるマシンを必要としていた。四〇段のシフトレジスターを、これまでの電子技術者の常識をはるかに超えた信頼性で作動させなければならなかった。「安定動作する二段レジスターを構築するのは簡単だった」と、四番目のエンジニアとしてグループに加わったジャック・ローゼンバーグは言う。「三段目を入れると、時々エラーが出るようになった。四段目を入れると、レジスターが使いものにならなくなった。真空管の電気的特性は、新品でも真空管ハンドブックに載っている仕様とはかなり違うことが分かった」。この不一致について質問されたメーカー側は、「自社製品にクレームをつけてきた人は他にいないし、他に客は十分にいる」と答えたという[3]。

エンジニアたちは、真空管の仕様書通りの回路設計から、ビゲローがファッション雑誌から取って「ニュールック」と名づけた方式へ切り替えた。高等研究所の設計の最初の実装になる、国家標準局のコンピューターSEACを作ることになった技術者ラルフ・スラッツは、「一〇〇〇本の真空管を一括テストし、見つかった最も耐久性の弱い真空管と、見つかった最も強い真空管は取り出して、その上でさらに安全率を五〇％増しに設定した」と説明している[4]。ビゲローは低速の方が安定動作する機械システムとは対照的に「処理速度が上がれば処理精度もむしろ上がるはずだ。真空管は使用状況ではなく経年劣化によって弱くなるので、動作速度ではなく個体数に比例して偶発的な故障が発生する」ことを理解していた[5]。

ビット情報は、市販の双三極管小型真空管「6J6」に使われていた俗称「フリップフロップ」、正確には「トグル」と呼ばれる回路に格納されていた。フレミングやド・フォレストの世代の電球サイズの真空管は、この頃にはワインのコルクより少し小さいサイズになり、ヒーター素子を共有するふたつの完全な三極管が、七つのコネクターピンを持つひとつのガラス筒の中に収められていた。一対の三極管は、両方ではなく、一方のみが通電された伝導状態になるように接続され、この状態が○または一のいずれかを意味していた。隣接するトグル間でデータ転送を行なうには、個々のトグルの状態を上方向の一時的なレジスターに複製し、下のレジスターをクリアする。その後データを斜め上から元のレジスターに斜め下にシフトさせる。電子は常に行き先を求めていた。

「情報は、まず送信側のトグルに固定され、次にゲート開閉によって送信側と受信側が共通化され、両方が確定したところで、送信側を消去することができる」とビゲローは説明する。「情報は転送中に『揮発』することはない。セコイアの木のてっぺんにいる高所恐怖症の尺取虫のように安全だ」。データは、運河の閘門（こうもん）〔高低差の大きい運河で船舶を昇降させる装置〕を通って移動する船のように扱われた。「われわれは、情報のある場所から別の場所への移動を肯定的にしか動かさなかった」と、ジェームズ・ポメレンは強調する。[6]

「信号がないことを信号として使ってはいけない」という教えは、ビゲローが世界大戦中にノーバート・ウィーナーと取り組んだ対空砲火の制御で到達した原則である。[7] 何千ものメモリーの間で、一秒間に何千回も確実に情報を伝達することが、コンピューターを動かすための最大の課題だった。フォン・ノイマン、ビゲロー、そしてスタン・ウラムら同僚たちは、通信するセルの行列をもっと大規模に、あるいは無制限に拡張したら何が起こるかをすでに考えていた。「この頃、フォン・ノイマンとは、仮想的なセル配列間での情報の伝播や中継について純粋理論の議論を楽しんでいた。後のセル・オートマトン研究の原形は、ここにあったのかもしれない」とビゲローは話した。[8]

一九四七年六月、一〇段シフトレジスターの試作品が完成した。七月から八月にかけてその機械で「一と〇の固定パターンを、多少なりとも連続的にシフトさせるテスト」を行なった。二分の一マイクロ秒以下の幅のパルスを四マイクロ秒間隔で一一発振、各グループを一ミリ秒間隔で配置してシフトが行なわれた。[9] ネオン表示ランプが個々のトグルの状態を表示し、シフトレジスターが正常に機能していれば、テストパターンは人間の目には静止しているように見えた。

さらに六回設計を繰り返した後、量産型が決まり、一九四八年末には四〇段の三つのシフトレジスターが「二種類の配置で相互接続され、一二〇桁の二進数の閉ループを形成し、一回のシフトにつき三マイクロ秒の速度でループを一周して一カ所ずつシフトする」ことができるようにした。テストは、左シフトで七五時間、右シフトで約二五時間、合計一〇〇〇億回のシフトを行なった。[10]

完成したシフトレジスターは、一九五一年に稼働した高速電子式プログラム内蔵型デジタル計算機「MANIAC（Mathematical and Numerical Integrator and Computer）」に組み込まれた。レジスターとメモリーに格納された四〇ビットのコード列は「ワード」と呼ばれ、数字、命令、アドレス参照、自然言語、原始的な人工生命など、二進数で表現できるものであれば何にでもなりえた。このように、データと命令が混在することで、何かを意味する数字と何かを実行する数字の区別がなくなった。その結果、得た力によって、水素爆弾に始まり、あらゆる課題が制約から解き放たれたのだった。

プログラム内蔵方式になる以前のコンピューターでは、数字は「何かを意味する」ものだった。ノイマン式コンピューターでは、数字に「何かを実行する」力が与えられた。数字が命令になり、「命令コード」が別の命令を呼び出したり、自分自身のコピーを作る機能を持ったりすることになった。当時、人間の作業者が一六進数表記を使って入力する二九種類の命令コードがあったが、今日当たり前のように考えられているインタプリター型言語の階層は存在しなかった。ビットの列は、DNAの列と同じように自己複製する力を持つようになった。こうして登場から現在まで七〇年以上続く命令コードの連鎖反応による進化が始まった。しかし、古くからあるアミノ酸の略号を表現するアルファベットのように、命令コードの形式はほとんど当初より変化していない。

MANIAC直系の後継コンピューターは、最初は真空管、次の世代はディスクリート半導体、そして今はモノリシック・シリコンで作られている。これらのマシンを特徴づけるのは、処理可能なメモリーの量である「ワード長」と、一定時間内に実行できる命令数である「クロック速度」である。現在の水準は六四ビットワード、一秒間に数十億回の命令サイクルを実行可能なまでに進化している。しかし、基礎として使われているこの「クロック」は、時間を計測しているのではない。「クロック」は機械時計の「脱進機」にあたる部品として、一連の事象を規則正しく制御している。デジタル宇宙では、われわれが知っているような時間は存在しない。

アナログの世界では、時間は連続体だ。ふたつの瞬間はどんなに近くても、その間に別の瞬間がある。デジタル宇宙では、連続体は存在せず、無限に続きはするが有限の離散的なステップが存在するだけである。このステップを数えるために、われわれは「時計」による規則的なパルスの行列を使用するのが慣例だが、数えるのは時間の経過ではなく増分する数値である。「ＭＡＮＩＡＣには、パルス発振器のようなものは入っていなかった。クロックも発振器も何も」とビゲローは説明する。「オンとオフの二値ゲートの大規模なシステムだった。クロックはないし必要なかった。必要なのはカウンターだけだ。カウンターとクロックは違う。時間は必要な変数でなかった。順序を記録しているのだ。それはクロックとは大きく異なる。クロックは時間を記録し、現代の汎用コンピューターは発生した物事の順序を記録する。順序は時間とは異なる。そこに時間は存在しない」[11]

コードの文字列がユタのデータセンターに収録されるとき、順序は保持されるが、時間の制約は取り除かれる。ライプニッツが一六七九年に発想したものと論理的に何ら変わらないシフトレジスターが、時間的に変化する数列の入力ストリームを一フレームずつメモリーレジスターに変換し、時間に対して不変なデータ構造を作る。保存された数列は、必要に応じて呼び出すことができる。呼び出された数列は、鏡を見ているかのように情報を精確に再現し、時計の針を巻き戻したかのような幻想を与える。情報の再現を見て、異星人の文明を見ているような違和感は感じない。

われわれアナログ世界にいる観測者の目には、デジタル世界は、アナログ世界より高速の「クロックサイクル」で制御されて、加速しているように見える。一定の連続的な時間の中で、より多く物事が起きているように見える。逆にデジタル世界の観測者がいるとすれば彼らの目には、われわれのアナログ世界は減速しているように見え、一定の数値の増分の間に、より少ない物事しか起きていないように見える。

一七世紀末、ライプニッツとニュートンが微積分の発明の先願を主張して争っていた時、同時代のロンドン王立協会の実験担当学芸員ロバート・フックは、自身の重力と天体力学の理論に関してニュートンに対する私憤を抱いていた。ジョン・オーブリーによると「ニュートン氏はフック氏から最初のヒントを得たということをまったく認めずに発表していた」という。[12]

一六七三年一月、ライプニッツが王立協会に計算機を実演したとき、フックは「これが大きな役に立つとは思えない」と酷評し、「私は今、同じはたらきをする装置を作っているが、部品の数は一〇分の一以下で、部屋に占める面積は二〇分の一以下だ」と発表した。[13]一六七三年三月五日、フックは自作の算術機関を実演し「その作動方法を示し、喝采を浴びた」が、その後、この発明は姿を消してしまった。自分の「哲学的代数学」は、ライプニッツの「推論計算」よりも強力なシステムだと主張していたが、その詳細をフックは誰にも明かさなかった。彼は自分の研究が没収されるのを恐れて、その後の発明の多くをアナグラムで暗号化した形でしか残さず、詳細を墓場まで持っていってしまった。「彼が紙を遠慮なく使って、平易な文章で書いていてくれたらよかったのに」とオーブリーは嘆いた。[14]

フックは人工の知能にはあまり興味がなく、彼の言葉を借りれば「理性のはたらきが利用する肉体の器官をいかにして機械的に理解するか」の方に興味があった。その意図は、魂の存在や自由意志の本質を否定するのではなく、魂のはたらきを明らかにするためだった。「魂、あるいは生命の第一原理は、たとえ非物質的な存在であっても、そのはたらきには、物質的な器官を利用する。それがなければ、意志したことを実現できない」と考察している。[15]

コイル状のバネを使った脱進機でクロノメーターの設計を発展させたフックは、コイルのように連なったアイデアという着想に基づく「記憶の仕様仮説」を提案した。「脳の保管庫には、いわば連続したアイデアの鎖がとぐろを巻いている。保管庫の中心部は、われわれが思考する際に、現在の瞬間を扱う場所であり、新しいアイデアが形成される場所である。アイデアが形成されるたび、アイデアの鎖は伸びていき、その末端は魂の座である中心から最も遠い場所にある」と彼は主張した。「したがって、中心部にある現在の感覚や思考と、鎖の末端のアイデアとの間にある、中間のアイデアの数が多ければ多いほど、魂はその間で費やす時間に煩わされる[16]」

彼は、一秒にいくつ、一時間にいくつ、一日にいくつ、一年にいくつと計算して、ついに生涯に発想できるアイデアの数を「約一〇〇〇億個」と概算したが、一般人が記憶する数はその数を減らして一億個であるとした。「重複しないアイデア」はそのくらいだと考えたからだ。顕微鏡で見た自然世界のミクロ地図『顕微鏡図譜』の著者だったフックは、微生物を直接観察しながら、莫大な数のアイデアが脳の中に収まっていても不思議はないと考えるようになった。「すべてのアイデアが魂の活動領野（脳）に入りきらない理由は考えられない。……この（一億個という）アイデアの数の概算値と同じ数の微生物が、別の小さな微生物の体の中に存在しているのだから。……脳内にアイデアの収納場所を見つけることが不可能であるなどと恐れる必要はないだろう[17]」

フックは、弾性体の応力とひずみを関連付けるフックの法則で知られているが、生物の大きさと時間の知覚にも同様の規模の法則があると信じていた。彼は、「生き物の知覚的瞬間の長さは、その体の大きさに、ある程度比例する」と考察し「生き物のサイズが小さいほど、その知覚的瞬間は短く、人間の一〇〇倍小さい生き物は、人間にとっての一瞬を一〇〇の瞬間として識別できるだろう」と推測した。彼は「人間と比べて非常に短命と思われる多くの生物も、同じくらい多くの時間の瞬間を認識し、生きていると考えるに足る合理性がある」と結論した。[18] 現在のテクノロジーは、マイクロプロセッサーのナノ秒単位の瞬間から、ユタ州のデータセンターの不揮発性メモリーの永久の保存期間と無限コイルとでも呼ぶべき莫大な保存容量に至るまで、フックの知覚的瞬間のものさしを、大きい方向にも小さい方向にも、双方向に拡張している。

ライプニッツがシフトレジスターを構想した一六七九年、ロンドンで、ある本の新版が出版された。この本は、一三世紀に「言葉を話す真鍮頭」を作ろうとした人々の試みで、人工知能の草創期のプロジェクトと呼べるものの顛末を語る本だった。『ベーコン修道士の有名な歴史：彼が生涯に行なった偉業、その死に様、二人の呪術師バンジーとバンダーマストの生と死』という本で、副題に「極めて愉快で楽しい読み物」と書かれている。

ロジャー・ベーコンは、占星術や錬金術を超えて、時代の先端を行く科学に挑戦した学者であり、魔術師でもあった。発想が斬新過ぎてフランシスコ会の仲間の修道士に一五年間幽閉されたと言われる彼は、後にミラビリス（驚嘆的）博士という名前でも知られるようになった。ベーコンは、イングランドを侵略から守るために島全体を真鍮の壁で囲む計画を立て、そのために真鍮頭に知恵を借りようとしたと言われている。

「この目的のために、ベーコンはバンジー修道士を助手に得た。彼も偉大な学者であり魔術師であった（といってもベーコン修道士とは比較にならないが）。この二人が研究と苦心を重ね、真鍮頭を作り、その内部には自然人の頭の中にあるものすべてを入れた。それでも仕事の完成からはほど遠かった。なぜなら彼らは、作った装置に生命を与える方法を知らなかったからだ。そうしなければしゃべらせることなどできない。彼らは多くの書物を読んだが、求めるものが見つかる望みはなく、ついに霊魂を呼び出そうという結論に至った。研究では霊魂にはたどり着けなかったから[19]」

召喚された非協力的な「悪魔」は、真鍮頭が話せるようになる秘術を開示するよう強要され、ついには二人に教えた。しかし、その秘術が効果を発揮するのに必要な時間の長さを教えることは拒否した。そして「もし真鍮頭が最初の言葉をしゃべり終わる時に、お前たちが耳を傾けていなかったら、労力は水の泡になる」と警告した。ベーコンとバンジーは悪魔の指示に従い、真鍮頭の前で三週間待ったが、何の成果も得られなかった。そこでベーコンは、使用人のマイルズに、二人の発明家が昼寝できるようにと、真鍮の見張りを命じた。

主人が眠っている間、マイルズは見張りをしていた。そして「ついに、なにやら音がした後、頭が『時間・は（Time Is）』というふたつの言葉を発した」。マイルズは真鍮頭がそれ以上何も話さないのを見届け、こんなことで主人を起こしたら自分が怒られると思い、二人を眠ったままにして、頭をこんな調子で嘲り始めた。

「おいお前、厚顔無恥な真鍮の顔をした頭よ、私のご主人様はお前のためにこれほどの苦労をしたというのに、今しがた、お前はただふたつの言葉『時間・は』を返しただけなのだ。もしご主人様がお前を見張っていた間ずっと、隣に堅物の弁護士がいたとしたら、ご主人様はその弁護士風情にさえ、お前なんかの言葉よりもっと長くてありがたい言葉を話しただろう。お前がもっと賢く話すことができないなら、ご主人様方は私に任せて、最後の審判の日まで眠っているだろう[20]」

マイルズは真鍮頭を嘲り続けた。「『銅の鼻』さんよ、『時間は』ってのはいつなんだよ？　学者というのは、いつに何をすべきかを知っておきたいんだ。いつ酒を飲み、いつ飲み屋の女将にキスし、いつ彼女のつけ払いにしてもらって、そしていつ金を払うのか、いや、その時間は滅多に来ないのだが」。三〇分すると「頭が再びしゃべった。ふたつの言葉で、それは『時間・だった（Time Was）』だった」。マイルズはそれでも主人を起こそうとせず「お前がもっと賢くしゃべらないなら、ご主人様は起こしてやらん」と言って、さらに三〇分愚者を相手にするように振る舞った。

すると、何の前触れもなく「真鍮頭は『時は過ぎ去った（Time Is Past）』と再び言葉を発した。そう言うとひっくり返って、恐ろしい音が鳴り響き、奇妙な閃光が走ったので、マイルズは恐怖で半分死んだようになった。この音で二人の修道士が目を覚ました。二人は部屋全体が煙に満ちているのを見て不思議に思ったが、煙が消えると、真鍮の頭が壊れて地面に横たわっているのが見えた[21]」。

ゴーレム伝説からメアリー・シェリーの『フランケンシュタイン』、そしてジョン・フォン・ノイマンが水爆の設計と引き換えに、切望していたコンピューターの力を手に入れた政府との契約まで、人工知能の歴史では、秘密の知識の取引が意図しない結果を招くという怪が繰り返されてきた。ディープラーニングは、人工知能の力を約束しながら、その仕組みを明らかにしない、最新の秘密の鍵である。

ライプニッツのデジタル・ユートピアは、他のユートピアと同様に、欠陥を伴って登場した。インターネットを実現したアドレス行列を作り出したのと同じ番号制一元管理が、一八七〇年代に特別保留地のアパッチ族に番号入りの金属製ＩＤタグを首から下げることを強制するシステムを作り出した。

一八七一年一一月、フィリップ・H・シェリダン将軍は、アリゾナとニューメキシコで発生した一連の暴動に対してシャーマン将軍の指示を受け、「合衆国大統領の権限の下、インディアン委員会が保留地を定めているすべての放浪インディアン集団に対して、直ちに保留地に入り、いかなる口実によっても再びそこを離れないよう求める」命令を下した。

「彼らは政府によく服従し、保留地に留まる限り、完全に保護され、支援される。そうでなければ、彼らは敵対者とみなされ、行ないに応じて処罰されるだろう」とシェリダンは付け加えた。

彼は、作戦実行を任されたクルック将軍に、「アパッチ族を平和に従属させるために、君がどんな厳しい手段を選ぶとしても、陸軍省と大統領は承認するので心配はいらない」と助言している。[22]

敵対的なインディアンとそうでないインディアンとを区別するために、陸軍長官と内務省長官は、非敵対的なアパッチ族の名簿登録に合意した。この名簿には「(戦場に行ける年齢の)すべての男性インディアンが登録され、彼らの名前は、それぞれの人物の完全かつ正確な識別情報リストとともに専用の帳簿に記録」された。

「個々のインディアンに識別リストの写しを支給し、その紙の常時携帯を義務付ける」というアイデアがあったが現地では採用されず、代わりにクルックの考案した番号ＩＤタグのシステムが制定された。[23] ジョン・バークは、「悪いインディアンが山中に残っている限り、保留地のインディアンは首か他の目立つ場所にタグを付けるべきで、そのタグには彼らの番号、所属集団を表す文字、その他の識別手段を刻むべきである」と書いている。[24] タグは食糧配給の調整や、アパッチ族の名前という政府を混乱させるシステムを標準化するのに役立った。タグを付けられた人々の定期的な人口調査が行なわれ、逃亡した個人を特定することが可能になった。ジョン・スコフィールド将軍は、「すべての成人男性が保留地にいるかどうか、一日に一回、またはもっと頻繁に確認すること」と命じた。有効なタグを付けていないアパッチ族は敵とみなされ、それに応じた処遇をされた。もし成人男性が人口調査で不在であることが判明した場合「その男の家族全員を逮捕し、彼が捕らえられ、脱走に応じた処罰を受けるまで、厳重に拘留すること」とされた。[25]

一八七二年一一月、クルックは、成人男性の保留地への帰還を許可する最終期限（それ以降の期間は捕虜扱いになる）を通告し、逃亡者の執拗な追跡を開始した。三つの分隊に分かれた兵士と斥候は、作戦期間中に一九〇〇キロを走破し、五〇〇人の逃亡者を殺した。そして一八七三年四月九日、クルックは「コルテスの時代から続いているインディアン戦争がついに終結した」と主張した。[26] だが、四一〇人のチリカウア族がホルブルックの鉄道脇まで強制行進させられ、フロリダ行きの列車に乗せられるまで、その後一三年間にわたって、断続的に小競り合いと暴動は続いた。

マイルズ将軍のヘリオグラフ・ネットワークは、光データ・ネットワークの出現を先取りし、クルック将軍の番号IDタグは、今日われわれを捕捉するデジタルIDを先取りしていたのである。国家サイバーセキュリティー・イニシアチブ・データセンターは、IDと通信を四六時中紐づけるべく、増え続けるデータセンター群のノードのひとつに過ぎない。

音声認識、顔認識、そしてDNAのバーコードまでもが、携帯電話という万能のIDタグに紐づけられようとしている。タグのない人間は目立つ。数学者クルト・ゲーデルは、真であっても証明が不可能な命題を構成することで、いかなる強力な形式体系であろうとも、その支配の境界から逃れることを証明した。しかし、彼であっても、リストに載っていないことによって特別なリストに追加されるシステムからは逃れることは不可能だっただろう。こうして時間が過去の履歴を一切消すことなく、物理的な境界を持たない保留地ができあがった。

二〇一八年、アリゾナ州メサ、アパッチ砦とアパッチ峠に通じるかつての登山道のふもとの一二ヘクタールの土地に、アップル・コンピューターは二〇億ドルをかけて、グローバル・データ・コマンド・センターを開設した。世界中のすべてのiPhoneにとって不可欠な裏側配線網である、データセンターのネットワークを管理している。このアリゾナの施設は、五〇メガワットの太陽光集光ファームで電力を供給する。ヘリオグラフィーが帰ってきたのだ。

ライプニッツは、人間のコミュニケーションと思考のすべてを二進法で符号化した形式体系を構想した。彼はピョートル大帝の関心を引けなかったが、現代の皇帝たちが、ライプニッツの提案に契約の署名をしている。二進法が五〇〇〇年も前から使われている中国では、人口の八〇パーセントが携帯電話を持っている。中華人民共和国国務院は最近、「社会全体を網羅する信用調査システムを構築し、信用を奨励し、信用できないものを罰するメカニズムを確立する」と発表した。中国は、生体認証タグ、機械知能、消去不能な個人の社会信用スコアを結びつけた包括的な監視ネットワークを展開し、「信用できる者はあらゆる場面で利益を得、信用できない者は身動きできないようにする」という目標を表明している。[27]

七〇年前、ジョン・フォン・ノイマンは、水爆の脅威と引き換えに、デジタル・コンピューティングの驚異をもたらした。彼は一九四六年に、広島と長崎を破壊したばかりの兵器の一〇〇〇倍もの威力を持つ兵器を作ることができるかどうかを判断するための試算をしながら、エドワード・テラーに宛てて「係数四は神（あるいは他の何者か）の贈り物だ」と書いている。[28] われわれは今のところ、あの秘密の知識の取引をうまく進めているように見える。デジタル・コンピューターによって一変した世界を手に入れながら、熱核戦争に巻き込まれてはいないのだから。

もっとも、その〝他の勢力〟が、いずれデジタル・コンピューターが水爆より強力な道具になると知っていたのなら話は別だが。インディアンを乗せたフロリダ行きの列車と、飛行機の搭乗禁止リストまではほんの数ステップだ。

第9章　連続体仮説

カントールが提唱した連続体仮説では、無限には整数のように数えられるものと実数のように数えきれないものしかないが、数えられる論理を元にしたデジタルはより進化して自然界を限りなく模倣していくことで、次第に数えられないアナログな様相を帯びていく

一八六五年から一八六六年の間、グレートプレーンズはまだ原野のままで、約一〇〇〇万頭のバッファロー、鹿、エルクやカモシカがのびやかに草をはみ、スー族、シャイアン族、アラパホ族、カイオワ族という勇敢なインディアンの種族が自由を謳歌していたが、「彼らは、自分たちの国を平行に走る二本の鉄道が建設されれば、生活の糧である狩猟動物に破壊的影響が及び、その結果、自分たちにも致命的な影響が及ぶことをはっきりと理解していた」と、南北戦争後にアメリカ陸軍の司令官として「バッファローとインディアンの運命を未来永劫にわたって解決する」ことを自分の仕事としたウィリアム・テカムセ・シャーマン将軍は説明している。[1]

一八二〇年にシャーマンは、「まだインディアンが州の大部分を占有していた」オハイオ州で、一〇人兄弟姉妹の六番目として生まれた。父親は弁護士で、馬に乗っていることが多く、一八一二年の米英戦争でアメリカ軍に対しイギリス軍とともに戦い戦死した「ショーニー族の偉大な酋長テカムセ（流れ星）が好きだったようだ」[2]。テカムセは、自称預言者の弟テンスク

a

ケイエス島南端を西南西８ないし９リーグの距離の景観

ワタワの支援を受けて、米国への土地の割譲を断固拒否する部族の連合を組織した。トーマス・ジェファーソンは、テンスクワタワを「同胞をありもしない幸福な黄金時代に回帰させようとしている」と批判した[3]。テカムセらの連合は失敗したが、シャーマンは現役の間ずっとこの連合プロジェクトが息を吹き返さないように注意した。

一八四〇年に陸軍士官学校を卒業すると、シャーマンは少尉に任命され、フロリダのピアス駐屯地に配属された。「魚、牡蠣、アオウミガメがいっぱいいる地上の楽園だったが、あまりにもたくさんいたので、……兵士たちはアオウミガメのステーキを食べることを強いられて、それをいじめのように感じていた」。この頃には「フロリダ半島のインディアンは散り散りになっており、戦争とはいっても、小さな集団を追い込み、捕まえて、すでにアーカンソー西部のインディアン準州に定住している他のセミノール族の部族たちの場所へ送るだけだった」[4]。

政府軍によるインディアン追討が西方へ拡大し、以前に追い回して離散させた部族をさらに追い回す状態になったので、シャーマンは保留地への封じ込め作戦を主張し、アメリカ先住民を法的に独立した民族連合として認め続けることに異を唱えた。また一八七〇年に五三人の女性と子どもが殺された、モンタナのピーガン族の村への軍隊の攻撃を正当化した。クルック将軍によるメキシコへのアパッチ族の追跡を許可し、カリフォルニアで蜂起したモドック族に対する厳しい報復を支持した。そしてスー族との一八六八年の条約を破棄するよう主張した。彼は決して迷わなかった。大陸横断鉄道の建設とその結果としてのバッファローの絶滅は、「インディアン問題の最終的解決につながるだろう」と彼は一八七二年に予想している[5]。

シャーマンは南北戦争中、ジョージア州を海に向かって進軍し、反乱軍の農場を襲って食糧を奪い、彼らを無力化したことでその名を知られた。彼は同様に太平洋に向かって進軍する文明について、「南北戦争の終結によって、兵隊生活という少し普通ではない習慣を身につけた一〇〇万人近くの屈強でたくましい男たちが取り残されることになった。彼らの職業や仕事は様々だったが、故郷に戻ると自分の土地に他人が住んでいた。友人や隣人は変わってしまっていたし、自分自身も変わってしまったことに気がついた。こうした男たちが平原に集まってきた。彼らはインディアン戦争の危険に怯むことはなく、むしろいい刺激を受けた」と語った。一世代もしないうちに、入植者の男たちは、軍隊の助けを借りて「野生のバッファローを追い出し、それを上回る数の牛の群れを連れてきた。役立たずのインディアンどもを追い出し、生産性の高い農場オーナーが入れ替わった」と語った[6]。スー族、アパッチ族、その他の部族の抵抗は続いたが「それは運命に抗う勇敢な種族の負け戦だった。各部族の抵抗は次第に激しさを失った。もはや野生動物はいなくなった。白人の数はあまりにも多く強大だった。インディアン問題はいまや彼らへのいわば同情や慈善の話であり、戦争という大問題ではなくなった」とシャーマンは語った[7]。

北米のバッファローは、かつての大きな生息域に散らばった小さな群れになってしまった。アメリカ国立博物館の主任剝製師のウィリアム・テンプル・ホーナデーは「確認されている限り、一八八六年の最初の三カ月間に……アメリカのバッファローの絶滅が驚くほど進行しており……北部も南部も両方で大規模な群れが消滅していることは周知の事実だった」と話し、アメリカ全体で生き残っていた野生のバッファローは「三〇〇頭以下」だったと推定している[8]。

スミソニアン博物館の事務局長スペンサー・F・ベアードは、博物館の所蔵標本がたった一点しかなかったので「バッファローを発見したら、どんな危険を冒しても標本を採集することを決めた。二〇〜三〇点の毛皮、同数の完全骨格、そして少なくとも五〇点の頭骨という内訳の八〇〜一〇〇点の様々な種類の標本採集が決定した」[9]。一八八六年の晩春と秋に、ホーナデーはイエローストーン川とミズーリ川の間にあるモンタナの原野に二回の遠征を行ない、一一頭の雄牛、一一頭の雌牛、三頭の子牛を標本収集した。子牛一頭は生け捕りにされてワシントンに送られ、一八八六年七月二六日まで生きて飼育された。一八八八年末には、野生のバッファローの数は全米で八五頭にまで減少していたとホーナデーは推測している[10]。西部開拓は終わりを告げた。

かつて平原でバッファローを狩っていたインディアンは、更新世末期にベーリンジアの海岸で海棲哺乳類を狩っていた人々の直系の子孫だった。一万五〇〇〇年にわたり北米で繁栄した文化が消滅したとき、ゴーストダンス教と呼ばれる運動が起こった。それは宗教というよりも希望を捨てないという意志表明だった。

この運動は北米西部一帯にふたつの大きな集団として立ち上がった。ひとつ目は一八七〇年にネバダ州ウォーカー・レイク出身のパイユート族の預言者ウォジウォブが立ち上げ、もうひとつは一八九〇年にジャック・ウィルソンの名で知られる同じくパイユート族の預言者ウォボカが立ち上げた。ゴーストダンス運動というと、われわれはキリスト教のメシアの言葉を連想するが、その理由はまず、キリスト教徒たちが自分たちの信仰の言葉で異教を描写したことに原因がある。そしてゴーストダンス教の信者たちもキリスト教信仰の要素を取り入れていた。さらに言えば、復活信仰は、死の認識と同じくらい普遍的なものだったからだ。

一八七二年のモドック蜂起で絞首刑にされた一人を父に持つピーター・ションチンは、一八七

○年にウォジウォブが告げた「草丈八インチになりたる時、死者たちが東から帰りくる……鹿も動物も皆帰りくる……白人どもは死に絶え、地上にはインディアンしか残らない。白人どもは燃え尽きて灰も残さぬ」という予言を覚えていた[11]。

それから二〇年後、ウォジウォブからかつて破門された弟子のウォボカが神の啓示を受けた。この啓示の影響は、より遠く東へと広がっていき、ついにはスー族の間に悲劇を引き起こした〔一八九〇年に起きたウンデッド・ニーの虐殺を指す〕。啓示の内容は、春に草が青くなる時、たちまち白人たちが全滅してインディアンが再び覇権を握るというものだった。「スー族はかねて呪術師たちが約束してきたインディアンの千年王国を実現する『亡霊たちの帰還』が間近に迫っていると信じてとても興奮していた」と、一八九〇年一〇月、スタンディング・ロック・エージェンシー〔インディアン事務局の機関〕のジェームズ・マクラフリンが書いている。

マクラフリンの報告では、死んだ戦士たちの霊は「もともとインディアンのものであった地上に再び住むためにすでに降臨の旅の途上にあり、行進の先頭にバッファローと美しいポニーの巨大な群れを走らせていた。偉大なる聖霊は、長い間、赤い肌の子どもたちを見捨ててきたが、いま再び彼らと共に白人に立ち向かう。白人の火薬にはインディアンの皮膚を弾丸で貫く力はもうないだろう。白人たちは、やがて大土砂崩れによって壊滅して、泥や材木に圧迫されて窒息し、逃げ延びたわずかな者たちは川の中の小さな魚になってしまうだろう」とされていた[12]。

アイルランド系アメリカ人で独学で民族誌学者となったジェームズ・ムーニーは、アメリカ民族学局の創設者ジョン・ウェスリー・パウエルからゴーストダンス運動の調査を命じられ、一年一〇カ月かけて五万一二〇〇キロを旅し、二〇の部族を訪ねた。アイルランド自治法の強硬な支持者で、後にネイティブ・アメリカン教会の共同創設者となるムーニーは、この運動を、圧倒的な困難に直面した人間の、非暴力による自己防衛であると考えた。彼は運動の起源が、政治家であり戦士だったテカムセと、預言者だったテンスクワタワが、敗北した祖国を守るために行なった活動にあると考えた。「賢人と呼ばれる人たちは、世界はますます幸福になっていると言う。つまりわれわれは先祖よりも長生きし、より快適で労苦が少なく、戦争や不和がより少なく、より高い希望と野望を持っているということだ。しかし賢人がどう言おうと、われわれは心の底では、彼らが間違っていることを知っている」と、ムーニーの六三四ページにわたる報告書は始まる。[13]

ムーニーは、アラパホ族とシャイアン族のゴーストダンスに参加し、研究対象の人々の信頼を得た後、ウォボカのもとに巡礼し、直々に運動の起源について学んだ。ムーニーはウォボカのいるネバダ州へ向かう途中で、スー族の直近の反乱の原因を説明する報告書をまとめるために、サウスダコタ州パインブリッジに立ち寄った。そこで彼は一八九〇年一二月のウンデッド・ニーの虐殺が起きた直後の現場を目撃した。

ムーニーは、インディアン事務局長官のトーマス・J・モーガンから、ネルソン・マイルズ将軍、スー族のためのエピスコパル司教であるW・H・ヘアまで、目撃者や当局者の意見を聞いた。そして暴動の主な原因は、ゴーストダンス運動ではなく、バッファローがいなくなったことによる飢餓と、政府が約束した食糧配給を実施しなかったことが原因であるとの見解で全員が一致した。

「一八九〇年一二月二九日の運命の朝にウンデッド・ニーに太陽が昇ったとき、インディアンも軍隊ももめ事を予期しておらず計画してもいなかった。インディアンは二心なく降伏し平和を望んでおり、将校たちも誠実に彼らの降伏を受け入れ、保留地に安全に護送する準備を整えていた。ビッグフットと仲間たちの平和な意思を無視する形で、突如、呪術師のイエローバードが戦士たちに抵抗を促し、攻撃開始の合図を出した。最初の発砲はインディアン側だったので、交戦はインディアン側に非があった。軍による応戦と攻撃は正当だったが、女性と子どもの大規模な虐殺は必要がなく正当化できるものではなかった」とムーニーは結論した[14]。

第七騎兵隊所属の第一砲兵師団のジョン・W・コンフォートは、スー族の野営地を見下ろす位置に配備された四門のホッチキス砲に配置された兵士の一人で、「必要なら散弾で掃射できるように……各砲手は、自分の判断で最も効果があると思われるインディアン野営地内の地点で射撃の訓練を行なった」[15]。ホッチキス砲は、新型の二ポンド砲弾を発射する四二ミリ・ブリーチ・ローディングの火器で軽量の山砲だった。この砲弾は、散弾銃のように小さな弾丸が詰め込まれており、その弾丸が飛翔中に広がり、周辺に並んでいるものを無差別に殺傷することができた。

野営地で戦闘が起きたとき、ホッチキス砲兵たちは、中にいた兵士が野営地から退出したのを見計らって、一〇〇ヤード（九〇メートル）の射程距離から「インディアン戦士、女たち、子ども、馬の群れに散弾を撃った」。「ひどい行ないだった」とコンフォートは認めたが、「しかし女たちに紛れて戦士たちがウィンチェスター銃を猛烈に撃ってきていたし、女たちが怪我をした兵士を殺しているのも見た」とも述べている。

約三五〇人のスー族が、ホッチキス砲弾の砲撃から逃げ出そうとした。「散弾を使い果たした後、逃亡していくインディアンが約二五〇〇ヤード離れた谷に入って見えなくなるまで着発弾で砲撃を続けた」とコンフォートの記録は続く。「谷で騎兵隊が三つの部隊に分かれてインディアンを包囲し、全員を殺すか、捕獲した。捕らえられた者はほぼ全員が怪我をしていた」。数名の生存者は「下馬した騎兵隊に果敢に戦いを挑んで殺された」[16]。

二八人の陸軍兵士が死亡したが、一部は味方の攻撃による死亡の可能性があった。スー族側の死亡者は、コンフォートの集計では二四三人、死者の名前の記録を担当した生存者ジョセフ・ホーン・クラウドの集計では一八五人だった[17]。死者たちは弔いの儀式もなしに集団墓地に埋葬された。ムーニーの情報提供者の一人は、「身体がバラバラになるまで撃たれた幼い子どもたちが穴の中に裸で投げ込まれるのを見るのは、どんなに冷淡な人間であっても心が折れてしまうような体験だった」と証言している[18]。

ムーニーは一八九一年一二月二六日にネバダ州ピラミッド湖近くのウォーカー・リバー・エージェンシーに到着し、預言者ウォボカが七〇キロ離れたメイソン谷の上流にいることを知った。「そこはセージの茂る約五〇キロ続く細長い平原で、巨大なシエラ山脈に囲まれている。山の側面は火山の噴火で引き裂かれ、抉られ、マツの陰鬱な森に覆われている。聳え立つ山頂は万年雪に白く覆われ、その上には雲一つない空が広がっていて、その限りない青さを見つめていると彼方の世界に心が吸い込まれそうになった」とムーニーは書いた[19]。ピラミッド湖のインディアン代理人C・C・ワーナーは、ムーニーに「私のエージェンシー〔インディアン事務局の営業所〕の近くに、インディアンたちの幽霊の歌やら踊りやら儀式は存在しない。そんなものは許さない」と断言した。[20] ムーニーがウォボカの叔父、チャーリー・シープの信頼を得るまでは丸一週間を要したが、シープは甥を探しに行くことに同意し、彼らは一八九二年の元日に、雪が降り積もった後に狩りに出ていたウォボカを発見した。「それは間違いなく、ジャックラビットを狩るメシアだった」とムーニーは述べ、これほど深い雪は「この地方では非常に珍しく、チャーリーが言うように、この降雪はジャック・ウィルソン〔ウォボカの別名〕の直接のパワーによるものだった」と続ける。[21]

ウォボカは土間でトゥーレ葺き小屋の自宅に訪問者を迎え入れた。そこには彼の妻と乳児と四歳の息子がいた。ウォボカはヤマヨモギの焚火の世話をしていて、「時折、新しい茎が投げ込まれると、火の粉が空中に舞った」。[22] 彼は「太陽が死んだ時」に神の啓示を見たのだと言ったが、この証言はその三年ほど前の一八八九年一月一日に起きた日食の記録と符合する。ムーニーは、ウォボカの見た神のビジョンは、日蝕による精神の高揚と病気による発熱が重なったことが原因で、それ以降に見たビジョンはカタレプシー（強硬症）の発作によるものだったと考えていたが、ウォボカの教えは注意深くノートに書き、彼が歌う歌を何曲か記録し、許可を取った上で、周囲の草原で溶けた新雪を背景に、チャーリー・シープの前に座るウォボカの写真を撮った。ウォボカの教えは平和のメッセージであり、白人に対してだけでなく、インディアンの間でも暴力や不正をやめるよう信者に呼びかけるものだとムーニーは強調した。

ウォボカは日食で意識を失っている間に、神から直接、平和の教えとともに天候に影響を与える力を授かったと話した。「ウォボカは、雨を降らせる五つの歌を知っていることが分かった。最初の歌は霧や雲を呼び、二番目は雪、三番目はにわか雨、四番目は豪雨や嵐、五番目の歌を歌うと再び晴れになる」とムーニーは書いている。[23]

ムーニーは、過去にウォボカを訪問したシャイアン族とアラパホ族の情報提供者のふたつの記録を見比べて相違を発見した。「シャイアン族の訪問者の一人で、当時インディアン警察の隊長だったトール・ブルは、帰るまでにウォボカに超能力の証拠を見せてほしいと頼んだ。ウォボカは彼らを地面に並んで座らせ、自分は向かい合って座り、ソンブレロ帽を彼らの前に置き、鷲の羽根を手に持った。そして素早い動きで、空っぽの帽子に手を入れると、そこから『黒っぽい何か』を取り出した。トール・ブルはこれを見て何か特別なことが起きたとは認めず、シャイアン族にも同じような力を持つ呪術師はいると思うと言って、あまり深い感銘を受けていないようだった」

一方、アラパホ族の訪問者の一人である「ブラック・コヨーテはトール・ブルの説明と同じように、彼らがウォボカの前で地面に座った時のことを語った。救世主が帽子の上で羽根を振る動作をし、それから手を引っ込めたので、ブラック・コヨーテは帽子の中を覗き込んだ。すると、そこに『世界のすべて』が見えた」という。

「救世主は鷲の羽根で催眠術をかけたのだ。ゴーストダンスで同じことをやるのを私は何度も見ていた。ブラック・コヨーテは、トール・ブルが空っぽの帽子しか見ていないところに、霊界全体を見たのだろう」とムーニーは最終判断を下さず、記録を締めくくっている。[24]

一九世紀の南北戦争直後に鉄道が平原を無慈悲に横断した。同じように、二〇世紀には第二次世界大戦後にデジタル・コンピューターが北米を席巻した。コンピューターについて懸念する声はポツリポツリと静かに上がっていた。ジュリアン・ビゲローとともに近代サイバネティクスの創始者ノーバート・ウィーナーは、一九四三年の予言的な『行動、目的、目的論』[25]から亡くなる一九六四年までの間に、「未来の世界は、われわれの知性の限界をめぐる激しい攻防戦になる。ロボット奴隷を侍らせて寝そべっていられる安楽ハンモックの世界ではないだろう」という予言を残した[26]。ロボットの番人であろうとする人間が、逆にロボットに監視されることになる。

ウィーナーの警句は無視された。その第一の理由は、デジタル・コンピューターの開発が水爆の開発と同時に行なわれたからである。人々は水爆という短期的な視点での危険に目を奪われて、人間の主体性をマシンのコントロールに委ねるという長期的な視点の危険が見えなかった。第二の理由としては、人間がマシンに指示を与えている限り、人間の自律性が危険に晒されるなどとは思われなかったからであった。

デジタル・コンピューターがアルゴリズム、つまり論理的な段階的手続きに依存しているからといって、マシンの知能が論理的な制御のもとに保たれる保証はない。マシンの知能の根底にあるアルゴリズムを見出そうとすることは、クジラ同士のコミュニケーションの根底にある言語を見出そうとするのと同じくらい無駄なことかもしれない。アルゴリズムの領域をいくら探しても、マシンの真の自律性と知能のしるしを見つけることはできまい。

自然界では、神経系（ニューラル・ネットワーク）と呼ばれるアナログ方式のコンピューターが進化し、世界から収集した情報を統合している。神経系は学習する。自分自身の行動を制御することを学び、自分自身や他の種類の生物の行動を含めて、環境を制御することを学ぶのだ。マシン知能の三世代以上前にスタン・ウラムは「数学的論理が人間の思考法と同じだと、どうして強く確信できようか？」と問いかけていた。[27]

一九四三年三月二五日、フリーマン・ダイソンが自転車でケンブリッジからイーリーまで行く途中でイギリス空軍の爆撃機を見た二日後、「一九四三年二月一一日、プリンストン」の消印が押された大きな封筒が届き、中にはなんと、クルト・ゲーデルの書いた『連続体仮説の整合性』が入っていた。「アメリカという場所が抽象的な意味ではなく、本当に存在していることを初めて実感しました」と、彼は両親に書いている。[28]

ライプニッツの無限小の研究に起源を持つ連続体仮説は、アナログ・コンピューティングとデジタル・コンピューティングはどちらも無限の力を持つが、それぞれがどれだけ進化しても発揮する力は異なることを示唆している。一八七八年に超限数のパイオニアのゲオルク・カントールが初めて立てた連続体仮説は、無限の数存在する無限のすべてを二種類に分ける。ひとつは、整数の一、二、三……を際限なく数えてできる整数の無限集合だ。もう一方は、直線上の点によって表される実数の無限集合だ。直線上の点の数はその線が有限の長さであっても無限個であるばかりでなく、どんなに近い二点の間にも無限個の点が存在する。

純粋な砂粒が堆積した、どこまでも続く広い砂浜を想像してみよう。水際には、一本の連続線が引かれている。砂浜はどこまでも続くので砂粒の数は無限数であるが、砂粒をひとつずつ数えることができるので、数えられる無限だ。また、線上には無限数の点があるが、線は連続体であるから、数えられない無限だ。仮にあなたが浜辺で友人と一緒に座り、友人が砂粒を数え始めている間に、あなたは線上の点を数え始めるとしよう。あなたは数えきれない無限の点をズルして飛ばして追いつこうとしない限り、友人に置いて行かれてしまうだろう。ふたつの無限は決して一致しない。

連続体仮説によれば、砂粒の数のような数えられる無限はすべて整数と一対一で対応させることができる。連続線上の点の数のような数えられない無限は完全な連続体である。このふたつの無限の間に中間の無限は存在しない。無限はカンファレンスの最後に無料で配られるTシャツのようなもので、XLサイズとXSサイズしかない。もし連続体仮説が正しいとすると、無限にはふたつのサイズ、すなわちふたつの大きさしかなく、中間のサイズの無限は存在しないことになる。連続体仮説の核心は、連続で数えられない無限と、離散値で数えられる無限の間に中間がなく、本質的な違いがあるという予想だ。

カントールは仮説の起源がライプニッツにあることを認めていた。ゲーデルは「連続体のあらゆる無限の部分集合は、整数のべき集合の大きさ、または連続体全体の大きさのいずれかを持つか否か」という問題にずっと取り組んでいたが、後半生の長い時期にわたってライプニッツの未発表資料を漁って手がかりを探した[29]。プリンストン高等研究所の同僚の中には、ゲーデルがライプニッツの写本に執着して時間を浪費し、研究所の数学的水準を低下させていると考える者もいたが、フォン・ノイマンは「自分が何をするかは、自分自身が判断すべきものである」と主張し、ゲーデルを弁護している[30]。ゲーデルはその洞察力で、アラン・チューリング、ジョン・フォン・ノイマンと同様に、デジタル方式の計算の礎（いしずえ）を築いたが、連続体仮説とライプニッツの未解決問題に執着することで、その先にある何かを追いかけていたのかもしれない。

一九〇〇年にダフィット・ヒルベルトは、連続体仮説を「非常にもっともらしい定理だが、それにもかかわらず、どんなに懸命な努力をしても誰も証明することに成功していない」とし、未解決の二三の問題の筆頭に挙げた。[31] 証明されなかったものの、一九四〇年にゲーデルが「構成可能な」宇宙を持ち出すことによって、集合論の公理からの独立性は証明し、証明不可能であっても真でありうることを明らかにし、一九六三年にポール・コーエンがさらに公理の追加なしには証明できないことを証明したが、連続体仮説は未解決のままだ。真理と証明可能性は別のものなのだ。[32]

連続体仮説は、生物と非生物の計算方式の違いを説明できる。コンピューターは、カントールの無限のように、二種類に分けることができる。デジタル・コンピューターは有限であるが無限の離散化状態をとるマシンで、その可能な状態は整数に一対一で対応させることができる。アナログ・コンピューターは、整数に直接一対一で対応する離散状態を持たず、連続体の部分集合に属し、その部分集合はカントールによれば、連続体全体の大きさを持つとされる。

デジタル・コンピューターが扱うのは、整数、二進数、決定論的論理、そして離散値的に増えていく理想化された時間だ。アナログ・コンピューターは、実数、非決定論的論理と実世界に連続体として存在する時間を含む連続的関数としての時間を扱う。

仮に道の真ん中を見つける必要があるとしよう。ひとつのやり方としては、任意の細かさの目盛りを持つメジャーを利用して幅を計測すればいい。この場合はメジャーの目盛りの値の細かさに依存するが、中央の位置の最近似値をデジタル的に求めることができる。あるいは、一定の長さのひもをアナログ・コンピューターとして使い、道の幅とひもの長さを一致させるやり方もある。このひもを半分に折りたためば、目盛りの細かさとは関係なく、精確に中央を求めることができる。

アナログ・コンピューティングでは、複雑性はコードではなく、アーキテクチャーに宿る。情報はビット列の論理演算ではなく、電圧や相対的なパルス周波数の値のような連続関数で扱われる。一ビットに大きな違いはない。デジタル・コンピューターでは、一ビットに世界をまったく変えてしまう力がある。

デジタル・コンピューティングでは、エラーや曖昧さは許されず、正確な定義と各段階でのエラー訂正が必要になる。アナログ方式の計算は、エラーや曖昧さを許容するだけでなく、それを使ってうまく動く。デジタル・コンピューターは、技術的には、硬直化してノイズに対する耐性を失ってしまったアナログ・コンピューターだ。アナログ・コンピューターはノイズを受け入れるばかりか、例えば実際の発達途上の脳の視覚系や聴覚系などの神経ネットワークは、機能するために一定レベルの背景ノイズを必要としさえする。

自然界では、それ以外の点では非デジタルの生物が、ヌクレオチドの四種類の略語を使って生殖のための無数の命令セットを保存、複製、伝達することができ、その過程で、変更、組み換え、エラー訂正ができるようにコード最適化が行なわれている。数えられるものと数えられないものの両方を含む自然界は、世代間の情報の保存、組み合わせ、エラー訂正にはデジタル・コンピューティングを使い、リアルタイム知能のはたらきと制御にはアナログ・コンピューティングを使う。

構成可能な無限は、現在はマシンと相性が良いが、これからもそうだとは限らない。連続体仮説は、中間の無限が存在しないことを示唆している。デジタル・コンピューターは、どんなに大きく、高速で強力でも、数えられる無限の大きさに制約されている。生物や生物のように動くマシンは、どんなに小さくて些細な物であっても、連続体全体の大きさを持つのだ。

真空管は市場から姿を消した。しかしアナログ・コンピューティングは健在だ。アナログ・コンピューティングには、ふたつのフロンティアがある。ひとつは、（神経を模倣したという意味の）ニューロモーフィック・マイクロプロセッサーで、軍事用ドローン、自律走行車両、モバイルデバイスの需要に後押しされてボトムアップ的に進展している。もうひとつは、多数のデジタル・コンピューターが相互接続したネットワークがアナログ・コンピューターになって世界に広がっていき、支配権を握るというフロンティアだ。これらのシステムは、第二次世界大戦後にアナログのハードウェアの抽象的結合のレイヤーとして、デジタル・コンピューターが生み出されたのと同じように、新たなコンピューティングのレイヤーを作り、デジタル・コンピューティングがアナロク・コンピューティングに置き換わろうとしている。

個々に独立し決定論的に有限状態で動作するプロセッサーが集積して、大規模・非決定論的・非有限状態で動作するメタゾアン〔後生動物、現世人類〕・システムを形成している。このシステムはビットの流れを集合的に扱い、真空管が管内の電子の流れを処理するときと同じように、離散化状態の装置が生み出すビットの流れを連続的に処理している。ビットは新たな電子の役割を果たす。商品の流通から、交通の流れ、アイデアの流れまであらゆるものを支配しながら、情報は、脳や神経細胞がパルス周波数で符号化した情報を処理するのと同じやり方で統計的に処理される。アナログが戻ってきた。アナログの本質は支配権を握ることだ。

一九五八年に戻って、北米を空からの攻撃から守ろうとしたとしよう。敵機を識別するためには、コンピューターと早期警戒レーダーのネットワークを使い、すべての民間航空機の最新の運航を一分間隔で示して地図と照合する必要がある。アメリカはこのようなシステムを現実に構築し、ＳＡＧＥ（Semi-Automatic Ground Environment）と名づけた。ＳＡＧＥは、航空券をオンラインで予約するための最初の統合予約システムであるＳＡＢＲＥ〔現在も世界最大の航空・鉄道・ホテルの予約システムのネットワーク〕を生み出した。ＳＡＢＲＥとその後継システムはすぐに、ただどの便のどの席が空いているかを教える地図の役割を超えて、飛行機がいつどこを飛ぶかをコントロールする分散知能のシステムになった。

航空会社はこれを「イールドマネジメント」と呼んで、空席状況に応じて航空券の価格をリアルタイムで変更する高度なアルゴリズムを開発した。しかしその知能と制御の本質は、組み込まれたアルゴリズムにあるのではなく、飛行中の航空機のネットワーク自体にある。チケット価格とフライト頻度はネットワークが計算する、ふたつの連続関数である。その計算は、チケット価格とフライト頻度を決めるだけではない。ネットワークの形状までも決めてしまうのだ。

飛行機の運航は誰かが管制室のようなところで管理していると思われがちだが、実はそうではない。例えば、高速道路のトラフィックを地図上にリアルタイムに表示するシステムを構築するとしよう。車は自分の位置と速度をシステムに報告する代わりに、リアルタイムに混雑状況のマップにアクセスできるようにする。システムには、リアルタイムにマップを描画し、二点間の時間的最短距離を選択する単純なアルゴリズムがあるだけで、管制官のような中央制御のモデルはどこにも存在しない。複雑さはアルゴリズムにではなく、車のトラフィックに内在している。

これがソーシャル・ネットワークがなぜこれほど強力な力を持ち、拡大したかの理由だ。ソーシャル・ネットワークは、デジタル・コンピューターの上で動作するが、重要なのはプログラムの中の論理コードではなく、ユーザー同士の関係の統計的マッピングである。ソーシャルグラフの「モデル」が、現実のソーシャルグラフになって、世界中に広がっていく。

もし人類が知るすべての事柄の意味を知りたいとしたら？　ムーアの法則のおかげで、存在するすべての情報を捕捉するのに必要な時間とコストはそれほど多くない。しかし、意味は捕捉できるのか？

すべてがデジタルの時代にあっても、人間同士がコミュニケーションに使う意味は論理的ではないので、論理的な言葉で定義することはできない。ライプニッツの論理的ユートピアは完結しない。最良の方法は、まず意味について集められる限りの答えを集め、次に意図が明確な質問を集める。そして意味と答えのつながりから、すべてのものがどのようにつながっているか、パルス周波数で重みづけされた地図をつくることだ。このシステムの役割は、非論理的な人間と連携して、意味の使われ方を観察し地図に書き込んでいくだけではない。辞書が言葉のカタログを作るだけではなく、意味を定義するのと同じように、システムが意味を構築し始める。人間の間で何かの意味は、その何かが他の知っている物事と、どの程度つながっているかで決まる。そうしたつながりをマッピングしている検索エンジンは、われわれの考え方の集合的モデルというだけでなく、徐々にわれわれの考え方そのものになっている。じきに検索エンジンは、先述のトラフィックマップが、交通の流れをコントロールするのと同じように、意味をコントロールするだろう。誰もコントロールする者などいないのに。

人工知能には三つの法則がある。ひとつ目は、『頭脳への設計』の著者であるサイバネティクス研究者のW・ロス・アシュビーにちなんで「アシュビーの必要多様性の法則」と呼ばれる。実効的な制御システムは、それが制御するシステムと同じくらい複雑でなければならないとするものだ。

第二の法則は、ジョン・フォン・ノイマンが提唱したもので、複雑なシステムの特徴を規定するのは、それ自身の最も単純な動作の記述だ、とするものだ。生物の最も単純で完全なモデルとは、その生物そのものだ。システムの動作をアルゴリズムのような形式的な記述に還元しようとすると、物事はより複雑になるだけで簡単になることはない。

第三の法則は、理解可能な単純なシステムは、知的な振る舞いをするには複雑さが足りず、知的な振る舞いができるくらい複雑などんなシステムも、理解するには複雑すぎるというものだ。

これらの法則は、自ら思考する人工知能は、形式的にプログラム可能な制御では決して到達できないことを暗示しているように思える。人間の知性を理解するまではマシンが超人的な知能を持つことを心配する必要はない、と考える人々にとっては安心だろう。しかし、理解をせずに何かを作ってはいけないという道理もない。

テクノロジーの第二と第三の時代においては、連続体の力は自然に委ねられ、一方、数えられる無限の力はマシンが行使した。中間のサイズの無限が存在しないため、自己再生技術や自己複製コードが埋めるべき空白を残した。デジタル宇宙のビット数は数えられるが、急速に増えているので、どの部分集合をサンプリングしても、常にビットの数が増えている。まるで、浜辺で線上の点を数えていたのに、砂粒の数が二倍になっているので、砂粒を数えている友人に完全に追い抜かれることがなくなったようなものだ。もし、中間のサイズの無限があるとしたらそんなふうに見えるだろう。

デジタル宇宙は現在、一秒間に約三〇兆個のトランジスターで拡張されており、数えることはできるが数え切れないコード列で満たされている。このコードの増殖は、三つの基本原則によって推進されている。ひとつ目は、チューリングが実証したデジタル・コンピューターの普遍性だ。ライプニッツの「すべての機械に共通する普遍的な言語」というビジョンが現実になった。ふたつ目はフォン・ノイマンによる自己増殖するオートマトン理論で、そのような万能のマシンが自己増殖できることを証明した。三つ目はシャノンのサンプリング（標本化）定理で、離散化状態のマシンがあらゆる連続関数を任意の解像度で処理できることを証明し、デジタル・コンピューターが世界を支配する道筋を開いた。

テクノロジーの第四の時代には、連続体の力が機械のものになる。アナログ部品を使ってデジタル・コンピューターが作られたときと同じように、次の革命はアナログ・システムの台頭であり、デジタルプログラミングの支配が終わりを告げる。プログラム可能な機械によって自然をコントロールする方法を探す人間に対して、自然が教える答えは、プログラム不可能な性質を持つシステムを構築することである。

離散化状態の機械の進歩に抵抗する必要はない。連続体の亡霊は、春に草丈八インチになりたるとき、たちまち戻ってくるからだ。今日販売されている飼いならされた機械知能とは違う、人間にではなく完全に自然に育てられ、野生で増殖した真の機械知能と共存していく世界は、ウォボカや他の人々が予言した新しい千年王国をもたらすだろう。人間という種と人間の心は、大小の生物と共有する世界で育ち、ある者はコミュニケーションをとる特権を得たが、誰も理解し、コントロールしようとはしなかった霊魂に動かされている。ライプニッツは一六九三年に、「最小の粒子は、無限の異なる生物に満ちた世界と考えなければならない」と認めている。[33]

空っぽの帽子しか見えていない者がいる。しかし連続体の完全な姿が見えている者には、ただ数えられるだけの無限の力は川を泳ぐ小魚に過ぎず、地上を再びメガファウナ（大型動物相）が闊歩する世界が見えてくる。

そして「かつてのインディアンの予言のようにデジタルの世界は燃え尽き」灰も残さぬだろう。

謝辞

子どもは猫と同じで、好きな人と嫌う人に分かれます。猫も子どもも、幼いうちからその違いがわかるのです。私は、ニュージャージー州プリンストンで開催されたカクテル・パーティーに父と母に連れて行かれ、会場の奥の部屋でベビーベッドの中に一人取り残された時のことを覚えています。私は閉じ込められていることに不満でしたが、〝ジョニー〟・フォン・ノイマンと思われる恰幅の良い優しい紳士が、同僚と話すのをやめて私に話しかけ、ベビーベッドの格子越しに飲み物を一口飲ませてくれたので幸せになりました。フォン・ノイマンは、現代のデジタルコンピューティングを築いた一人ですが、特許はたったひとつしか持っていませんでした。それはこの本のテーマである非フォン・ノイマン式コンピューターの方法論の特許でした。

異端児もまた猫のようなものです。食事の残りを与えてくれる人々の力で生き延びる野良猫のように、異端児は人々の世話になりながら人生を切り開いていくのです。ジム・ベイツ、マ

岬が北 1/2 西 4 リーグの距離の時のエッジコム山の景観

イケル・ベリー、ジェフ・ベゾス、ジュリアン・ビゲロー、リディア・ブラック、ベーラ&ガブリエラ・ボロバス、ジョン・ブロックマン、アン・フス・ブラウワー、バーバラ・ブラウワー、デイヴィッド・R・ブラウワー、ジョン・ブラウワー、ケネス・ブラウワー、ロバート・アイリッシュ・ブラウワー、キャシー・ケイン、エリック・チンスキー、ライ&スージー・クーダー、フレデリカ・デ・ラグナ、エスター・ダイソン、イム・ダイソン、ローレン・ダイソン、リチャード・エルソン、ジェイソン・ハルム、カタリナ・ハルム、マイケル・J・ホーリー、ダニー・ヒリス、ロバート・ハンター、ジョージ・F・ジュエット、ヒューイ・D・ジョンソン、チャールズ・ジュラース、エレン・ラッカーマン、ウィリアム・S・ラフリン、ウィル・マロフ、カティンカ・マトソン、チャールズ・マカリース、ステファン・マクグラス、ジェームズ・ノイズ、リチャード・P・オニール、ティム・オライリー、リチャード・A・ピアース、チャールズ・シモニー、ポール・スポング、ウリ・ステルツァー、ニール・スティーヴンスン、グレッグ・ストレベラー、ジン・タツムラ、セオドア・B・テイラー、ピーター・トーマス、フランソワーズ・ウラム、カール・ウーズ、アン・ヤウ、ジョー・ザイナー（アルファベット順）は、私のために食事を残してくれました。また、私がこの世のすべての信任状を持っているかのように、蔵書へのアクセスを認めてくれた公文書館や図書館の職員も同じです。また、カナダ評議会、フレンズ・オブ・アース、西ワシントン大学フェアヘブン校、プリンストン高等研究所、ブルーオリジン社、ヴィクトリア大学からは、組織的な支援をいただきました。

私の父、フリーマン・ダイソンは、この本の出版と同時に亡くなりましたが、彼は木に登り、速足で歩き、一九五七年一〇月にスプートニクが頭上を飛ぶのを見るために私をベッドから引きずり出した人でした。一九五九年に発行された『Outer Planet Satellites』というタイトルの古い資料の中の「General Atomic Calculation Sheet」という、当時彼が計画していた宇宙航海の行き先候補の比較一覧を見せると、しばらく眺めて、「エンケラドス〔土星の第二衛星〕がまだよさそうだ」と言ったものです。

二〇一六年に亡くなった私の母、ヴェレーナ・フーバー・ダイソン、「量子」「決定不能」「特異点」といった、厳密な数学的意味を持つ用語が、非数学的で曖昧なアイデアに適用されることに、寛容ではありませんでした。本書の章題に「連続体仮説」が使われていることに、彼女は異を唱えることでしょう。「きっとこれでうまくいくわ。さあ、行ってみましょう」というのが、彼女の最後の言葉でした。

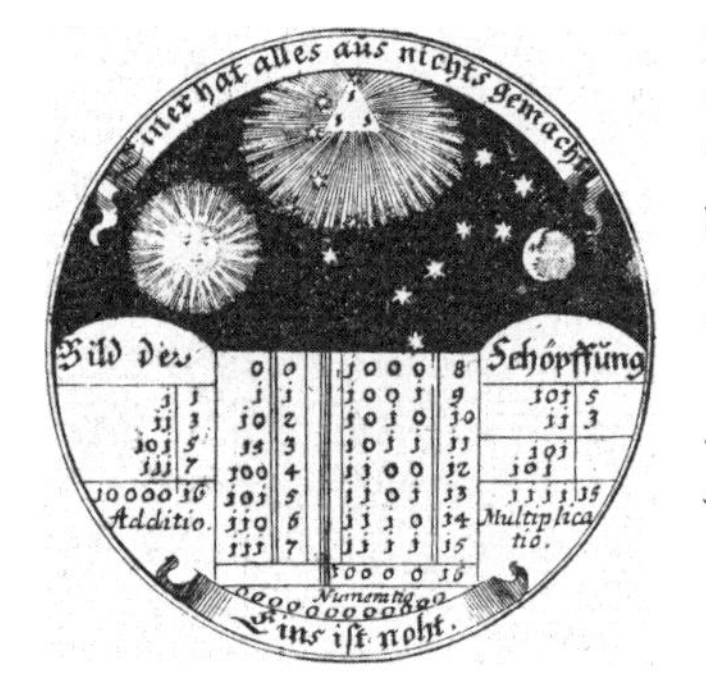

1697年1月2日、ゴットフリート・ヴィルヘルム・ライプニッツがブラウンシュヴァイク公ルドルフ・アウグストに贈った銀メダルのデザイン。“神の全能性による無から万物の創造”が描かれている。ライプニッツは、二進法は「油やイワシを売る人たち」を超える力を持つと信じていた。(エーリッヒ・ホーホシュテッター、ヘルマン・ヨーゼフ・グレーベ編、『ライプニッツ氏の0と1による計算』、ベルリン、1966年より)

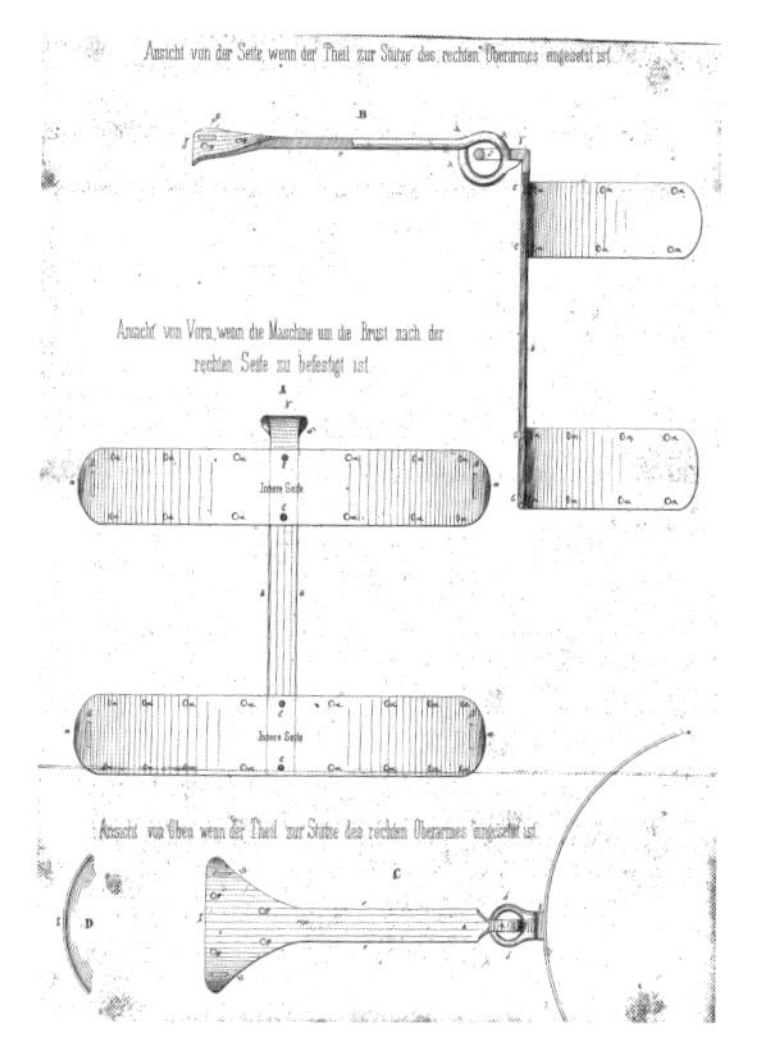

ライプニッツが製作することになった、皇帝の麻痺した腕のための機械的支持具。片腕の麻痺に悩むピョートル大帝は、ライプニッツに依頼して補完的支持具を設計・製作させた。(ウラジミール・ゲリエ、『ライプニッツとロシア、ピョートル大帝の関係』、サンクトペテルブルク、1873年より)

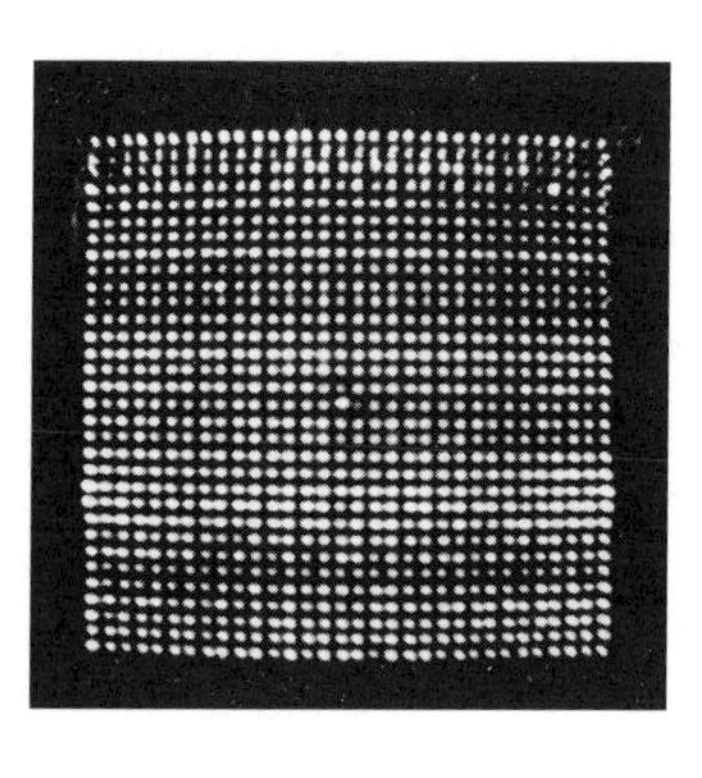

1953年のデジタル宇宙。ウィリアムズ社のブラウン管には、32 × 32(1キロビット)の荷電スポットが並んでおり、ディスプレイではなく、ワーキングメモリーとして機能している(1953年2月11日、高等研究所電子コンピューター・プロジェクトの保守記録に残された検査写真)。当時、地球上には53キロバイトの高速ランダムアクセスメモリーが存在していた。(提供:シェルビー・ホワイト&レオン・レヴィ・アーカイブスセンター、高等研究所、ECPレコード)

最初の接触。1741年9月9日、セント・ピーター号乗組員のロシア側とシュマージン諸島の住民との遭遇時に観察されたアリュート族のカヤック乗り。（サンクトペテルブルク、海洋省公文書館所蔵だった1744年、スヴェン・ワクセルとソフロン・キトロフによるセント・ピーター号航海図から。F. A. ゴルダー、『ベーリングの航海』、1922年より）

左　体重約3.6トンに及ぶステラーカイギュウ（Hydrodamalis gigas）は1741年にベーリング島で発見され、1768年に最後に生きた姿が目撃された。ゲオルク・ヴィルヘルム・ステラーは「もしあれがわれわれに捕まらず、われわれも知られぬままにしておこうと決めて沈黙していたなら……今日まで未知で未調査のままであったとしてもおかしくない」と書いている。（1742年にフリードリヒ・プレニズナーがベーリング島で描いたスケッチをもとにしたリトグラフ、P. S. パラス、『ズーグラフィア・ロソ・アジアティカ』、サンクトペテルブルク、1831年より。提供：スミソニアン図書館、生物多様性遺産図書館）

右　ヤコビ島のサージ湾にあるペトログリフで、1741年7月18日にセント・ポール号の11人が水を求めて上陸したロングボートが描かれていると思われる。ロングボートは左右両側に4人ずつ漕ぎ手を乗せ、船尾に1人の舵取り、2人の漕ぎ手ではない乗船者、そして2つの大きな水樽が積まれていた。（写真：ドン・ダグラス、提供：レアンヌ・ヘミングウェイ＝ダグラス）

ウナラスカ沖のアリュート族海棲哺乳類ハンター、1827年。（フリードリヒ・H・フォン・キトリッツのデッサンに基づくG・エンゲルマンによるリトグラフ、フレデリック・リトケの『世界一周の旅』〔パリ、1835年〕の図解から。提供：イェール大学バイネキー図書館所蔵イェール西アメリカーナコレクション）

1909年、ウムナック島ニコルスキー村にて、鯨の腸の雨具を着たキリル・エルメロフとイヴァン・スヴォーロフ。（写真：ワルデマール・ヨヘルソン、提供：カーネギー・インスティテューション・オブ・ワシントン）

1886年3月26日、シエラ・マドレにおける、チリカウア・アパッチ戦士の一団とナイチ（騎乗、中央）とジェロニモ（ナイチの馬の横に立つ）。クルック将軍は「止むことのない追討作戦」にもかかわらず、逃亡者たちが「体調は完璧で隙間なく武装し弾薬を大量に持っている」ことを発見した。（写真：カミラス・S・フライ、提供：パレス・オブ・ザ・ガバナーズ・フォト・アーカイブス、NMHM / DCA 003766）

ジェロニモ（騎乗、左）とナイチ（騎乗、右）、ペリコ（幼児を抱く）、ツィスナ（右端）。（写真：カミラス・S・フライ、1886年3月26日、提供：国立公文書記録管理局、NAID 533085）

ジェームズ・“サンチャゴ”・マッキン（手前）は、11 歳の時にジェロニモの一団に捕らえられた。両親に返すと言われたとき、彼はアパッチ語で「戻りたくない、ずっとインディアンと一緒にいたい」と答え、「罠にかかった若い野生動物のようだった」という。（写真：カミラス・S・フライ、1886 年 3 月 26 日、提供：米国議会図書館、プリント＆フォトグラフ部門、2006682475）

1886 年 3 月 25 日、メキシコのソノラ、キャニョン・デ・ロス・エンブドスで会議中のジェロニモ（前景、左から 3 番目）とジョージ・クルック将軍（前景、右から 2 番目）。クルックの左隣にはジョン・グレゴリー・バーク、右隣には 13 歳のチャールズ・ロバーツ、中央の後方にはクルックのラバ、アパッチがいる。（写真：カミラス・S・フライ、提供：パレス・オブ・ザ・ガバナーズ・フォト・アーカイブス、NMHM / DCA 002116）

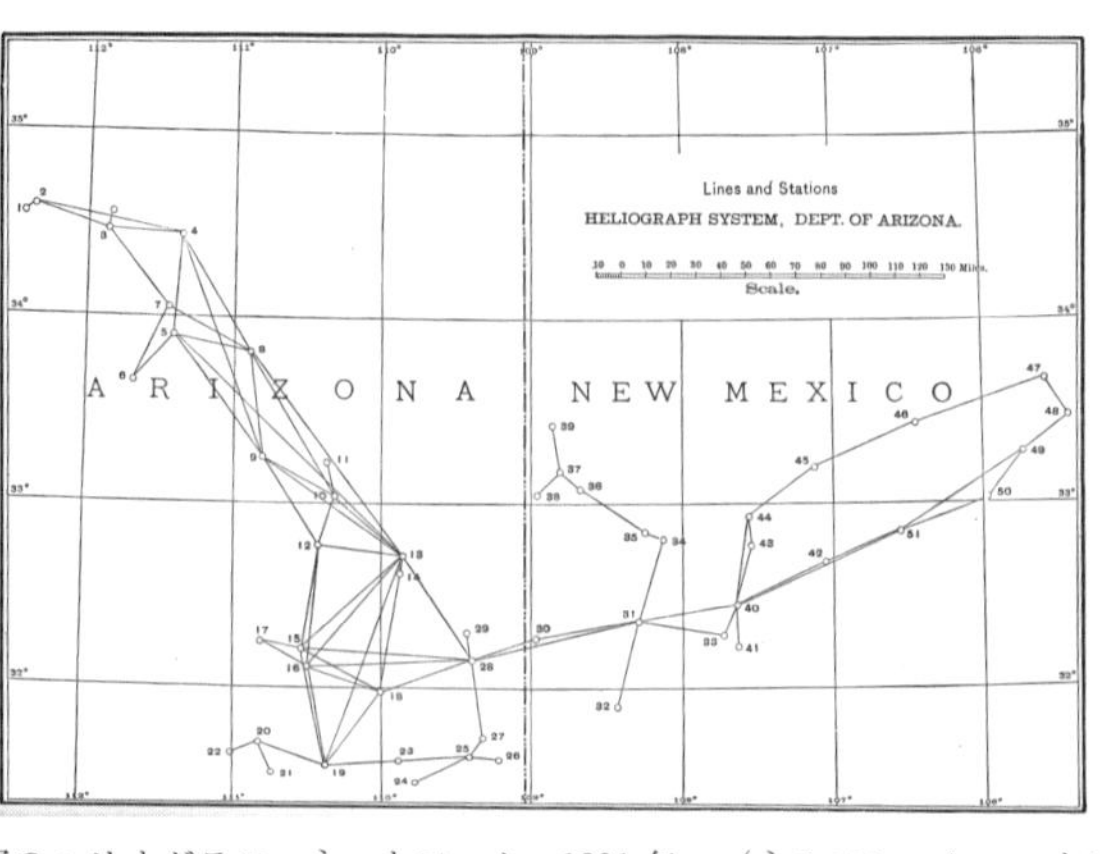

アメリカ陸軍のヘリオグラフ・ネットワーク、1891年。（ネルソン・A・マイルズ、『個人的回想録』、1896年より）

フロリダ州フォート・マリオンに向かう途中のチリカウア・アパッチ族の捕虜、テキサス州ヌエセス川にて、1886年9月10日。前列右から3番目がジェロニモ、中央がナイチ。後列右から3番目が千里眼の戦士でビクトリオの妹ロゼン。（写真：A. J・マクドナルド、提供：国立公文書記録管理局、NAID 530797）

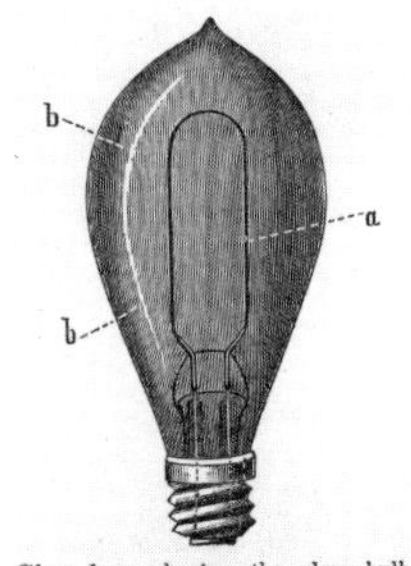

Glow lamp, having the glass bulb blackened by deposit of carbon, showing the molecular scattering which has taken place from the point a on the filament, and the shadow or line of no deposit produced at b.

「エレクロトニクス」という言葉をつくったジョン・アンブローズ・フレミングは1890年、電球のフィラメントが全方向に一様に光を放射すると同時に、まだ正体不明の荷電粒子（後に電子として知られるようになる）が、非対称に放出されていることを観察した。（ジョン・アンブローズ・フレミング、「電球の物理学上の問題点」、1890年2月14日）

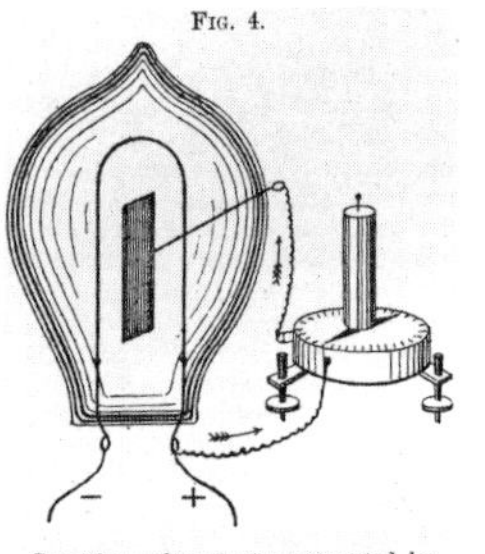

Fig. 4.
−
+
Sensitive galvanometer connected between the middle plate and positive electrode of a glow lamp, showing current flowing through it when the lamp is in action (" Edison effect ").

“エジソン効果”。フレミングは、この真空中の非対称的な伝導性を理解するために白熱電球に小さな金属板を挿入した。これが真空管（彼は熱電子「バルブ」と呼んだ）の発明につながった。（ジョン・アンブローズ・フレミング、1890年）

リー・ド・フォレストの「オーディオン」は、「存在も形態も周波数も全く未知のままである電気エネルギーを増幅し、知覚に変換する」もので、プラチナ線を焼き網の形に曲げて作った第三電極があり、この電極（グリッド）に流す小さな制御電流によって管内の陰極から陽極への電子流を調整することができた。1914年頃の長板型は、このようなものである。（提供：ジョン・ジェンキンズ、スパーク電気発明博物館）

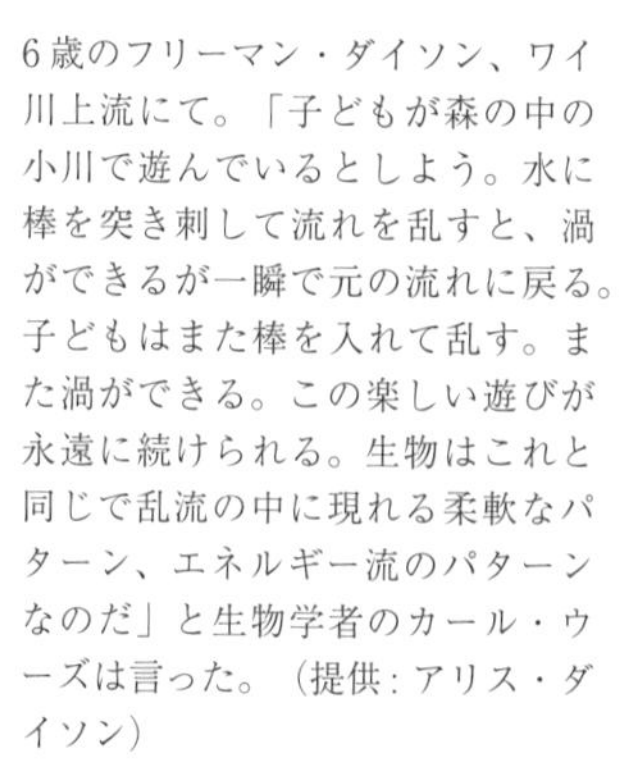

6歳のフリーマン・ダイソン、ワイ川上流にて。「子どもが森の中の小川で遊んでいるとしよう。水に棒を突き刺して流れを乱すと、渦ができるが一瞬で元の流れに戻る。子どもはまた棒を入れて乱す。また渦ができる。この楽しい遊びが永遠に続けられる。生物はこれと同じで乱流の中に現れる柔軟なパターン、エネルギー流のパターンなのだ」と生物学者のカール・ウーズは言った。（提供：アリス・ダイソン）

『フィリップ・ロバーツ卿のエロルナー衝突』。小惑星エロスとの衝突を観測するための月への航海を描いた未完成の物語。フリーマン・ダイソンが1932年、8歳の時に書き始めたもの。（フリーマン・ダイソン・ペーパーズ、アメリカ哲学協会）

愛車1940年製ダッジのハンドルを握るヴェレーナ・ヘフェリ（旧姓フーバー）と、フリーマン・ダイソンとフリッツ・ロールリヒ。1949年5月8日、ニュージャージー州の海岸にて。（写真：セシル・モレット）

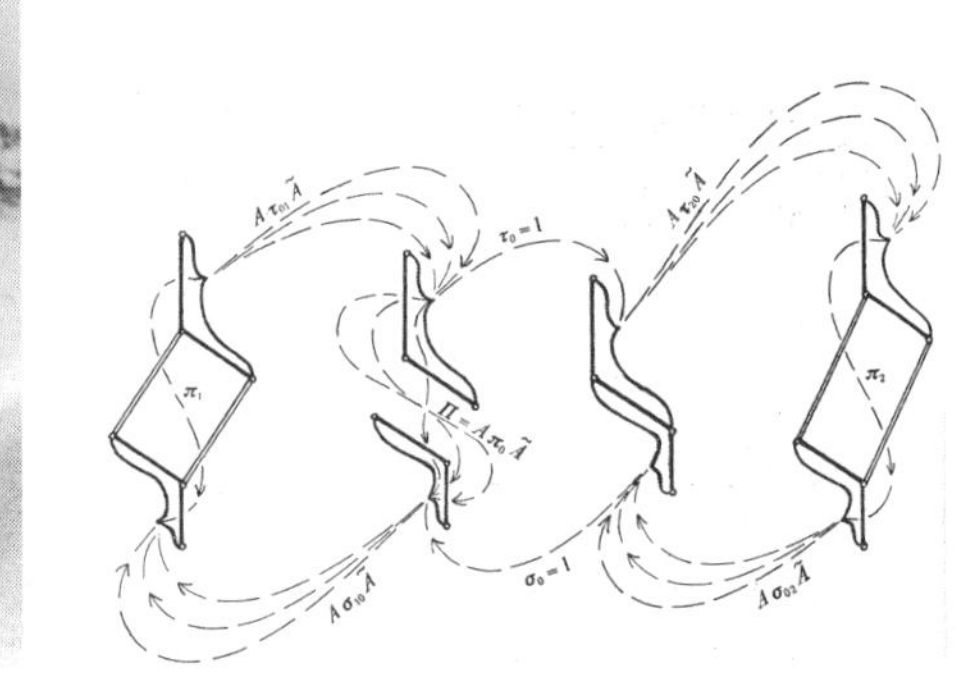

左　ヴェレーナ・ヘフェリ、1949年5月8日。（写真：セシル・モレット）

右　ヴェレーナ・ヘフェリが書いた1947年の有限群の分類に関する論文にある図。「自分の博士論文を見るのは身がすくむ」と彼女は50年後に書いている。「有限群論における構造解析という目標に向かって、ややこしい記号が暴れまわる、破天荒な数学的推論でした」

レオ・シラードとゲルトルート・ヴァイス・シラード、1960年10月、ニューヨークの記念病院にて、レオが『イルカ放送』を録音したテープレコーダーを手に。（写真：ジョン・ローンガードが《ライフ》誌のために撮影。提供：ジョン・ローンガード、トゥルーデ・シラード、UCSD図書館特別コレクション）

1999年11月、カリフォルニア州ラホヤ、セオドア・“テッド”・B・テイラーとゼネラル・アトミック社の中央図書館とカフェテリア。この図書館は1958年に高等研究計画局に提案した4000トンの惑星間宇宙船と同じ直径である。

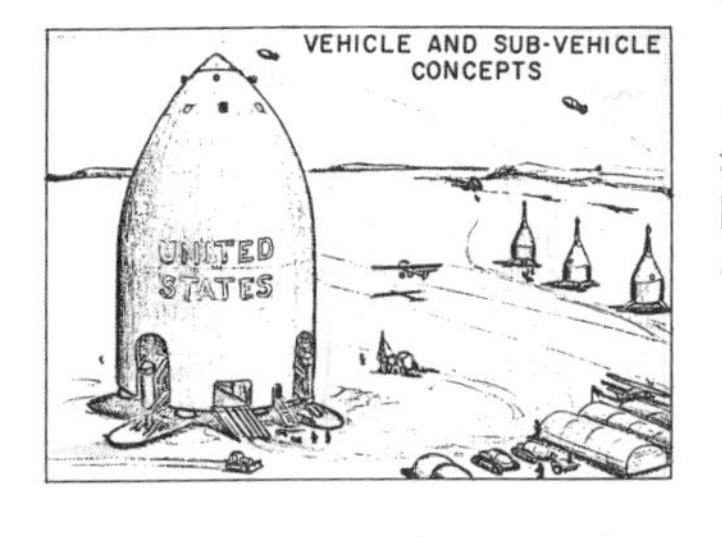

左　複数機によるオリオン火星探査計画。4000トンのオリオン宇宙船２隻が後衛基地として火星周回軌道に残り、推進モジュールから切り離された船体の３分の１ほどのペイロードモジュールが着陸し、地表基地として使用される。右側には３台の着陸・帰還機。大きさを示すために左下にブルドーザーが描かれている。（スケッチ：ウォルター・ムーニー、1963年6月25日、提供：ゼネラル・アトミック社）

右　深宇宙軍。複数の独立した標的を持つ再突入機が、深宇宙基地の軌道を離脱した重量4000トンのオリオン戦艦から発射され、交戦可能な地球周回軌道に入り、報復攻撃を実行する。（作者不詳、1965年3月1日、GA-C-962、「潜在的軍事的応用」より。提供：米空軍特殊武器センター、カートランド歴史室）

直径１メートルの高爆発推進型試作機を使ったテザー試験の準備を見守るフリーマン・ダイソン（1959年夏、ゼネラル・アトミック社のポイントローマ実験場にて）。時計回りに上からエド・デイ、ウォルト・イングランド、ブライアン・ダン、ペリー・リッター、ジム・モリス、マイケル・フィーニイ、W・B・マッキニー、マイケル・エイムズ。（写真提供：ヤロミール・アストル）

左　マーゴット・アインシュタイン、エルザ・アインシュタイン、ヘレン・デュカス、1935年、コネチカット州オールドライムにて。（撮影者不明、提供：高等研究所シェルビー・ホワイト&レオン・レヴィ・アーカイブスセンター、EB160）

右　ノーマン・クライド、82歳、シエラネバダのエボリューション連山麓のキャンプにて、118回の初登攀を含む登山経歴を持つ。（写真：ヴェレーナ・フーバー・ダイソン、1967年）

ジョン・ブラウワー、デイヴィッド・ブラウワー、ジョージ・ダイソン、全長約8.5メートルの3ハッチのバイダルカとともに。ブリティッシュ・コロンビア州ベルカラ・パークのスターボード・ライト・ロッジにて、1978年。（写真：リチャード・C・エルソン）

ディソンクア号の乗組員、左端がジョージ・ダイソン、1971年。シトカトウヒのマストは、クアチーノ湾のマハッタ川に近いキュークオディー・クリークの森から運び出され、静索はBCハイドロ社のメンテナンス担当者が密かに提供した。トップマストにかかる帆は、古いRCMP北極圏パトロール船セント・ロッチ号のハッチカバーの帆布を回収して利用した。（撮影者不明）

1971年、ブリティッシュ・コロンビア州、デソレーション湾にて、ディソンクア号に乗ったヤギ。多くの入植者は雌ヤギ（ミルク用）を飼っていたが、雄ヤギは少なかった。島への交易品の供給者である私たちの仕事のひとつは、雄ヤギを連れてデソレーション湾を一周することだった。

ブリティッシュ・コロンビア州バラード入り江のベルカラ・パークの海岸線、左側の空を背景に、高いベイマツの木にツリーハウスがかすかに見えている。
（写真：アン・ヤウ、1980 年）

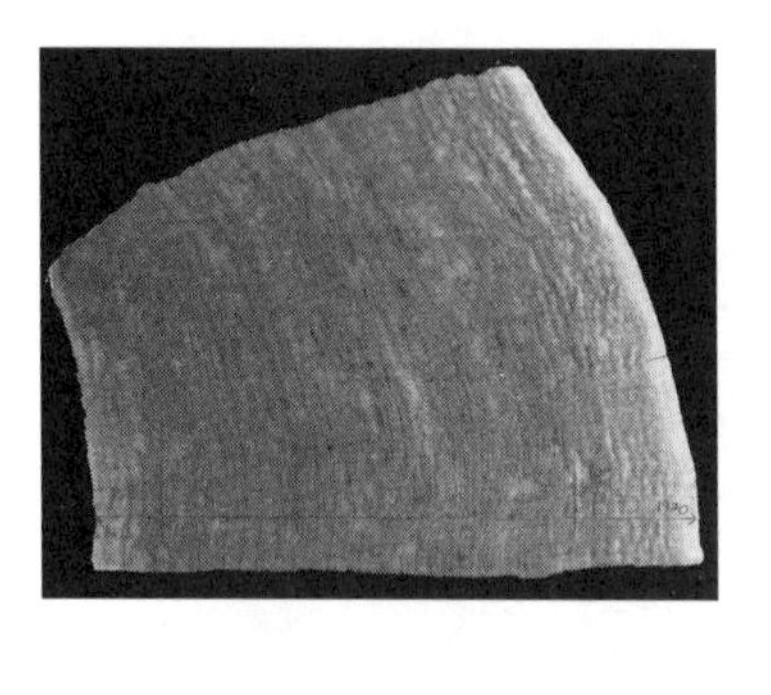

左　ベイスギのシェイクボルトの断面図。1426 年まで遡れる年輪が見える。

右　1972 年 8 月、ベルカラ・パークに停泊中のディソンクア号。ツリーハウスに使われることとなる流木の丸太が陸へと曳航されている。

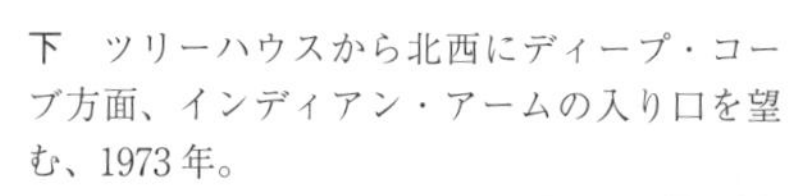
右　隣の木から見たツリーハウス、1974年。

下　ツリーハウスから北西にディープ・コーブ方面、インディアン・アームの入り口を望む、1973年。

オリバー・トーマス、ジョージ・ダイソン、クラウディア・トーマス、ツリーハウスの玄関にて、1975年3月。（写真：ピーター・トーマス）

左　バラード入り江から見たツリーハウス。内装の仕上げに使う、切り出したばかりのベイスギの板が約29メートル下の木の根元に見える。（写真：ロン・オリュー、1973年6月）

中　ベス・ヤウ、アン・ヤウ、ローラ・ヤウ、1981年8月。

下　アルビオン・ストーブ・ワークス（ブリティッシュ・コロンビア州ヴィクトリア）製の“トラウト”ストーブ。沈没船から引き上げられたもの。（写真提供：アン・ヤウ）

1794年5月16日、バンクーバー遠征隊がクック入り江近くのポート・ディックで遭遇したバイダルカの船団。指揮官のエゴール・プルトフによると「1隻に2、3人を乗せた500隻以上のバイダルカだった」。（チャタム号乗船のハリー・ハンフリーズが「その場で」描いたスケッチをもとにした版画。ジョージ・バンクーバー、『北太平洋、そして世界一周の発見航海』、1798年より）

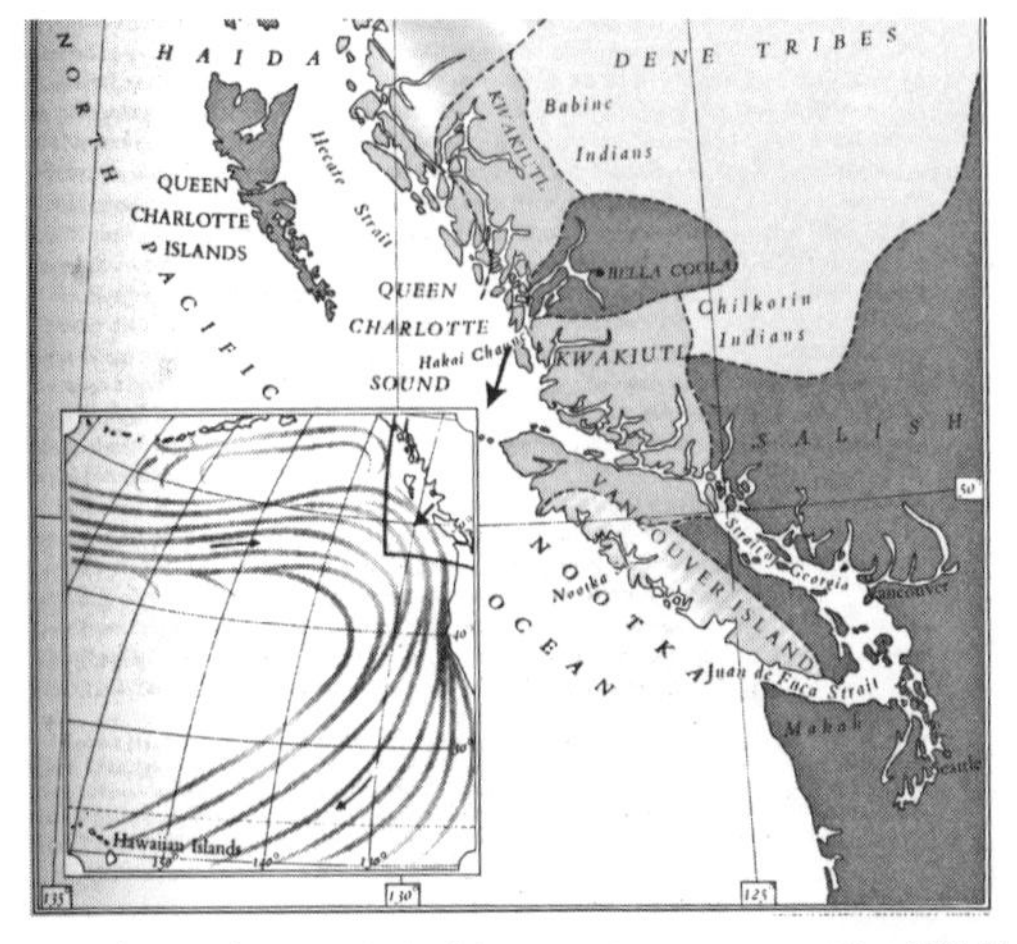

1940年、トール・ヘイエルダールによるブリティッシュ・コロンビア州沿岸のフィールドワークに基づく海図の詳細。ハカイ・パッセージから南西を指す矢印は、ポリネシアへ向かうカヌー航海の出発点であったと考えられている。（トール・ヘイエルダール、『太平洋のアメリカ・インディアン』、1952年所収）

仕留めた黒熊とともにフォールディング・カヤックに乗るクレイトン・マックとトール・ヘイエルダール、ブリティッシュ・コロンビア州クワトナ入り江にて、1940年。（写真：クリフ・コパス、提供：ジョー・ザイナー）

クイーン・シャーロット海峡のディア島沖で帆を張るクワクワカワク（クワキウトル）族の丸木舟。1914年、エドワード・カーティス監督作品『In the Land of the Head Hunters』の撮影の合間に、ブリティッシュ・コロンビア州フォート・ルパート近海にて。（写真：エドワード・S・カーティス、提供：ノースウエスタン大学チャールズ・ディーリング・マコーミック図書館特別コレクション）

ポルト・デ・フランセで発見されたカヌーの骨格。横にはプランクの代わりに使用されたアザラシの皮。1786年にリトゥヤ湾で描かれたスケッチに基づく版画。舟のそばには北方から来た交易団が描かれている。背景にはフェアウェザー山（約4600メートル）が見える。（J. F. G. ド・ラ・ペルーズ、『世界一周航海記』、ロンドン、1799年）

アルミニウム・チューブ製のカヤックの骨格を持つジョージ・ダイソン、ブリティッシュ・コロンビア州バンクーバーにて、1971年。1889年に収集されたヌニヴァック島のカヤック設計図をもとに製作された。（写真：ロン・オリュー）

左　1973年、ブリティッシュ・コロンビア州ハンソン島のダブル湾で。全長約34メートルのチップバージに接続されたタグボート、ウィジョン号に乗るジョージ・ダイソン。（写真：ロン・ケラー）

右　1973年8月、ワシントン州タコマからインサイド・パッセージを最高時速4マイルで通過する1000マイルの航海ののち、アラスカ州ジュノーに近づくウィジョン号と曳航索。

フィンランド沖でバイダルカの遊覧をするロシア最後の皇帝ニコライ二世と皇帝のヨット、スタンダート号の船長スタニスワフ・ネヴェロフスキー、1912年。（写真：アレクサンドル・グラッベ伯爵、提供：パウル・グラッベ）

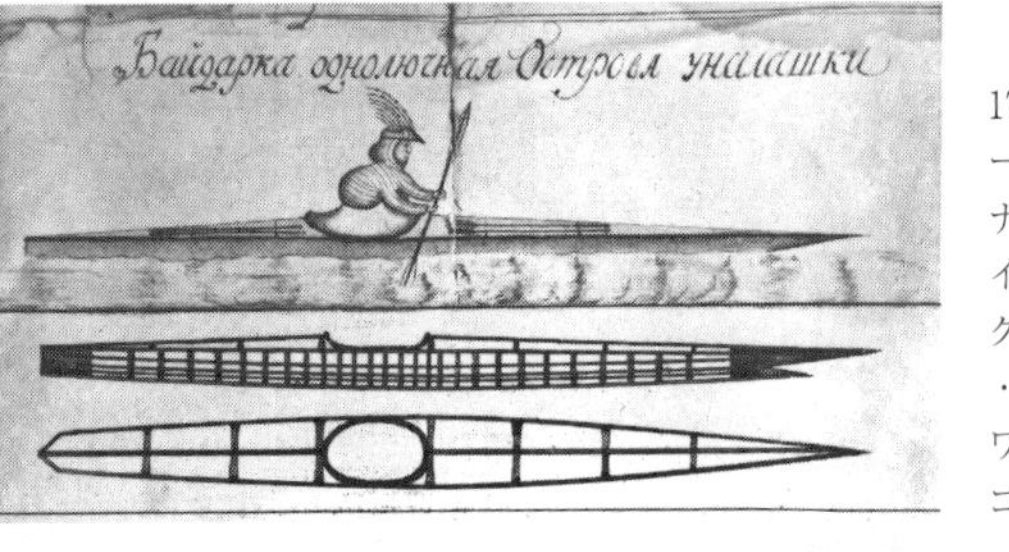

1798年頃、ジェームズ・シールズによって描かれたウナラスカのワンハッチ・バイダルカ。（1914年、サンクトペテルブルクでF・A・ゴルダーが複写。提供：ワシントン大学図書館特別コレクション、UW 1770）

プリンス・ウィリアム湾、チェネガの礼拝堂の前にて、ステパン・ブリツカロフが製作した3ハッチのチュガック族のバイダルカ、1933年。（写真：フレデリカ・デ・ラグーナ、提供：フレデリカ・デ・ラグーナ、デンマーク国立博物館民族学部門）。

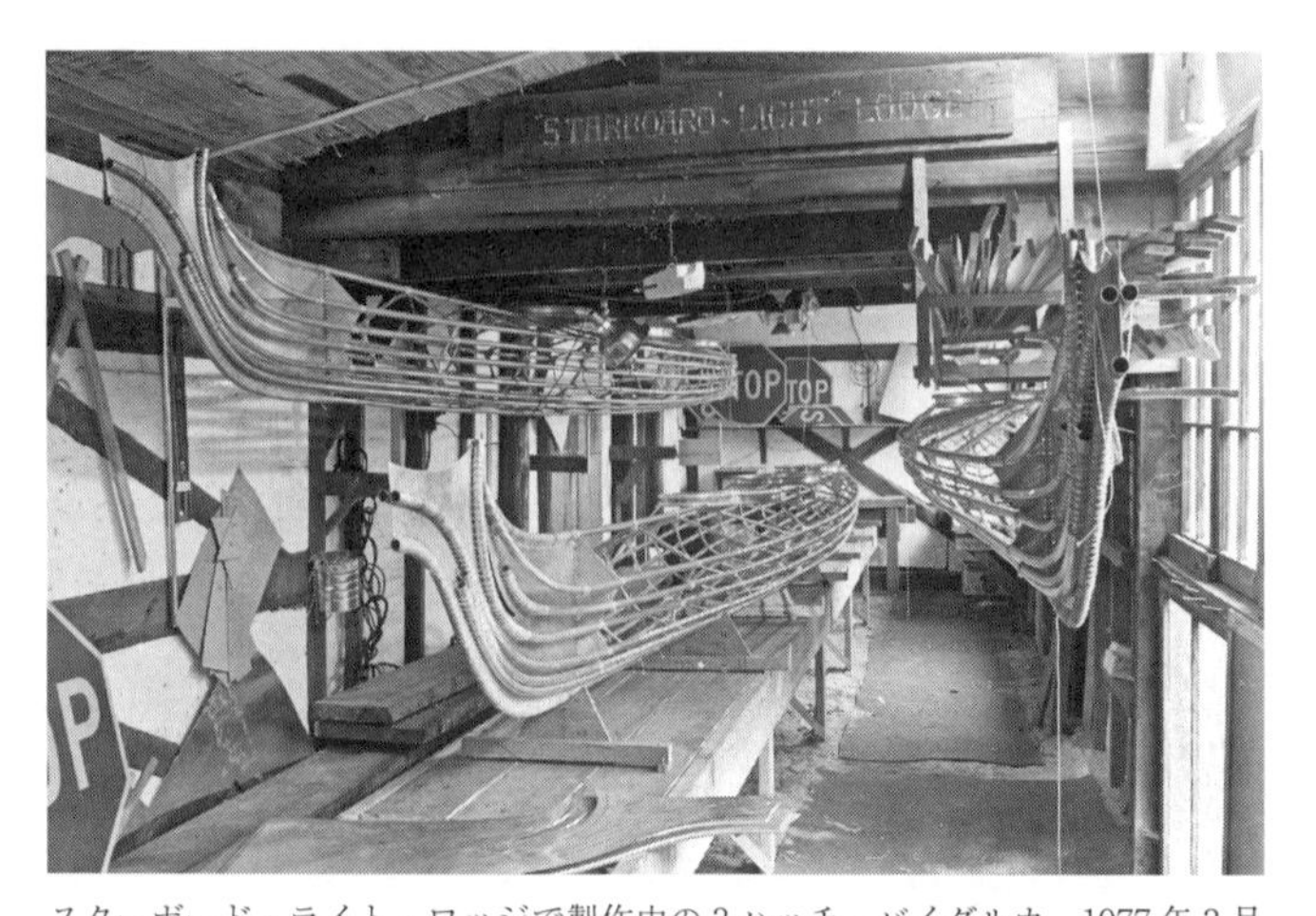

スターボード・ライト・ロッジで製作中の3ハッチ・バイダルカ、1977年3月。

チチャゴフ島沖のアラスカ湾を曳航中の3ハッチ・バイダルカ、1977年5月。

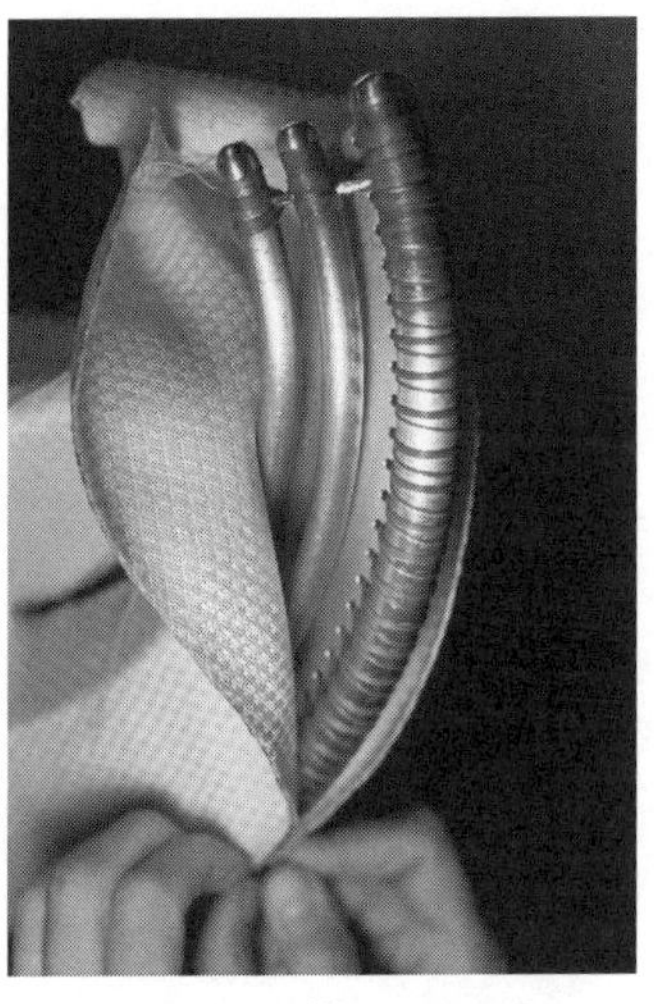

上　アルミニウム管のカヤックのフレームにナイロンの表皮を縫い付ける（写真：アン・ヤウ）

左　バイダルカの骨格を持つローレンとジョージ・ダイソン父娘、ワシントン州ベリンハムにて、1993年。（写真：アン・ヤウ）

下　不可解なのは、アリュート族のカヤックの穴あきの船首下部という初期形態がどのようにして生まれたのか、ということよりも、なぜ突然途絶えてしまったのかということだ。

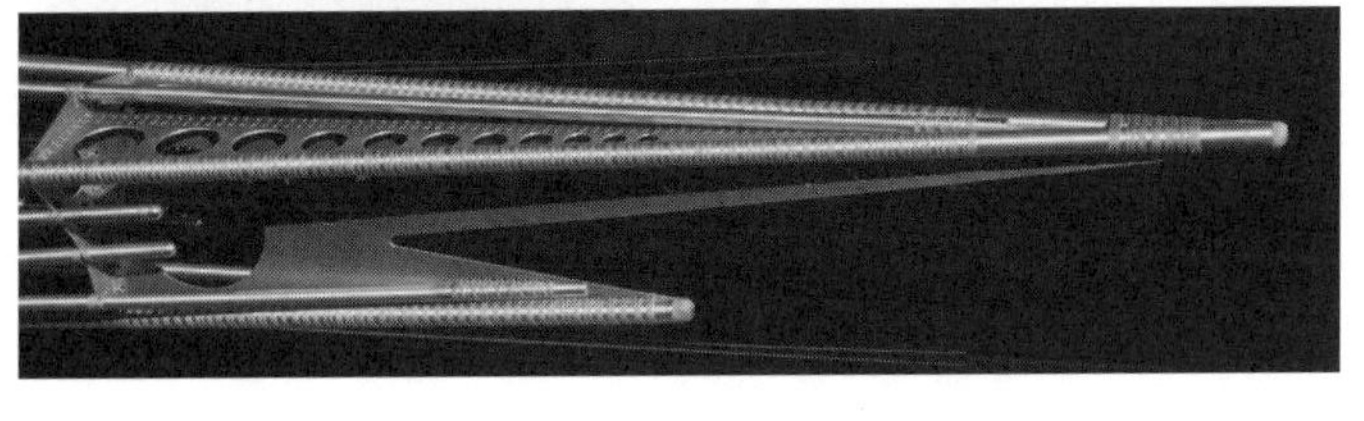

アラスカ湾のラ・ペルーズ氷河表面の沖合を南へ向かって帆走する。1977年6月。

ジョー・ザイナーがアラスカ南東部のクラレンス海峡を風下に向かって帆走する、1977年7月。

アラスカ南東部とブリティッシュ・コロンビア州の間のディクソン・エントランスを横断、1977年8月。

アラスカ南東部のアドミラルティ島で野営、帆を裏返してテントに、1977年7月。

左　ブリティッシュ・コロンビア州ハンソン島、マウント・フェアウェザー号の床板を切り出している様子、1974年。約1.2メートルの棒とスワンソン島のウィル・マロフが設計した「アラスカンミル」アタッチメントを装着したスティール社090チェーンソーで、風で倒れたシトカトウヒから約12メートルの板を製材している。(写真：ロン・ケラー)

上　マウント・フェアウェザー号の製作を手伝うボビー・イネスとロバート・ハンター（グリーンピース)、1975年。（写真：レックス・ウェイラー)

ブリティッシュ・コロンビア州ベルカラ・パークにてマウント・フェアウェザー号の進水、1975年6月21日。（写真：ピーター・トーマス)

製作中のマウント・フェアウェザー号の内装、1975年3月。（写真：ピーター・トーマス）

ハンソン島を離れ、ブラックフィッシュ湾から南下してジョンストン海峡へ向かう、1975年8月。（写真：ポール・スポング）

And this is all I know about it — and if any body likes to write an 8vo on these hints he may — for there has been many a one written on scantier material.

チャールズ・ダーウィンが通ったシュルーズベリーの校長、サミュエル・バトラー主教（1774～1839年）、言語の種分化について、1833年。バトラーは、共通の親から派生した言語がどのように変化するかを図で説明し、「これをヒントにして八つ切り判を書きたい人がいれば、そうすればいい」と述べた。（提供：英国シュルーズベリー、シュロップシャー・アーカイブス）

上　ケンブリッジ大学の学部生だったサミュエル・バトラー（1835～1902年）。1858年、ニュージーランドへ出発する前。（セント・ジョンズ・カレッジで撮影された写真からのリトグラフ。ヘンリー・フェスティング・ジョーンズ編『カンタベリー入植の一年目』、1923年所収）

右　《クライストチャーチ・プレス》の編集者に宛てたサミュエル・バトラーの手紙の冒頭部分、1863年6月13日。（ニュージーランド、アレクサンダー・ターンブル図書館提供）

Correspondence.

DARWIN AMONG THE MACHINES.

TO THE EDITOR OF THE PRESS.

SIR,—There are few things of which the present generation is more justly proud than of the wonderful improvements which are daily taking place in all sorts of mechanical appliances. And indeed it is matter for great congratulation on many grounds. It is unnecessary to mention these here, for they are sufficiently obvious; our present business lies with considerations which may somewhat tend to humble our pride, and to make us think seriously of the future prospects of the human race. If we revert to the earliest primordial types of mechanical life, to the lever, the wedge, the inclined plane, the screw, and the pulley, or (for analogy would lead us one step further) to that one primordial type from which all the mechanical kingdom has been developed, we mean to the lever itself, and if we then examine the machinery of the Great Eastern, we find ourselves almost awestruck at the vast development of the mechanical world, at the gigantic strides with which it has advanced in comparison with the slow progress of the animal and vegetable kingdoms. We shall find it impossible to refrain from asking ourselves what the end of this mighty movement is to be. In what direction is it tending? What will be its upshot? To give a few imperfect hints towards the solution of these questions is the object of the present letter.

ニュージーランドのランギタタ川の源流にあるサミュエル・バトラーのわが家「メソポタミア」、1863年に『機械の中のダーウィン』を書いた場所であり、1872年の『エレホン』の舞台となる高山の谷の下流にある。（写真：1866年5月、エドワード・パーシー・シーリー撮影。マイケル・グレアム＝スチュワート氏提供）

1860年11月26日に登録されたサミュエル・バトラーの羊の焼き印（左）と同焼きごて（右）、彼のメソポタミアの家畜飼育場で。（1823年、H. F. ジョーンズより複製、写真はケンブリッジ大学セント・ジョンズ・カレッジのマスター＆フェローの許可による）

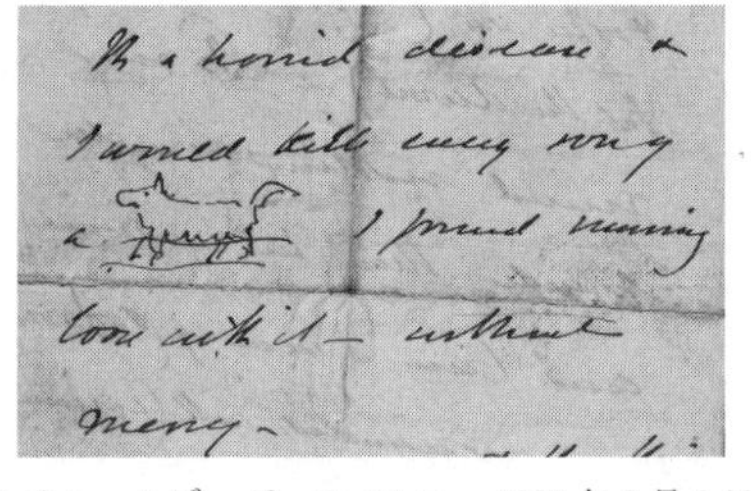

It's a horrid disease &
I would kill every
a [sketch] I found running
loose with it — without
mercy —

トマス・ハクスリーからチャールズ・ダーウィンへ、1880年2月3日。サミュエル・バトラーがダーウィンが進化論の先行提唱者の貢献に言及しないことを批判した後、ハクスリーはダーウィンを擁護して、「それは恐ろしい病気だから、この病気で暴れている〇〇［イラスト］を見つけたら、容赦なく殺してしまうことにしている」と書いた。（ケンブリッジ大学図書館提供）

ゴーストダンス運動のパイユート族の預言者ウォボカ（ジャック・ウィルソン）。1892 年 1 月 2 日、大雪の後のネバダ州ウォーカー湖近くのメイソン谷にあるトゥーレ葺きの住居の外で、椅子に座りながら、叔父のチャーリー・シープとともに。（写真：ジェームズ・ムーニー、提供：スミソニアン協会国立人類学資料室、INV 06285500）

1890年、ジェームズ・ムーニーが収集したアラパホ・ゴーストのシャツ。（ジェームズ・ムーニー、1896年より）

1891年1月3日、ウンデッドニーで行なわれた、アメリカ陸軍の請負業者によるスー族の犠牲者の埋葬の様子。「女性や子どもの死体は、戦闘現場から2マイルほど離れた場所に散乱しているのが発見された。必死で逃げようとしながら殺されたことを示すものだ」とジェームズ・ムーニーは書き、写真をもとにしたこの木炭画を報告に掲載した。（ジェームズ・ムーニー、1896年より）

アナログの再来。第二次世界大戦後、アナログの電子部品でデジタル・コンピューターを組み立ててから70年、デジタル・コンピューターは、かつてこの双三極管6J6のような真空管が電子の流れを扱ったように、ビットの流れを連続関数として扱うアナログ・システムになる。

「時間は」「時間だった」「時は過ぎ去った」。13世紀の人工知能の先駆者であるベーコン修道士とバンジー修道士は眠りについている。彼らが苦労して作り上げた真鍮の頭部がついに言葉を発したとき、助手のマイルズは音楽を奏でるが、修道士たちを起こすことができない。1679年、『ベーコン修道士の有名な歴史』からの木版画。（カリフォルニア州サンマリノのハンティントン図書館提供、RB111363）

監訳者解説

アナログ王国序説——デジタルを超えた次の時代を読む方法

始まったばかりだと思っていた二一世紀も、気がつけばすでに四分の一が経過しようとしているが、われわれが未来の象徴のように思っていた「新世紀」は、９・11のテロで幕を開け、リーマンショック、３・11の未曾有の災害と続き、挙句の果てには新型コロナという感染症の流行と前世紀の冷戦の影を引きずるようなウクライナ戦争の勃発で先が見えない。

その一方でデジタル化やネット化が確実に進行し、スマホやＳＮＳが広く社会に普及し続け、ＡＩが将棋や囲碁で人間の世界チャンピオンを打ち負かし、ついには誰もが、絵を描いてくれたり、ＣｈａｔＧＰＴのようなどんな質問にも卒なく答えてくれたりするＡＩソフトを自由に使えるようになり、コンピューターの能力が人間の知力を上回るとされる「シンギュラリティー」がもうすぐ実現するという声も聞かれる。

多くの人にとって、こうした「デジタル」が象徴するイメージは、ＡＩで仕事が奪われるという悲観論はあるものの、おおむねポジティブで希望を持てるものだろう。Ｗｅｂ３やＮＦＴ、ＡＩやＶＲ、メタバースといった言葉が飛び交い、時代の最先端を象徴する理想はそうした言葉が可能にするコンピューターを駆使する新製品やサービス名で語られ、やっと国もデジタル庁なる役所を作って、社会全体を新しいテクノロジーの力で作り直そうと動き始めた。

しかしその一方でデジタルのパワーは国家規模を超え、サイバー攻撃が通常兵器の力を凌駕し、いまや世界経済を実質支配しているのは米国のGAFAのような巨大IT企業で、ロシアのプーチン大統領にケンカを売って Twitter 社を乗っ取って宇宙に飛び出そうとするイーロン・マスクのようなデジタル企業のトップが世界的に注目される時代になっている。

そうした中で、ネットやスマホを使えない人は、いまや公共サービスや最新のアプリを使えなくなり、不便な思いをするばかりか不利益を被り、社会から落ちこぼれてついには消えていくという図式も語られている。

こうした人々は一般には高齢者だと考えられているが、彼らを「アナログ人間」と呼ぶ差別的な言葉がある。当人たちも「私はアナログ人間で、パソコンはまるで使えないので」と当然のように主張して若者や専門家に助けを求め、「アナログ」という言葉はある意味「アナクロ」とも取れる時代遅れの象徴として、憚(はばか)られる存在になりつつある。

そんな中で、アナログは「デジタルを使えない落ちこぼれ」ではなく、実は人間の知性の本質であり、「もうデジタル時代は終わり、次の社会はアナログが支配する」などと主張すると、昭和のアナログ人間が、不勉強を顧みずに社会を敵に回しているように聞こえるかもしれない。

デジタルは万能なのか

本書『アナロジア　AIの次に来るもの』はこうした一見、時代錯誤のような提案を大胆にも正面から掲げた、まさにイコノクラスト（偶像破壊者）的な問題提起の書だ。

市場にはデジタルを喧伝する本が溢れ、アナログの話題といえば、若者がいままで聴いたこともなかった昔のアナログレコードやカセットテープを新鮮に感じているという、時代に逆らうレトロでノスタルジックな話題ばかりだ（たとえばデイビッド・サックス著『アナログの逆襲』）。アナログという言葉が出たとたんに、時代に取り残された老人の懐古趣味のイメージしか浮かんでこない、というのが世の風潮ではないか。

しかしデジタルはそんなに万能なものなのだろうか？　確かに一時代前までは人間以外にはできないと考えられていた高度な分野にコンピューターが進出し、これからは、あらゆるものがデジタル化されるという言説が各所で聞かれる。

ところでまず、「デジタルとは何か？」と問われると、1と0で表現される何かで、プログラミングしてアプリを作りネットでシェアするハイテク、という答えが社会一般の理解かもしれない。それは、現在のコンピューターは基本的に、ある電圧値を基準にその値を超えた情報がある状態を1、ない状態を0という二値論理で組み立てられているからだ。

デジタルとは、もともと指をさすラテン語の「digitus」から来ており、飛び飛び（離散的）な整数のように数えられる数の集合を表現するもので、現在の情報テクノロジーでは数字の種類が最小の1と0となる二進数が使われているに過ぎない。またアナログはその対義語として使われる、ギリシャ語で比例を意味する「アナロギア」（*αναλογία*）に由来する類似や相似を意味する言葉で、実数のような連続した量を指すのに使われる。

前世紀の中盤には「アナログ・コンピューター」という装置が使われた時期もあった。電気回路で演算論理（数式）をそのまま組み立て、計算の対象となるデータを入力電圧として読み込ませると、直ちに計算結果が電圧値として出力される装置である。使われる電圧はあらゆる値を取ることができるアナログなデータだが、読み取り装置の精度に結果が左右され、ノイズなどの外部要因の影響を受けやすく、特定の計算を瞬時に行えるものの汎用性に欠け、大まかな結果しか出せず、デジタル方式のコンピューターが登場すると消えて行った。

こうしたアナログ・コンピューターは、対象を抽象化したモデルや類似（アナログ）モデルを作り、それを使って事象や現象のシミュレーションを行って結果を出すものだが、実はこうした大げさな装置を使わなくても誰もが手にできるものなのだ。

まず一本の棒を取り出して、それを地面に垂直に立ててみよう。すると日が照っていれば影ができ、昼間にはその影が動いて行く。それは説明するまでもなく、誰もが知っている日時計のことだ。それがアナログ・コンピューター？

この棒は、太陽と地球の相対的な位置関係を太陽光の影という形で示し、その位置は時間に従って移動していく。その影の指す位置に時刻を刻んで行けば現在の時間が分かるし、この時計には電池も数学もデジタルも特別なテクノロジーも必要ない。

デジタル時計や原子時計まで駆使する現代人は、日時計は日が差していなければ使えない、太陽と地球の位置関係の季節変動を修正しないといけないし、大まかな目安にしか使えなくて不正確でいいかげんな大昔のローテクだと考えるだろう。

しかし、そもそもデジタル時計は正確なのだろうか？　その中には発信装置があって電気で駆動され、行っていることは数を数えているだけだ。それを積算して一秒が六〇に達したら一分。

一分が六〇揃えば一時間という数を示している。もっと細かい正確な時間が知りたければ、発信装置をもっと高速に駆動して刻みを細かくして行けばいい。しかしその速度にも限界がある。時間が連続であるとしたら、刻みと刻みの間にある無限に続く本当に正確な時刻を理論的には出すことはできない。

一方、日時計の指す時刻はある意味、真に正確なアナログな時刻だ。影の位置を測る精度の限界があるとしても、それは実用上測れないだけで、いくらでも無限に精度を上げることが理論上は可能で、おまけにそれは連続した自然の時間そのものなのだ。

次に挙げるアナログ・コンピューターは、（本書でも取り上げられているが）空間を計測するための一本のひも。例えば道路があったとして、その中央分離帯を作るために中間点を決めるとする。普通は何らかの方法で道路の幅を計測して、それを半分に割った長さを求めればいいはずだ。道幅が六mだったとすれば三mがその位置であると明々白々の回答を出せる。しかし、それが二πmだったとしよう（πは円周率で、３・１４１５９２……と循環せず無限に続く無理数）。半分はπmだが、どうやってその目盛りを付ければいいのか？　デジタル方式でどんなに精度を上げても、本当の理論的中間地点はいくら桁を追っても正しい値は出ない。

しかし道の端から端まで、一本のひもを延ばして、その後にひもを半分に折り、折れ目の位置に印を付けたらどうだろう。それはある意味、完全に正確な中点となる。ひもを両端に合わせる精度や、ひもを二つ折りする誤差など、不正確極まりない要素がいくつもあるものの、このひもを抽象的な直線のメタファーと考えるなら、線を二等分する手法を使えば、概念的には中点は本当の真ん中になる。

時間や距離を測る単機能な道具をコンピューターと表現することには違和感があるかもしれないが、これらはある論理を正確に実行し、数えることなく目的を達している「広い意味での計算」を行う計算機＝コンピューターと考えるべきだろう。

算術と幾何学の葛藤

しかし、こうしたデジタルとアナログの計算は、本当は何が違うのだろうか？　これは概念的に言えば、一次元的で数を数えることを基本にした算術的な論理のデジタル式と、視覚的で二次元的な類似や比例を使う幾何学的なアナログ式の違いで、一方は整数という概念の数を数えることの限界があり、一方は幾何学的な数を使わない方法として、計算としては意識されてこなかった。

われわれが現在使っているデジタル式のコンピューターは、プログラム（アルゴリズム）を書けば、どんな事でもできる魔法の機械のように思える。たしかに、自然や社会の様々な事象を数値化しデータとして扱い、その原理を定式化して高速に処理すれば何でもできる。しかし、アルゴリズム化できないもの、つまりプログラムとして書けないものはどうするのか？　そもそも、そんなものは存在するのか？

古代から知られている有名なピタゴラスの定理は誰もが知っているだろう。直角三角形の斜辺の長さの二乗は、直角に交わる他の二辺の長さをそれぞれ二乗して足したものに等しいというもので、この不思議な現象が正しい事を幾何学的に証明する方法はいくつも知られている。そしてコンピューターでこの数式をコードに書けば、すぐさま未知の辺の長さを計算して算出することができる。

しかしデジタル方式のコンピューターにはこの定理を発見することや、証明することはできるのか？　まずコンピューターはそうした問題意識自体を持たないだろう（人間の思考過程を真似て、問題意識というもの自体をプログラミングすることが不可能とは言い切れない。生物の遺伝や進化を模倣し、定式化したアルゴリズム自体を自ら再帰的に書き換える手法を使って、プログラム自体をランダムに変化させて、元々それが意図していた処理を超えた最適化や発見を促す遺伝的アルゴリズムのような手法がないわけではなく、現象のデータを大量に読ませてディープラーニングを繰り返して、ケプラーの法則や熱力学の保存則を導いたという事例もあると聞くが、それは真の発見というより、人間の発想を追認しただけだ。コンピューター自体は少なくとも、新しい発見をしたいという意思は持たないだろう。心や意識を持つ完全なＡＩが実現できると主張する人もいるが、まだ結論は出ていない）。

われわれ人間は、自ら発明した道具やテクノロジーより劣っており、移動能力で足はいくらがんばっても車には勝てないし、計算能力や情報検索などではるかにコンピューターに劣る。しかしこれらのテクノロジーで何をするかは人間が決めたもので、それを概念化して手順を論理化して動かしているだけだ。コンピューターの場合は電子回路で論理演算する高速なマシンであるというだけで、人間もそれよりはるかに長い時間をかければ、原理的に解けないものはない。それに、まだ問題として意識されていない問題、つまり何をプログラミングするかをコンピューターに委ねるところまでは行っていない。

人間の生活は、個別の部分ではコンピューターや他の道具に劣っているが、われわれの生活のほとんどは計算しなくてもできることばかりだ。何時に起き、何を食べて、何を着て、どこに行くかを気分で決めるなど、基本的にいちいちコンピューターを使う必要などない。

ところが万能に思えるコンピューターは、小さな虫が食料を探し敵から身を隠し、子孫を残していくという単純と思えることを、ロボットなどを使って実行しようとしても、とてつもないプログラミング量やムダなエネルギーを使わないと真似できず、現在は両者のギャップである「不気味の谷」は越えられていない。

人間の子どもがある歳になってイヌとネコを見て区別できるようになる、というような当たり前と思われることも、やっと最近、AIとディープラーニングを使ってできるようになったばかりだ（特別の専門家しかわからないようなレントゲン画像から患部を探し出したりできるように、画像認識能力はどんどん人間を超えて進化を遂げているが）。

画像解析やチャットの上手なAIソフトも、人間なら誰もが感じることのできる錯覚や皮肉やジョークを理解できず、それをまがりなりにも行わせようとすれば、とてつもないムダな努力が必要になる。言葉の辞書的意味を解析して利用するチャットソフトは、一見まともな答えを返してくるが、どこか内容は心許なく、振り込め詐欺のような危うさを感じるし、誰もその受け答えを人間の言説と同じ程度に信用できるとは思ってはいないだろう。

自然はアナログ

脳や神経系はデジタル素子でできているのではなく、プログラミングをしているわけでもなく、ニューロンがただ複雑に絡み合って、外界からの刺激でお互いのコミュニケーションのパターンを変化させて、不測の状況に対しても適合しようとしているだけだ。ところが不正確で遅いという欠点はあっても、これだけ万能で消費エネルギーも少ない合理的なシステムは人工物の中にはいまだ存在しない。

最近のディープラーニングで使われているのは、こうしたニューロンの結びつきをデジタル的に模倣したニューラルネットワークのモデルで、大量のデータを読ませて訓練して、ノード間の結びつきを調整すると、なぜかは明確に因果性を説明できないものの、いろいろなパターンを分類できるようになるもので、まさにアナログ・コンピューティングだ。

こうした明確に言語化できなく、プログラムが書けない対象に対する応用は、現在の一次元的な言語論理を扱うデジタルのコンピューターは不得意で、計算量が莫大になるため実用的な時間内に回答が得られなかった。

ところが今世紀に入って画像処理のための並列処理チップが開発されることで、二次元的な並行処理が可能になり、急速に実用化が進んだ。内部の処理はデータをデジタル化して現在のデジタル・コンピューターでシミュレーションしているものの、全体のオペレーションはアナログだ。こうした方式を専門に扱えるよう、従来のデジタル・コンピューター（ノイマン型）ではない、もともとニューラルネットの形をしたニューロモーフィックチップも作られている。

こうしたアナログな使い方は、本書でも指摘されているように、デジタル・コンピューターを大量に相互接続したインターネット全体の動きの中にも表れている。個々の現場のデータの処理はデジタルだが、（上位レイヤーとしての）インターネット総体の動きは、利用者や情報同士の結びつき、つまりソーシャルグラフに代表される相互バランスで決まっていく。またVRやメタバースの基本はデジタルで構築されているが、そこで行われる会話は、言葉で説明できない感情や経験を伝えるアナログな機能だ。株価予測や天気予報なども大規模で複雑なネットワークが全体の動向を統計的に決めていくが、それもアナログ・コンピューティングだ。

生物も最小単位の情報がＤＮＡというデジタル的なコードで記述されるが（遺伝子型）、それが大量に組み合わされて細胞や器官になった個体同士の関係はアナログ的で非決定的だ（表現型）。つまりこの世のすべてのものは、ミクロなレベルでは言語的・デジタルで、マクロなレベルでは非言語的・アナログな存在なのだ。

1と0の離散的な論理がデジタルで、その他すべてが単にアナログだと考え区別するだけでは、こうした問題の本質を理解することはできず、もっと大きな構図の中に両者を捉え直す必要があるだろう。

言語の限界と高次元の知

人類の学問体系の基礎とも言える、古代ギリシャのリベラル・アーツ（奴隷でない自由人の教養）は、「自由七科」とも呼ばれる七つの学から形成されている（最近の大学ではリベラル・アーツの必要性が唱えられているが、学の枠組みの原点としては認識されておらず、いまだに理系の大学での補習的な一般教養の扱いを超えているとは思えない）。最初の三科（トリウィウム）は文法学、論理学、修辞学という言語活動の基本で、さらにその上に四科（クワドリウィウム）を構成するのは、算術、幾何学、天文学、音楽だ。

算術は数を数えることであり、一次元的に前後の順番で命名された数を扱うものだが、言語で文章を扱う論理と同じであり、まさに現在のプログラミング言語で書かれたアルゴリズム表現そのものの世界だ。幾何学はもともと、氾濫したナイル川の周辺の土地を仕切り直すために図形的知識を駆使したことから始まり、ユークリッドが体系化したとされるが、土地の広さや大小の分類や分配などを決めるために、図形の相似や案分をするための知で、われわれが日常使っている二次元的な知だ。天文学は太陽系や銀河系などの三次元的な存在の相互関係を扱い、音楽はさらに時間概念を加えた四次元的世界を扱う。ピタゴラスは星の並びや動きがある一定の比で表現でき、それらの構成を音楽の和音になぞらえて「天球の音楽」と呼んだが、ここで言う音楽は楽曲というより世界表現の調和を指す。

そう考えるなら、現在のコンピューターは三科を元に四科の最初の算術をクリアした一次元的ツールでしかない。われわれが言語化できる現象を効率よくこなすことはできるが、いつかその限界も見えてくるだろう。まだ定式化されていない広い意味での社会や自然を扱うには、幾何学的な二次元の知や、さらには三次元、四次元へと、暗黙知や職人の技とされているものや、心や魂や宇宙の高次元な存在に潜む謎に挑んでいくしかないだろう。

人類が最初の三科に行き着いたのは、石器を使うようになってから三〇〇万年ほどして、五万年ほど前に音声言語を発明し、さらに三〇〇〇年ほど前にアルファベットのような文字に記録してからだ。言語は数を数えることから始まったという説もあり、自然に対して無定形なアナログな対応をしていた動物的な人類に、何かを特定しそれ以外と分別する能力を与え、自然を命名することで数える（整理する）能力を与えた。

さらに音声言語を文字に写して対象化・客観化することで、自分の心の動きを外化して他者に伝えて知識として共有できるようにした。生活や社会の様々な事物を言語化し文字に書いて整理することで、それまで曖昧にしか認識できなかったことが明確になり、古代ギリシャ人はすべてを言語化して記録・表現することに魔術的な喜びを覚えたとも言われる。

中世には社会の規則を論理的に表記して法律化したり、アラビア数字を輸入して金銭を正確に数えて記述したりすることで、より大きな規模で社会生活が営めるようになり、さらには基本的には手書きでしか伝えられなかった多くの事象を、一五世紀半ばにグーテンベルクが活版印刷で大量に生産・流通できるようにしたことで、書籍が流通して学問が体系化された。

その成果は、直後の一五世紀末にコロンブスが正確な地図とマニュアル本を使ってアメリカ大陸を発見したことで発揮され、一六世紀になるとルターがドイツ語で大量に流通した聖書を元に宗教改革を引き起こした。それからすぐにコペルニクスが地動説を唱え、ルネッサンスが一七世紀の科学革命へと道を開き、ニュートンやガリレイ、ケプラー、またベーコンやホッブズ、デカルトやパスカルなどが生きた、ホワイトヘッドの言うところの「天才の世紀」の真っただ中で生まれたのが、現在のドイツのライプツィヒ出身のゴットフリート・ライプニッツ（一六四六～一七一六年）だった。

書き言葉を精緻化して体系化する作業は、人類に言葉の持つ大きな力を実感させ、すでに一三世紀にラモン・リュイ（ルルス）が「大いなる術」（アルス・マグナ）としての普遍的な学問を目指し、ユダヤ教の神智学としてのカバラを駆使したが、この技法としての生命の樹（セフィロト）では神の属性を体系化した図も使われ、数に意味を持たせていろいろな現象を説明する数秘学が神秘的な魔術として流行した。

その後の一六世紀には記憶術への反発から、ラムスが行ったように概念表示を二次元のチャートを使って体系化してフローチャートのように扱い、いろいろな主題を弁証法的序列に図示する技法により普遍的な知を追求する流れもあり、一七世紀にはキルヒャーなどによる学の普遍化を目指す流れが続き、まさに言語の持つ力を体系化して知の力を自動化するプログラミング的な論議がされていた。そしてこれらを復活させ洗練したのがライプニッツだとされる。

ライプニッツの普遍数学

ライプニッツはルネッサンスからバロックの時代に花開いた万能の知識人で、哲学や数学、科学、政治にも広く関わり、同時代のルイ一四世やピョートル大帝やスピノザとも広く交流があり、科学革命の結果できた各国のアカデミアの創設に関わるなど幅広い活動をしたことが知られている。そしてデカルトの精神と物質の二元論を超えた、宇宙の普遍的な基底単位とも考えられる、「モナド」（単子）による予定調和説を唱え、数学を元に「学の学」としての普遍数学を打ち立てようとした。

基本的概念を数学の演算記号のように表現した「思考のアルファベット」を用い、素数で表示したいろいろな概念が組み合わさった事象をそれらの数を掛け合わせて表し、演算を行うことで、ありとあらゆる人間の言語表現が扱えるというアイデアは、まさに現代のコンピューターのアルゴリズムの発想に通じるものだ。さらに数字自体を中国の易経から、陰（0）と陽（1）で二進数として表現することも提唱しており、こうした機構を実行するための計算機も構想していた。それは実現することはなかったものの、現代のデジタル・コンピューターの元祖と考えることもできる。

ライプニッツは普遍数学としてのデジタルを志向していたようにも思えるが、一方では無限級数のように計算の極致を探求することで、ニュートンとは別なアプローチで微積分を発明したともされ、数えられないアナログな世界にも足を踏み入れていた。歯車式の計算機ばかりか、パイプをつないで論理を表現し、その中を流れる液体の量を使って計算をするアナログ方式の計算機を発想してもおかしくはなかったろう。

晩年はプロテスタントの勃興したドイツの地で、三十年戦争と呼ばれるカトリックとの宗教戦争後の混乱を終わらせたいと心を砕いていたとされるが、自ら聖書を読み論理的・実践的に神に近づこうとするデジタル的なプロテスタントの思考の対極にある、論理ではなく信仰で神の存在自体を不問にするカトリック的でアナログ的とも考えられる発想を理解していたのではないかとも思える。

ライプニッツの計算機が現実のものになるには、啓蒙思想の世紀である一八世紀を経て、産業革命後の近代国家の成立や、政治学や経済学、社会学、生物学、物理学などの新たな学問が形を成す一九世紀、さらにはダーウィンの進化論やフロイトの精神理論などによるパラダイム転換が起き、ブールによる論理代数、言語の本性を問うソシュールの言語論や、ラッセルやフレーゲによる論理哲学、また数学至上主義のヒルベルトなどの活躍する二〇世紀を待たなくてはならなかった。

特に論理証明の基本モデルを一次元的なチューリング・マシンとして提唱したチューリングの理論を、具体的に真空管を使った電気回路で実現した世界初の電子式計算機ともされるＥＮＩＡ

Cの製作を手伝ったのが、著者ダイソンの父が研究生活を送っていたプリンストン高等研究所のフォン・ノイマンだった。現在ではノイマンが定式化したコンピューターの基本方式が使われた計算機が、真空管、トランジスター、集積回路へと進化した素子で作られ、ムーアの法則で指数関数的に性能を向上させ、パソコンやスマホ、インターネットへと姿を変えて、デジタル社会を構成している。

しかしラムスやライプニッツの普遍数学をさらに進め、宇宙の原理を数学に求めた大数学者ヒルベルトの考えに疑問を持ったチューリングやゲーデルは、言語理論や数学万能主義の可能性ばかりかその限界を指摘し、いくら言語や論理を駆使しても、証明に無限の時間がかかったり、もともと問題として捉えられない問題があったりすることすら指摘していた。

フォン・ノイマンもセル・オートマトンと呼ばれる、細胞のような機能素子の集合体の相互作用を理論化し、人工生命とも考えられる生命現象を解析しようとした。またウィーナーもサイバネティクスという新分野を提唱し、人間とマシンのアナログな関係性を模索し、一次元的な言語論理内では解けない、もしくは手間がかかって実用的ではない問題にどう対処すべきかと、すでにコンピューター開発の当初からパイオニアたちはアナログ的な問題を意識して取り組んでいた。

気象予報や人口統計などに始まり、インターネットで起きる炎上やフェイクニュースの伝搬、投資家による株式市場の乱高下、どこまで広がるか終わりが見えないコロナ被害など、二次元以上の多数の要素が複雑に絡み合う問題は、図形をXとYの座標で表して組み合わせの数値演算をする解析幾何のように、一次元的に分解合成してその組み合わせをしらみつぶしに調べるアプローチをすることもできるが、ピタゴラスの定理を証明するように、本来二次元的な対象を二次元のまま解く方法はないのか？　さらに三次元的な宇宙の変化や、四次元的な時間を加えた音楽的で調和的な実在にどう対処すべきなのかは今後の大きな課題だろう。

人間の理性を指す英語「reason」はギリシャ語の「λόγος（ロゴス）」のラテン語である「ratio」から来ているが、この言葉は比例やつりあいも意味する。理性とは全感覚のアナログなバランスのとれた調和的な状態を指すのであって、視覚や論理のみが強調される言語的な感覚はその一部でしかなく、それだけを機械的に拡張して処理するデジタル・コンピューターによって言語能力だけを振り回すのは、本来の理性的な状態ではない。

われわれは視覚や論理ばかりではなく、聴覚や触覚などの他の身体的感覚を使って日々生活しているが、大方の時間を、言語化できない部分を非論理的、感情的な無意識に委ねている。これらの、まだわれわれが意識していない未知の原理にどう向かうかは、デジタルを超えた、いわゆる現在はアナログという言葉で一括りにされている何かなのだ。

本書は人類史を自然（アナログ）の中で道具（テクノロジー）を使った知性（デジタル）に目覚めた第一の時代、道具が進歩して産業革命のような近代社会を作った第二の時代、デジタル化した道具が情報を扱い社会を変えた現在の社会としての第三の時代と分類し、第二と第三の時代に焦点を当てつつ、次の第四の時代では、ＡＩやＩｏＴや社会全体のデジタル化が進み、テクノロジーが自然を模倣しながら高度化することで、デジタル化したはずの社会がより自然に近いアナログな姿に回帰していくと論じている。

ピカソはデジタル方式のコンピューターについて、「それは役に立たない。答を出すだけだから」と早くも看破していたが、現在使われているコンピューターは、言語化・定式化された問題を人間より速く解いて答えるだけで、自らが未知の問題を発見することはない。工業時代を効率化するための道具として、こうしたコンピューターは有効だったが、現在求められているのは、人間の知性が常に求めている、現在は問題にもなっていない何かを探り発見・発明する（もしくはそれを助ける）、デジタルの限界を超えた先にあるという広い意味でのアナログ・コンピューターだろう。それは現在は、インターネットや量子コンピューターの先に垣間見えている仄(ほの)かな光だけなのかもしれないが、本書も指摘するように今後のポスト・デジタルなコンピューターのあるべき姿と考えるべきだろう。

本書の成り立ち

この本の主題でもあるアナログについて長々と述べてきたが、現在われわれがどっぷりと浸かったデジタル社会の限界とその先に見える何かのヒントにはなっただろうか？

本書はかなり専門的な理論も扱っており、おまけに著者のライフワークであるバイダルカ（カヤック）や自然の中の生活、北米のインディアン文化や歴史、さらにはバトラーやシラードやオリオン計画まで登場し、途中で脇道の迷路に迷い込んでしまうかもしれない。

著者のジョージ・ダイソンはすでに一〇年以上前の前著『チューリングの大聖堂』で、プリンストン高等研究所でいかに初期のコンピューターが開発されたかを追っていて、その続篇を書くよう出版エージェントのブロックマンに促され、前著で言い残したテーマを書こうと考えたという。そこで書かれた最初の提案書には本書の最初と最後の章の内容しかなかったという。つまり、現代のコンピューター理論の曾祖父のようなライプニッツの話と、彼の父とも関係する、無限を扱うアナログの本質とも言える「連続体仮説」を元に考えられる、デジタルの先にある世界は何か？　という結論部分しかなかったのだ。

連続体仮説は一九世紀にカントールが提唱した、自然数で数えられるものの集合の無限の大きさ（可算濃度）と、実数のように有限の桁で数えきれない無限の大きさ（連続体濃度）しか無限集合の濃度が存在しないとする仮説で、前者がデジタルで後者がアナログに対応すると考えていいだろう。

そういう意味では、アナログ・コンピューティングの話題に限れば、本書は最初と最後だけを読めば、だいたいを把握できるのだが、著者はライプニッツから現代のデジタルの先にあるアナログの可能性を傍証するために、自然の中での生活や非コンピューターの世界をどう織り込もうかと苦労した。そのために書かれた北米インディアンの歴史や『エレホン』や真空管の話などに迷い込むと、ハリー・ポッターの世界に行ってしまいそうだが、この部分こそがきっとポスト・デジタルの世界の大いなるヒントともなると思われるので刮目（かつもく）してほしい。

彼がいかにデジタル・コンピューターとは無縁と思えるカヌー作りや航海などを介して、デジタルだけでは解決できない問題に思いを巡らしているかを知ることは、今後の世界を考える大きなヒントになるだろう。そうした活動を取材したケネス・ブラウワーの『宇宙船とカヌー』には、世界的な理論物理学者としてデジタル的なサイエンスの権化のような父フリーマンが、実は宇宙船オリオン号で机上の理論ばかりか広大な宇宙の大冒険に出かけようとした話と、父の専門のサイエンスから距離を置き、アナログ的な現場のテクノロジーとしてのバイダルカ作りや冒険から始めた子のジョージが、一緒に旅をしながら理論や信念を中心とした組織や学問の世界と、実践と冒険に満ちた自然の両者に目配りし、広く宇宙全体を捉えようとする姿が描かれている。

ちなみに、三年前に亡くなった父のフリーマン・ダイソンは、二〇一六年にロシアの富豪ユーリ・ミルナーと理論物理学者スティーヴン・ホーキングが計画した、切手サイズの素子と帆を付けた超小型宇宙船「スターチップ」数千個に、地上からレーザー光を照射して光速の二〇%まで加速し、二〇年で太陽系から四光年離れたケンタウルス座α星まで飛ばす「ブレークスルー・スターショット」のメンバーとして加わっていた。

その話はオリオン計画が構想した原爆を推進力にして飛ぶ高速宇宙船を、ナノテクとレーザーに代えて再生したような、とてつもない夢物語ではあるが、人間の時代の想像力をはるかに超えたスケールで、現在の地上の問題の限界を見つめ、次の一〇〇年、もしくは一〇〇〇年単位の人類の姿を描こうとする姿勢は、息子のジョージばかりか、月や火星旅行を目指すイーロン・マスクやジェフ・ベゾスのような人々の中にも受け継がれているのかもしれない。

私は著者のジョージ・ダイソンとは、『チューリングの大聖堂』を構想しているときに出会い、それ以前にすでに父のフリーマンや姉のエスターにもインタビューする機会があったので、その現代の知性を象徴するような一族の中でテクノロジー歴史学者を目指す彼の慧眼と視点にいつも敬服していた。『チューリングの大聖堂』の邦訳は一部をお手伝いすることができ、文庫化の際には解説も書かせていただいた。

今回の著書『Analogia: The Emergence of Technology Beyond Programmable Control』の存在は、年間百冊を超える洋書を読破して紹介する達人として有名な、デジタルハリウッド大学教授の橋本大也氏のネット投稿で知り、すぐに取り寄せて読んでみて、その卓越した視点に仰天した。『チューリングの大聖堂』の続篇としてぜひ邦訳を出したいと早川書房に申し出て、編集者の一ノ瀬翔太氏のお手を煩わせたが、他の翻訳が控えていたため、橋本氏に翻訳をお願いして、当方は勝手に本書の周辺を補足する役割を申し出た。長々と持論も含めた話を展開するのも余計かとは思ったが、斬新すぎて取っつきにくい本書の一つの読み方として、読者の皆さんの理解の助けになれば幸いだ。

原題には、ギリシャ語からラテン語に引き継がれたアナログを指す言葉（アナロジア）と、プログラム可能な制御を超えたテクノロジーの出現と副題が付いているが、デジタル時代にアナログの重要性を主張する本書の趣旨が具体的にイメージできるよう、現在デジタルの極致のように思われているＡＩのアナログ的な次のステージを見据えて日本語版には「ＡＩの次に来るもの」と付した。

この本は革新的過ぎて、ただちに万人に理解・評価されるとは思わないが、世界的な科学者の息子で、大自然の中でより大きな宇宙の中にデジタルとアナログが調和する姿を見て、本来の人間のあり方を追求する著者だからこそ出会った、われわれのまだ気づいていない次世代の情報宇宙観の顕現に立ち会えるまたとない機会だと思って読んでいただければ、きっと未来が見えるものと確信する。

二〇二三年二月二四日　ウクライナ侵攻一周年に次の世界を想う

服部　桂

原　注

本書に掲載されているアメリカ北西海岸の景色は、1778年、クックの3回目の航海中にジョン・ウェバーとウィリアム・ブライが描いた絵を銅板に刻んだもので、1784年にロシア海軍提督命令で出版された『ジェームズ・クックとジェームズ・キングによる、北半球での発見、北アメリカの西側の位置と範囲、アジアからの距離、ヨーロッパへの北方航路の有用性を確定するために、1776年、1777年、1778年、1779年、1780年に、クック、クラーク、ゴアの各船長の指揮の下、皇帝の船であるレゾリューション号とディスカバリー号で、陛下の命令で行われた太平洋への航海』の2巻に印刷されている。

本文および挿絵の図版はすべて著者のコレクションであり、写真は特に断りのない限りすべて著者によるものである。

原注中の引用元略語一覧

AFSWC: U.S. Air Force Special Weapons Center, History Office, Kirtland Air Force Base, Albuquerque, N.M.

CBI: Charles Babbage Institute, University of Minnesota, Minneapolis.

FJD: Freeman Dyson Papers, American Philosophical Society, Philadelphia.

GA: General Atomic (now General Atomics), La Jolla, Calif.

GBD: Author's personal papers. Interviews with the author unless otherwise noted.

IAS: Shelby White and Leon Levy Archives Center, Institute for Advanced Study, Princeton, N. J.

Cape Upright

アップライト岬が北北西3マイルの距離の時、ゴレス島の景観

第0章　ライプニッツ群島——アナロクからデジタルへ、そしてまたアナログへ

1. E. T. Bell, *Men of Mathematics* (New York: Simon & Schuster, 1937), 122.（E・T・ベル『数学をつくった人びと（1・2・3）』田中勇・銀林浩訳、ハヤカワ・ノンフィクション文庫、2003年）
2. Gottfried Wilhelm Leibniz (ca. 1679), *Philosophical Papers and Letters*, trans. and ed. Leroy E. Loemker (Chicago: University of Chicago Press, 1956), 1:344.
3. 同上。
4. Vladimir Guerrier, *Leibniz in seinen Beziehungen zu Russland und Peter dem Grossen* (St. Petersburg: Kaiserlichen Akademie der Wissenschaften, 1873), 1:141. Author's translation.
5. John von Neumann, "The General and Logical Theory of Automata," September 20, 1948, in *Cerebral Mechanisms in Behavior: The Hixon Symposium*, ed. Lloyd A. Jeffress (New York: Hafner, 1951), 21.
6. Carver Mead, *Analog VLSI and Neural Systems*(Reading, Mass.: Addison-Wesley, 1989), xi.（C・ミード『アナログVLSIと神経システム』臼井支朗・米津宏雄訳、トッパン、1993年）

第1章　一七四一年

1. ロシアでは、1741年からグレゴリオ暦より11日遅れのユリウス暦で日付が記録されるようになった。また、船舶の航海日誌は、午前0時ではなく正午に進む天文学的な日付に従って記録されたため、正午以前の記入は暦の日付と一致するが、午後の記入は1日先になる。
2. Sven Waxell, *The American Expedition*, trans. M. A. Michael (London: William Hodge, 1952), 128.
3. Georg Wilhelm Steller, *Journal of a Voyage with Bering, 1741–1742*, ed. O. W. Frost, trans. Margritt A. Engel and O. W. Frost (Stanford, Calif.: Stanford University Press, 1988), 93.
4. Thomas Consett, *An Account of the Rise of Naval Power in Russia; or, The Story of the Little Boat, Which Gave Rise to the Russian Fleet; Being the Preface to the Sea Regulations in Russia, and Said to Have Been Written by the Tsar Peter Alexievich Himself, in The Present State and Regulations of the Church of Russia* (London: S. Holt, 1729), 2:209.
5. John Evelyn, January 30, 1698, and an undated note from his servant, in *The Diary of John Evelyn*, ed. William Bray (Washington, D.C.: Walter Dunne, 1901), 2:342.
6. Thomas Hale to Bernard Hale, August 20, 1702 (British Museum Add. Mss. 33573, fol. 178), in James Cracraft, *The Church Reform of Peter the Great* (London: Macmillan, 1971), 10.
7. Leibniz to Bernoulli, July 26, 1716, in Vladimir Guerrier, *Leibniz in seinen Beziehungen zu Russland und Peter dem Grossen* (St. Petersburg: Kaiserlichen Akademie der

Wissenschaften, 1873), 2:361. Translation by Scott Sessions.

8. Leibniz to Sophie von Hannover, November 1712, in Guerrier, *Leibniz in seinen Beziehungen zu Russland und Peter dem Grossen*, 2:272. Author's translation.

9. Instructions from Empress Catherine Alekseevna to Captain Vitus Bering for the First Kamchatka Expedition, February 25, 1725 (written by Peter the Great before his death on January 28, 1725), in *Russian Penetration of the North Pacific Ocean, 1700–1797: A Documentary Record*, ed. Basil Dmytryshyn, E. A. P. Crownhart-Vaughan, and Thomas Vaughan (Portland: Oregon Historical Society, 1988), 69.

10. Peter Lauridsen, *Vitus Bering: The Discoverer of Bering Strait*, trans. Julius E. Olson (Chicago: S. C. Griggs, 1889), 69.

11. Waxell, *American Expedition*, 51.

12. 同上, 67–68.

13. *A Letter from a Russian Sea-Officer, to a Person of Distinction at the Court of St. Petersburgh* (London: A. Linde, 1754), 21–22. Attributed to G. F. Müller, and translated from the French of 1753.

14. Georg Wilhelm Steller, in *Bering's Voyages: An Account of the Efforts of the Russians to Determine the Relation of Asia and America*, ed. F. A. Golder, vol. 2, *Steller's Journal of the Sea Voyage from Kamchatka to America and Return on the Second Expedition, 1741–1742* (New York: American Geographical Society, 1925), 48.

15. Steller, *Journal of a Voyage with Bering*, 72.

16. Steller, *Journal of the Sea Voyage from Kamchatka to America*, 60.

17. 同上, 54.

18. Waxell, *American Expedition*, 98.

19. Steller, *Journal of the Sea Voyage from Kamchatka to America*, 68.

20. 同上, 90.

21. 同上, 90–92.

22. 同上, 94.

23. Sofron Khitrov, in *Bering's Voyages: An Account of the Efforts of the Russians to Determine the Relation of Asia and America*, ed. F. A. Golder, vol. 1, *The Log Books and Official Reports of the First and Second Expeditions, 1725–1730 and 1733–1742* (New York: American Geographical Society, 1922), 148.

24. Steller, *Journal of the Sea Voyage from Kamchatka to America*, 95.

25. Knut R. Fladmark, "The Feasibility of the Northwest Coast as a Migration Route for Early Man," in *Early Man in America, from a Circum-Pacific Perspective*, ed. Bryan Alan Lyle (Edmonton: Archaeological Researches International, 1978), 119–28; Jon M. Erlandson et al., "The Kelp Highway Hypothesis: Marine Ecology, the Coastal Migration Theory, and the Peopling of the Americas," *Journal of Island and Coastal Archaeology* 2

(2007): 161–74.

26. Laughlin, interview, Umnak Island, 1991, GBD.
27. Waxell, *American Expedition*, 117.
28. Golder, *Bering's Voyages*, 1:167.
29. Steller, *Journal of a Voyage with Bering*, 115.
30. Waxell, *American Expedition*, 199, 121.
31. Golder, *Bering's Voyages*, 1:196, 200.
32. Steller, *Journal of the Sea Voyage from Kamchatka to America*, 129–30.
33. Waxell, *American Expedition*, 124.
34. Steller, *Journal of a Voyage with Bering*, 125.
35. Waxell, *American Expedition*, 125.
36. Steller, *Journal of a Voyage with Bering*, 126–27.
37. Steller, *Journal of the Sea Voyage from Kamchatka to America*, 136.
38. Steller, *Journal of a Voyage with Bering*, 127.
39. Waxell, *American Expedition*, 135.
40. 同上, 127, 135.
41. Steller, *Journal of a Voyage with Bering*, 136.
42. Steller to Gmelin, November 4, 1742, in Golder, *Bering's Voyages*, 2:243.
43. Waxell, *American Expedition*, 135.
44. 同上, 142.
45. Steller, *Journal of the Sea Voyage from Kamchatka to America*, 148.
46. 同上, 149.
47. George Wilhelm Steller, *The Beasts of the Sea*, trans. Walter Miller and Jennie Emerson Miller, in *The Fur Seals and Fur-Seal Islands of the North Pacific Ocean*, ed. David Starr Jordan, pt. 3 (Washington, D.C.: Government Printing Office, 1899), 216.
48. 同上, 215.
49. Steller, *Journal of a Voyage with Bering*, 164.
50. Steller, *Beasts of the Sea*, 197.
51. 同上, 201.
52. 同上, 191.
53. 同上, 200.
54. 同上, 164.
55. Gerhard Friedrich Müller, *Bering's Voyages: The Reports from Russia*, trans. Carol Urness (Fairbanks: University of Alaska Press, 1986), 120.
56. Gerhard F. Müller, *Voyages from Asia to America* (London: T. Jeffreys, 1761), 65.
57. Georg Wilhelm Steller, August 18, 1746, in Leonhard Stejneger, *Georg Wilhelm Steller: The Pioneer of Alaskan Natural History* (Cambridge, Mass.: Harvard University Press,

1936), 476.

58. Steller, *Beasts of the Sea*, 181.

59. 同上, 181–82.

60. Don Douglass, "Possible Clues to Chirikov's Lost Crewmen" (presentation for 2010 International Conference on Russian America, Sitka, Alaska, August 19–21, 2010).

61. Alexei Chirikov, *Report on the Voyage of the* St. Paul, December 7, 1741, in Golder, *Bering's Voyages*, 1:315.

62. Aleksei Chirikov, *Report to the Admiralty College*, December 7, 1741, in *Anóoshi Lingít Aaní Ká, Russians in Tlingit America*, ed. Nora Marks Dauenhauer, Richard Dauenhauer, and Lydia T. Black (Seattle: University of Washington Press, 2008), 8.

63. Alexei Chirikov, *Journal of the* St. Paul, July 24, 1741, in Golder, *Bering's Voyages*, 1:295.

64. Chirikov, *Report on the Voyage of the* St. Paul, December 7, 1741, 316.

65. 同上, 316–17.

66. J.F.G. de La Pérouse, *A Voyage Round the World, Performed in the Years 1785, 1786, 1787, and 1788, by the* Boussole *and* Astrolabe (London: G. G. & J. Robinson, 1799), 390, 400.

67. Chirikov, *Report on the Voyage of the* St. Paul, December 7, 1741, 315.

68. Lydia T. Black, notes to a new translation of Chirikov, *Report to the Admiralty College, December 7, 1741*, 9.

69. Chirikov, *Report on the Voyage of the* St. Paul, December 7, 1741, 317.

70. 同上。

71. Mark Jacobs Jr., "Early Encounters Between the Tlingit and the Russians," in *Russia in North America: Proceedings of the 2nd International Conference on Russian America, Sitka, Alaska, August 19–22, 1987*, ed. Richard A. Pierce (Kingston, Ont.: Limestone Press, 1990), 2.

72. Chirikov, *Journal of the* St. Paul, September 9, 1741, in Golder, *Bering's Voyages*, 1:304–305

第2章　最後のアパッチ族

1. Nelson A. Miles, "The Future of the Indian Question," *North American Review* 152, no. 410 (January 1891): 2.

2. Geronimo, *Geronimo's Story of His Life*, ed. S. M. Barrett (New York: Duffield, 1906), 178. Field translation by Asa "Ace" Daklugie.

3. Britton Davis, *The Truth About Geronimo* (New Haven, Conn.: Yale University Press, 1929), 17.

4. Asa "Ace" Daklugie, in Eve Ball, *Indeh: An Apache Odyssey* (Provo, Utah: Brigham Young University Press, 1980), 55.

5. Thomas Cruse, *Apache Days and After* (Caldwell, Idaho: Caxton Printers, 1941), 164.
6. Nelson A. Miles, *Personal Recollections and Observations of General Nelson A. Miles, Embracing a Brief View of the Civil War; or, From New England to the Golden Gate, and the Story of His Indian Campaigns, with Comments on the Exploration, Development, and Progress of Our Great Western Empire* (Chicago: Werner, 1896), 481.
7. Philip Reade, "About Heliographs," *United Service, a Monthly Review of Military and Naval Affairs*, January 1880, 108.
8. G. W. Baird, "General Miles's Indian Campaigns," *Century Magazine*, July 1891, 368.
9. General Nelson A. Miles, September 17, 1886, in *Letter from the Secretary of War, February 28, 1887, Executive Document No. 117 of the Senate of the United States for the Second Session of the Forty-Ninth Congress* (Washington, D.C.: Government Printing Office, 1887), 43.
10. Álvar Núñez Cabeza de Vaca (1536), *The Journey of Álvar Núñez Cabeza de Vaca and His Companions from Florida to the Pacific, 1528–1536*, ed. Adolph F. Bandelier, trans. Fanny Bandelier (New York: Barnes, 1905), 171.
11. 同上, 183.
12. Pedro de Castañeda de Nájera, in *Documents of the Coronado Expedition, 1539–1542: "They Were Not Familiar with His Majesty, nor Did They Wish to Be His Subjects,"* ed. Richard Flint and Shirley Cushing Flint (Dallas: Southern Methodist University Press, 2005), 387–88.
13. Pedro de Castañeda de Nájera, in *The Coronado Expedition, 1540–1549*, ed. George Parker Winship, in *The Fourteenth Annual Report of the Bureau of Ethnology* (Washington, D.C.: Government Printing Office, 1896), 516.
14. Francisco Vázquez de Coronado, in Winship, *Coronado Expedition*, 556.
15. 同上, 557, 559, 565.
16. 同上, 555.
17. Coronado to the Viceroy, August 3, 1540, in Flint and Flint, *Documents of the Coronado Expedition*, 257.
18. Coronado, in Winship, *Coronado Expedition*, 563.
19. Antonio de Mendoza to the King of Spain, April 17, 1540, in Flint and Flint, *Documents of the Coronado Expedition*, 238.
20. Baylor to Thomas Helm, March 20, 1862, in *The War of the Rebellion: A Compilation of the Official Records of the Union and Confederate Armies* (Washington, D.C.: Government Printing Office, 1896), 50:942.
21. Sibley to Adjutant General S. Cooper, May 4, 1862, in *The War of the Rebellion: A Compilation of the Official Records of the Union and Confederate Armies* (Washington, D.C.: Government Printing Office, 1883), 9:512

22. Carleton to Carson, October 12, 1862, in U.S. Senate, 39th Cong., 2nd Sess., Report No. 156, *Condition of the Indian Tribes* (Washington, D.C.: Government Printing Office, 1867), app., p. 100.

23. Daniel Ellis Conner, *Joseph Reddeford Walker and the Arizona Adventure*, ed. Donald J. Berthrong and Odessa Davenport (Norman: University of Oklahoma Press, 1956), 36.

24. 同上, 38–39.

25. Orson S. Fowler, *Human Science, or, Phrenology: Its Principles, Proofs, Faculties, Organs, Temperaments, Combinations, Conditions, Teachings, Philosophies, etc., etc.: As Applied to Health, Its Values, Laws, Functions, Organs, Means, Preservation, Restoration, etc.: Mental Philosophy, Human and Self Improvement, Civilization, Home, Country, Commerce, Rights, Duties, Ethics, etc.: God, His Existence, Attributes, Laws, Worship, Natural Theology, etc.: Immortality, Its Evidences, Conditions, Relations to Time, Rewards, Punishments, Sin, Faith, Prayer, etc.: Intellect, Memory, Juvenile and Self Education, Literature, Mental Discipline, the Senses, Sciences, Arts, Avocations, a Perfect Life, etc., etc., etc.* (Philadelphia: National, 1873), 1195, 1197.

26. Davis, *Truth About Geronimo*, 59.

27. Daklugie, in Ball, *Indeh*, 89, 15.

28. 同上, 37.

29. James Kaywaykla, in Eve Ball, *In the Days of Victorio* (Tucson: University of Arizona Press, 1970), xiii–xiv.

30. John Gregory Bourke, *On the Border with Crook* (New York: Scribner's, 1891), 127, 129.

31. Davis, *Truth About Geronimo*, 114.

32. Crook to the Secretary of War, September 27, 1883, in *Annual Report of the Secretary of War for the Year 1883* (Washington, D.C.: Government Printing Office, 1883), 1:67.

33. George Crook, *Resumé of Operations Against Apache Indians, 1882 to 1886* (Omaha: privately printed, 1886), 21.

34. Tom Horn, *Life of Tom Horn, Government Scout and Interpreter, Written by Himself* (Denver: Louthan, 1904), 18.

35. Alchisay, testimony at Fort Apache, September 22, 1882, in Bourke, *On the Border with Crook*, 436.

36. "Transcript of Conference Between General Crook and Between 400 and 500 Men of the Apache Tribe at San Carlos Agency, Ariz., October 15, 1882," in *Annual Report of the Secretary of War for the Year 1883*, 1:180.

37. *Annual Report of the Secretary of War for the Year 1883*, 1:182.

38. Davis, *Truth About Geronimo*, 103, 111.

39. Geronimo, *Geronimo's Story of His Life*, 17.

40. 同上, 38–39.

41. 同上, 141.
42. *Notes of an Interview Between Maj. General George Crook, U.S. Army, and Chatto, Ka-e-te-na, Noche, and Other Chiricahua Apaches, January 2, 1890*, in U.S. Senate, 51st Cong., 1st Sess., Ex. Doc. No. 35 (Washington, D.C.: Government Printing Office, 1890), 5.
43. Jason Betzinez, *I Fought with Geronimo* (Harrisburg, Pa.: Stackpole Books, 1959), 137.
44. Dan L. Thrapp, *Encyclopedia of Frontier Biography* (Glendale, Calif.: Arthur Clark, 1988), 2:914.
45. Crook, *Resumé of Operations Against Apache Indians*, 9.
46. Bourke, *On the Border with Crook*, 477.
47. Charles Lummis, *Los Angeles Times,* April 11, 1886, in *Dateline Fort Bowie: Charles Fletcher Lummis Reports on an Apache War*, ed. Dan L. Thrapp (Norman: University of Oklahoma Press, 1979), 57–58.
48. Sheridan to Crook, February 1, 1886, in Crook, *Resumé of Operations Against Apache Indians*, 8.
49. Crook to Sheridan, March 26, 1886, in Crook, *Resumé of Operations Against Apache Indians*, 10.
50. Geronimo, March 27, 1886, in *Conference Held March 25 and 27, 1886, at Cañon de los Embudos (Cañon of the Funnels), 20 Miles S.SE. of San Bernardino Springs, Mexico, Between General Crook and the Hostile Chiricahua Chiefs*, in U.S. Senate, 51st Cong., 1st Sess., Ex. Doc. No. 88 (Washington, D.C.: Government Printing Office, 1890), 11.
51. Sheridan to Crook, March 30, 1886, in Crook, *Resumé of Operations Against Apache Indians*, 12.
52. Bourke, *On the Border with Crook*, 480.
53. *Notes of an Interview Between Maj. General George Crook, U.S. Army, and Chatto, Ka-e-te-na, Noche, and Other Chiricahua Apaches, January 2, 1890*, 5.
54. Daklugie, in Ball, *Indeh*, 62.
55. Cleveland to General R. C. Drum, August 23, 1886, in *Letter from the Secretary of War, February 28, 1887*, 4.
56. Miles, *Personal Recollections*, 136.
57. Reade, "About Heliographs," 94.
58. William W. Neifert, "Trailing Geronimo by Heliograph," in *Winners of the West* 12, no. 11 (October 1935), in *The Struggle for Apacheria*, vol. 1 of *Eyewitnesses to the Indian Wars, 1865–1890*, ed. Peter Cozzens (Mechanicsburg, Pa.: Stackpole Books, 2001), 561.
59. Miles, *Personal Recollections*, 480.
60. 同上, 487.
61. 同上, 487–88.
62. Leonard Wood, August 6, 1886, in *Chasing Geronimo: The Journal of Leonard Wood,*

May–September 1886, ed. Jack C. Lane (Albuquerque: University of New Mexico Press, 1970), 92.

63. Leonard Wood, August 4, 1886, in *Chasing Geronimo*, 89.

64. Henry Daly, "The Geronimo Campaign," *Journal of the United States Cavalry Association* 19, no. 70 (October 1908), in Cozzens, *Struggle for Apacheria*, 483.

65. Charles Gatewood, in *Lt. Charles Gatewood and His Apache Wars Memoir*, ed. Louis Kraft (Lincoln: University of Nebraska Press, 2005), 136.

66. James R. Caffey, "A Theatrical Campaign," *Omaha Bee*, September 29, 1886, in Cozzens, *Struggle for Apacheria*, 564.

67. Miles to Adjutant-General R. C. Drum, September 17, 1886, in *Letter from the Secretary of War, February 28, 1887*, 6.

68. Sheridan to the Secretary of War, July 30, 1886, in *Letter from the Secretary of War, February 28, 1887*, 52.

69. Daklugie, in Ball, *Indeh*, 113–14.

70. Colonel William Strover, "The Last of Geronimo and His Band," *Washington National Tribune*, July 24, 1924.

71. Crook to the Secretary of War, January 6, 1890, in U.S. Senate, 51st Cong., 1st Sess., Ex. Doc. No. 35 (Washington, D.C.: Government Printing Office, 1890), 5

72. Kaywaykla, in Ball, *In the Days of Victorio*, 197.

73. Eugene Chihuahua, in Ball, *Indeh*, 113.

74. General Nelson Miles, November 4, 1886, in *Letter from the Secretary of War, February 28, 1887*, 77.

75. Daklugie, in Ball, *Indeh*, 118.

第3章　爬虫類の時代

1. Thomas A. Edison, "Electrical Indicator," U.S. Patent No. 307,031, application filed November 15, 1883, issued October 21, 1884.

2. William Henry Preece, "On a Peculiar Behaviour of Glow-Lamps When Raised to High Incandescence," *Proceedings of the Royal Society of London*, March 26, 1885, 219.

3. John Ambrose Fleming, "The Thermionic Valve in Wireless Telegraphy and Telephony," Royal Institution of Great Britain, Weekly Evening Meeting, May 21, 1920, 2.

4. W. H. Eccles, "John Ambrose Fleming, 1849–1945," *Obituary Notices of Fellows of the Royal Society* 5, no. 14 (November 1945): 231.

5. John Ambrose Fleming, *The Origin of Mankind: Viewed from the Standpoint of Revelation and Research* (London: Marshall, Morgan & Scott, 1935), v–vi.

6. 同上, 7.

7. John Ambrose Fleming, "Problems in the Physics of an Electric Lamp," Royal Institution of Great Britain, Weekly Evening Meeting, February 14, 1890, 2, 4, 9.
8. J. A. Fleming, "A Further Examination of the Edison Effect in Glow Lamps," *Philosophical Magazine*, July 1896, 102.
9. Degna Marconi, *My Father, Marconi* (New York: McGraw-Hill, 1962), 13.
10. Flood-Page to Fleming, December 1, 1900, in Sungook Hong, *Wireless: From Marconi's Black-Box to the Audion* (Cambridge, Mass.: MIT Press, 2001), 69.
11. Marconi to Fleming, December 10, 1900, in Hong, *Wireless*, 69.
12. *Daily Telegraph*, December 18, 1901, in Marconi, *My Father, Marconi*, 116.
13. John Ambrose Fleming, "Improvements in Instruments for Detecting and Measuring Alternating Currents," British Patent No. 24,850, application filed November 16, 1904, accepted September 21, 1905.
14. Fleming to Marconi, November 30, 1904, Marconi Company Archive.
15. Fleming, "Thermionic Valve in Wireless Telegraphy and Telephony," 7.
16. John Ambrose Fleming, *The Thermionic Valve and Its Developments in Radiotelegraphy and Telephony* (London: Wireless Press, 1919), 48.
17. Georgette Carneal, *A Conqueror of Space: An Authorized Biography of the Life and Work of Lee De Forest* (New York: Horace Liveright, 1930), 95.
18. Lee de Forest, "Oscillation-Responsive Device," U.S. Patent No. 979,275, application filed February 2, 1905, issued December 20, 1910.
19. Lee de Forest, "The Audion—Its Action and Some Recent Applications," *Journal of the Franklin Institute* 190, no. 1 (July 1920): 2.
20. Lee de Forest, "Space Telegraphy," U.S. Patent No. 879,532, application filed January 29, 1907, issued February 18, 1908.
21. 同上。
22. Abraham Flexner, "The Usefulness of Useless Knowledge," *Harper's Magazine*, October 1939, 551
23. Abraham Flexner, *I Remember* (New York: Simon & Schuster, 1940), 366.
24. Louis Bamberger to the Trustees of the Institute for Advanced Study, April 23, 1934, IAS.
25. Willis Lamb, "The Fine Structure of Hydrogen," in *The Birth of Particle Physics*, ed. Laurie M. Brown and Lillian Hoddeson (Cambridge, U.K.: Cambridge University Press, 1983), 322–23.
26. Schwinger to Silvan Schweber, January 15, 1982, in Silvan Schweber, *QED and the Men Who Made It* (Princeton, N.J.: Princeton University Press, 1994), 303.
27. Freeman Dyson to parents, September 25 and October 16, 1947, FJD.
28. Freeman Dyson, "Member of the Club," in *Curious Minds: How a Child Becomes a*

Scientist, ed. John Brockman (New York: Pantheon, 2004), 61.（ジョン・ブロックマン編『キュリアス・マインド：ぼくらが科学者になったわけ』ふなとよし子訳、幻冬舎、2008年）
29. Freeman Dyson to parents, October 5, 1941, FJD.
30. Freeman Dyson to parents, March 24, 1943, FJD.
31. Freeman Dyson to parents, May 29, 1943, FJD.
32. Freeman Dyson, interview with Sam Schweber and Christopher Sykes, June 1998, www.webofstories.com/play/freeman.dyson/64.
33. Freeman Dyson, *Selected Papers of Freeman Dyson with Commentary* (Providence: American Mathematical Society, 1996), 10.
34. 同上, 12.
35. Freeman J. Dyson, "The Electromagnetic Shift of Energy Levels," *Physical Review* 73, no. 6 (1948): 617.
36. Dyson, *Selected Papers*, 12.
37. Dyson, "Electromagnetic Shift of Energy Levels," 617.
38. Freeman Dyson to parents, January 30, 1949, FJD.
39. Minutes of the School of Mathematics, IAS, June 2, 1945, IAS.
40. Freeman Dyson to parents, November 25, 1948, FJD.
41. The Talk of the Town, *New Yorker*, April 30, 1949, 23–24.
42. Verena Huber-Dyson, unpublished memoirs, GBD.
43. Mastrolilli, personal communication, January 17, 2015, GBD.
44. James R. Newman, *The World of Mathematics* (New York: Simon & Schuster, 1956), 1534.（J. R. ニューマン『空間についての数学』林雄一郎訳、東京図書、1970年）
45. Verena Huber-Dyson, unpublished memoirs, GBD.
46. Freeman Dyson, interview, Princeton, N.J., May 1, 2004, GBD.
47. Freeman Dyson to parents, October 16, 1948, FJD.
48. Freeman Dyson to Oppenheimer, December 11, 1948, IAS.
49. Freeman Dyson to parents, April 7, 1949, FJD.
50. Freeman Dyson, undated addendum to Kurt Gödel, *The Consistency of the Axiom of Choice and of the Generalized Continuum Hypothesis with the Axioms of Set Theory* (Princeton, N.J.: Princeton University Press, 1940), copy inscribed March 26, 1943, GBD.（ゲーデル『数学基礎論：撰出公理及び一般連続仮説の集合論公理との無矛盾性』近藤洋逸訳、伊藤書店、1946年）
51. Penn to Boyle, August 5, 1683, in *Works of Robert Boyle* (London, 1744), 5:646.

第4章　イルカの声

1. Leo Szilard, interview recorded in 1963, in *The Collected Works of Leo Szilard: Scientific Papers*, ed. Bernard T. Feld and Gertrud Weiss Szilard (Cambridge, Mass.:

MIT Press, 1972), 529
2. John von Neumann, "Defense in Atomic War" (paper delivered at a symposium in honor of Dr. R. H. Kent, December 7, 1955), *Journal of the American Ordnance Association* (1955): 23.
3. Leo Szilard, "On the Decrease of Entropy in a Thermodynamic System by the Intervention of Intelligent Beings," trans. Anatol Rapoport and Mechthilde Knoller, *Behavioral Science* 9, no. 4 (October 1964): 301.
4. James Clerk Maxwell, *Theory of Heat* (London: Longman's, 1871), 308.
5. Szilard, "On the Decrease of Entropy in a Thermodynamic System by the Intervention of Intelligent Beings," 302.
6. Rutherford to the British Association, September 11, 1933, in A.F., "Atomic Transmutation," *Nature*, September 16, 1933, 433.
7. Szilard, interview recorded in 1963, 529–30.
8. H. G. Wells, "The Discovery of the Future: A Discourse Delivered to the Royal Institution on January 24, 1902," *Nature*, February 6, 1902, 331.
9. H. G. Wells, *The War That Will End War* (London: Frank & Cecil Palmer, 1914).
10. Leo Szilard, *Leo Szilard, His Version of the Facts: Selected Recollections and Correspondence*, ed. Spencer R. Weart and Gertrud Weiss Szilard (Cambridge, Mass.: MIT Press, 1978), 17.
11. S. V. Constant (acting chief of staff, War Department), August 13, 1940, re Enrico Fermi and Leo Szilard, Szilard Papers, UCSD.
12. Manhattan Engineer District, Memorandum re Leo Szilard, December 24, 1946, 1–2, Szilard Papers.
13. Teller to Szilard, July 2, 1945, in *Leo Szilard, His Version of the Facts*, 208.
14. Scharff, interview, La Jolla, Calif., February 8, 1999, GBD.
15. Teller, interview, Palo Alto, Calif., April 22, 1999, GBD.
16. Frederic de Hoffmann, "A Novel Apprenticeship," in *All in Our Time*, ed. Jane Wilson (Chicago: Bulletin of the Atomic Scientists, 1974), 171.
17. Dunne, interview, La Jolla, Calif., July 13, 1998, GBD.
18. 同上。
19. Theodore B. Taylor, Andrew W. McReynolds, and Freeman John Dyson, "Reactor with Prompt Negative Temperature Coefficient and Fuel Element Therefor," U.S. Patent No.3,127,325, filed May 9, 1958, issued March 31, 1964.
20. Freeman Dyson to Jeff Bezos, November 22, 2016, GBD.
21. Taylor, interview, August 11, 2000, GBD.
22. Taylor, interview with Gary Marcuse for *The Nature of Things*, Canadian Broadcasting Corporation, 1999.

23. Taylor, interview, Princeton, N.J., May 9, 1998, GBD.
24. Taylor, interview, Princeton, N.J., May 11, 1998, GBD.
25. 同上。
26. 同上。
27. Jaromir Astl, interview, Solana Beach, Calif., March 12, 1999, GBD.
28. Taylor, telephone interview, July 2, 1999, GBD.
29. C. J. Everett and S. M. Ulam, "Nuclear Propelled Vehicle, Such as a Rocket," British Patent Specification No. 877,392, application filed February 17, 1960, issued September 13, 1961. Application filed in the United States March 3, 1959.
30. C. J. Everett and S. M. Ulam, "On a Method of Propulsion of Projectiles by Means of External Nuclear Explosions," Los Alamos Scientific Laboratory Report LAMS-1955 (August 1955), 3–5
31. Taylor, interview, Princeton, N.J., May 9, 1998, GBD.
32. Freeman Dyson, interview, Princeton, N.J., May 11, 1998, GBD.
33. Freeman Dyson to James Lukash, August 15, 1994, GBD.
34. Major Lew Allen (USAF Office of Special Projects) to Ray DeGraff (Air Research & Development Command), May 29, 1958, in "Project Orion: An Air Force Bid for Role in Aerospace," 161–297, in *1964 Annual History of the Air Force Weapons Laboratory, 1 January–December 1964*, comp. Dr. Ward Alan Minge, Captain Harrell Roberts, and Sergeant Thomas L. Suminski, AFSWC, 165.
35. 同上, 169.
36. S. M. Ulam, testimony, January 22, 1958, before Subcommittee on Outer Space Propulsion of the Joint Committee on Atomic Energy, 85th Cong., 2nd Sess., 44.
37. York, interview, La Jolla, Calif., February 6, 1999, GBD.
38. 同上。
39. 同上。
40. 同上。
41. Air Force Contract AF 18(600)-1812, "Feasibility Study of a Nuclear Bomb Propelled Space Vehicle," June 30, 1958, Exhibit "A" —Statement of Work, 1, AFSWC.
42. Giller and Prickett, interview, Bayfield, Colo., September 15, 1999, GBD.
43. Taylor, interview, Mission Beach, Calif., November 10, 1999, GBD.
44. Freeman Dyson to Verena Huber-Dyson, April 1, 1958, GBD.
45. General Atomic, news release, Washington, D.C., July 2, 1958, GA.
46. Jung to F. J. Dyson, in F. J. Dyson to parents, June 22, 1958, FJD.
47. Freeman Dyson to Oppenheimer, July 4, 1958, IAS.
48. Oppenheimer to Freeman Dyson, July 9, 1958, IAS.
49. Taylor, interview, Princeton, N.J., May 8, 1998, GBD.

50. Taylor, interview, La Jolla, Calif., November 8, 1999, GBD.
51. Freeman Dyson, interview, La Jolla, Calif., July 12, 1998, GBD.
52. F. J. Dyson, *Trips to Satellites of the Outer Planets*, GAMD-490, August 20, 1958, 12, GBD.
53. Mayer, interview, Los Alamos, N.M., September 17, 1999, GBD.
54. 同上。
55. Theodore B. Taylor, unpublished journal, October 3, 1960, GBD.
56. General Atomic, *Potential Military Applications*, GA-C-962, March 1, 1965, 16–21, AFSWC.
57. John O. Berga, Major, USAF, *Research and Technology Resume, Nuclear Impulse Propulsion Technology Studies, Plan Change*, June 30, 1965, AFSWC.
58. Captain Ronald F. Prater, USAF Project Engineer, *Memorandum for the Record: Sponsorship of ORION Development Planning*, July 22, 1965, AFSWC.
59. F. J. Dyson, "Death of a Project," *Science* 149, no. 3680 (July 9, 1965): 141.
60. F. J. Dyson, "Experiments with Bomb-Propelled Spaceship Models," in *Adventures in Experimental Physics*, Beta issue, ed. Bogdan Maglich (Princeton, N.J.: World Science Education, 1972), 326.
61. Leo Szilard to N. S. Khrushchev, September 30, 1960, 5–6, Szilard Papers.
62. Leo Szilard, "Conversation with Khrushchev on October 5, 1960," in *Toward a Livable World: Leo Szilard and the Crusade for Nuclear Arms Control*, ed. G. Allen Greb, Helen S. Hawkins, and Gertrud Weiss Szilard (Cambridge, Mass.: MIT Press, 1987), 279.
63. Taylor, interview, Princeton, N.J., May 11, 1998, GBD
64. Leo Szilard, *The Voice of the Dolphins, and Other Stories* (New York: Simon & Schuster, 1961), 22.（レオ・シラード『イルカ放送』朝長梨枝子訳、みすず書房、1963年）
65. Murray A. Newman and Patrick L. McGeer, "The Capture and Care of a Killer Whale, Orcinus orca, in British Columbia," *Zoologica* 51, no. 2 (Summer 1966): 65.

第5章　ツリーハウス

1. Log Salvage Regulations, British Columbia Forest Act.
2. Criminal Code of Canada, Section 339, Offences Resembling Theft.
3. Arthur S. Charlton, *The Belcarra Park Site*, Simon Fraser University Department of Archaeology, Publication No. 9, 1980.
4. Helen Codere, *Fighting with Property: A Study of Kwakiutl Potlatching and Warfare, 1792–1930* (New York: J. J. Augustin, 1950).
5. Charles Hill-Tout, "Later Prehistoric Man in British Columbia," *Transactions of the Royal Society of Canada Section 2* (1895): 103.
6. Simon Fraser, July 2, 1808, in *The Letters and Journals of Simon Fraser, 1806–1808*, ed.

W. Kaye Lamb (Toronto: Macmillan, 1960), 106.

7. James Cook, January 30, 1774, in *The Journals of James Cook,* vol. 2, *The Voyage of the* Resolution *and* Adventure, *1772–1775*, ed. James C. Beaglehole (Cambridge, U.K.: Hakluyt Society, 1967), 322.

8. Thomas Edgar, February 13, 1779, Kealakekua Bay, in *The Journals of James Cook*, vol. 3, *The Voyage of the* Resolution *and* Discovery, *1776–1780*, ed. James C. Beaglehole (Cambridge, U.K.: Hakluyt Society, 1967), 1360.

9. George Vancouver, *A Voyage of Discovery to the North Pacific Ocean, and Round the World, in Which the Coast of North-West America Has Been Carefully Examined and Accurately Surveyed* (London: G. G. and J. Robinson, 1798), 1:255.

10. 同上, 254, 256.

11. Archibald Menzies, June 11, 1792, in *Menzies' Journal of Vancouver's Voyage, April to October, 1792*, ed. C. F. Newcombe (Victoria: Archives of British Columbia, 1923), 53.

12. Menzies, June 23, 1792, in *Menzies' Journal of Vancouver's Voyage*, 60.

13. Vancouver, June 13, 1792, in *Voyage of Discovery*, 1:300.

14. Andrew Paull (Quoitchetahl), in J. S. Matthews, *Early Vancouver* (Vancouver City Archives, 1932), 2:303.

15. Vancouver, June 14, 1792, in *Voyage of Discovery*, 1:302.

16. Police Court—John Hall—Desecration of Indian Graves, before F. G. Claudet and W. J. Armstrong, Esqs., J.P., June 26, 1871, *Mainland Guardian*, June 28, 1871, transcription in Ralph Drew, *Forest and Fjord: The History of Belcarra* (Belcarra, B.C.: Ralph Drew, 2013), 141–42.

17. John Hall's Preemption Claim on Bedwell Bay, Field Notes signed by William G. Pinder, Surveyor, May 23, 1874, Field Book No. 22, Survey and Records Branch, Victoria, B.C.

18. Bell to J. S. Matthews, November 23, 1948, in J. S. Matthews, *Early Vancouver* (Vancouver: City of Vancouver, 2011), 7:61–62.

19. Judge Henry Pering Pelew Crease, Regina v. *John Hall*, New Westminster Assizes "Bench Book" notes, November 27, 1882, British Columbia Archives. Transcription by Michael Cotton, 1998, courtesy of Ralph Drew.

20. 同上。

21. 同上。

22. Charles Newland Trew, Coroner, testimony in Crease, *Regina v. John Hall*, November 27, 1882.

23. Crease, in "John Hall Murder Trial," *Mainland Guardian*, December 2, 1882, 3. Transcription courtesy of Ralph Drew.

24. John T. Walbran, *British Columbia Coast Names, 1592–1906* (Ottawa: Government Printing Bureau, 1909), 121.

25. Ethelbert Olaf Stuart Scholefield and Frederic William Howay, *British Columbia, from the Earliest Times to the Present,* vol. 3, *Biographical* (Vancouver: S. J. Clarke, 1914), 609.
26. Decker, in Crease, *Regina v. John Hall*, November 27, 1882.
27. Bole, in "John Hall Murder Trial," *Mainland Guardian*, December 2, 1882, 3.
28. MacElmen, in "John Hall Murder Trial," *Mainland Guardian*, December 2, 1882, 3.
29. Crease, in "John Hall Murder Trial," *Mainland Guardian*, December 2, 1882, 3.
30. Norah Kathleen Bole to W. Briggs Crawford, February 9, 1970, GBD.
31. Malcolm Lowry, *Hear Us O Lord from Heaven Thy Dwelling Place* (New York: Lippincott, 1961), 221.（マルカム・ラウリー『火山の下』斎藤兆史監訳、渡辺暁、山崎暁子訳、白水社、2010 年）
32. 同上 , 232.（ラウリー『火山の下』）
33. George Dyson to Freeman Dyson, December 16, 1972, GBD.
34. John Ambrose Fleming, *The Origin of Mankind: Viewed from the Standpoint of Revelation and Research* (London: Marshall, Morgan & Scott, 1935), 7.

第 6 章　ひも理論

1. Thor Heyerdahl, *The Kon-Tiki Expedition* (New York: Rand McNally, 1950), 13.（トール・ヘイエルダール『コン・ティキ号探検記』水口志計夫訳、河出文庫、2013 年）
2. 同上。
3. Clayton Mack, *Bella Coola Man: More Stories of Clayton Mack*, ed. Harvey Thommasen (Madeira Park, B.C.: Harbour, 1994), 180, 184–85.
4. Lydia T. Black, *Russians in Alaska, 1732–1867* (Fairbanks: University of Alaska Press, 2004), 62.
5. Lydia T. Black, "Promyshlenniki... Who Were They?," in *Bering and Chirikov: The American Voyages and Their Impact*, ed. O. W. Frost (Anchorage: Alaska Historical Society, 1992), 289–90.
6. Catherine II to Denis Chicherin, March 2, 1766, in *Russian Penetration of the North Pacific Ocean, 1700–1797: A Documentary Record*, ed. Basil Dmytryshyn, E. A. P. Crownhart-Vaughan, and Thomas Vaughan (Portland: Oregon Historical Society, 1988), 234–35.
7. Lydia T. Black, "The Russians Were Coming," in *Spain and the North Pacific Coast: Essays in Recognition of the Bicentennial of the Malaspina Expedition, 1791–1792*, ed. Robin Inglis (Vancouver, B.C.: Vancouver Maritime Museum, 1992), 29–34.
8. Martin Sauer, *An Account of a Geographical and Astronomical Expedition to the Northern Parts of Russia* (London: T. Cadell, 1802), 158–59.
9. 同上 , 159.
10. James Cook, October 3, 1778, in *The Journals of James Cook,* vol. 3, *The Voyage of the*

Resolution *and* Discovery, *1776–1780*, ed. James C. Beaglehole (Cambridge, U.K.: Hakluyt Society, 1967), 463.

11. Calvin Jay Lensink, "The History and Status of Sea Otters in Alaska" (Ph.D. diss., Purdue University, 1962).

12. Gavriil Ivanovich Davydov, *Two Voyages to Russian America, 1802–1807*, ed. Richard A. Pierce, trans. Colin Bearne (Kingston, Ont.: Limestone Press, 1977), 178.

13. Kyrill T. Khlebnikov, *Colonial Russian America: Kyrill T. Khlebnikov's Reports, 1817–1832*, trans. and ed. Basil Dmytryshyn and E. A. P. Crownhart-Vaughan (Portland: Oregon Historical Society, 1976), 145.

14. Charles Clerke, October 1778, in Beaglehole, *Voyage of the* Resolution *and* Discovery, *1776–1780*, 1334–35.

15. James Cook, October 14 and 15, 1778, in Beaglehole, *Voyage of the* Resolution *and* Discovery, *1776–1780*, 450.

16. Lydia Black, "The Russian Conquest of Kodiak," *Anthropological Papers of the University of Alaska* 24, nos. 1–2 (1992): 170.

17. James Cook, October 19, 1778, in Beaglehole, *Voyage of the* Resolution *and* Discovery, *1776–1780*, 457.

18. Thomas Edgar, October 16, 1778, in Beaglehole, *Voyage of the* Resolution *and* Discovery, *1776–1780*, 1357.

19. Georg Heinrich von Langsdorff, *Voyages and Travels in Various Parts of the World During the Years 1803, 1804, 1805, 1806, and 1807* (London: Henry Colburn, 1813–1814), 2:43.

20. Ivan Veniaminov, *Notes on the Islands of the Unalashka District*, ed. Richard A. Pierce, trans. Lydia T. Black and R. H. Geoghegan (Kingston, Ont.: Limestone Press, 1984), 272.

21. William H. Dall, *Alaska and Its Resources* (Boston: Lee and Shepard, 1870), 241.

22. Halleck, September 22, 1868, in *Annual Report of the Secretary of War for the Year 1868* (Washington, D.C.: Government Printing Office, 1868), 37–40.

23. William S. Laughlin, John D. Heath, and Eugene Arima, "Two Nikolski Aleut kayaks: iqyax̂ and uluxtax̂ from Umnak Is.," in *Contributions to Kayak Studies*, ed. Eugene Arima (Hull, Quebec: Canadian Museum of Civilization, 1991), 163–209.

24. Laughlin, personal communication, April 5, 1991. 以下を参照。William S. Laughlin, S. B. Laughlin, and S. B. Beman, "Aleut Kayak-Hunter's Hypertrophic Humerus," *Current Research in the Pleistocene* 8 (1991): 55–56.

25. George Vancouver, July 13, 1792, in *A Voyage of Discovery to the North Pacific Ocean, and Round the World, in Which the Coast of North-West America Has Been Carefully Examined and Accurately Surveyed* (London: G. G. and J. Robinson, 1798), 1:336.

26. *Extract of the Diary of Galiano and Valdés*, July 13, 1792, in *Spanish Explorations in the*

Strait of Juan de Fuca, ed. Henry R. Wagner (Santa Ana, Calif.: Fine Arts Press, 1933), 217.

27. *Voyage of the* Sutil *and* Mexicana, in Wagner, *Spanish Explorations in the Strait of Juan de Fuca*, 275–78.
28. George Dyson to family, August 10, 1973, GBD.
29. 以下で引用されているバラノフの発言。Kiril T. Khlebnikov, *Baranov: Chief Manager of the Russian Colonies in America*, ed. Richard A. Pierce, trans. Colin Bearne (Kingston, Ont.: Limestone Press, 1973), 44–45.
30. Carl Woese, "A New Biology for a New Century," *Microbiology and Molecular Biology Reviews* 68, no. 2 (June 2004): 176.
31. Thor Heyerdahl, *American Indians in the Pacific* (London: George Allen and Unwin, 1952), 158.

第7章 エレホン再訪

1. Butler to the Reverend Charles Seager, May 24, 1833, Shropshire Archives, Shrewsbury, U.K.
2. Charles Darwin (1876), *Autobiography*, in *Life and Letters of Charles Darwin*, ed. Francis Darwin (New York: Appleton, 1896), 1:29.（チャールズ・ダーウィン『ダーウィン自伝』八杉龍一・江上生子訳、ちくま学芸文庫、2000年）
3. Thomas Butler, in Darwin, *Life and Letters of Charles Darwin*, 1:144.
4. George Bernard Shaw, *Back to Methuselah: A Metabiological Pentateuch* (London: Constable, 1921), xliii.
5. Thomas Butler to Samuel Butler, August 3, 1859, in *The Family Letters of Samuel Butler*, ed. Arnold Silver (Stanford, Calif.: Stanford University Press, 1962), 89.
6. Samuel Butler, *A First Year in Canterbury Settlement* (London: Longman & Green, 1863), in *Canterbury Settlement and Other Early Essays*, vol. 1 of *The Shrewsbury Edition of the Works of Samuel Butler*, ed. Henry Festing Jones (London: Jonathan Cape, 1923), 82.
7. 同上, 65.
8. 同上, 72–73.
9. 同上, 82.
10. 同上, 87.
11. Williams to Henry Festing Jones, August 19, 1912, in *Samuel Butler: A Memoir*, ed. Henry Festing Jones (London: Macmillan, 1919), 1:84.
12. Robert B. Booth, *Five Years in New Zealand* (London: privately printed, 1912), 73.
13. Ellen Shephard Tripp, *My Early Days* (Canterbury, N.Z.: Whitcombe and Tombs, 1916), 25.
14. 同上, 8.

15. James McNeish, "The Man Between the Rivers," *New Zealand Geographic*, October–December 1990.

16. Butler to Darwin, October 1, 1865, in Jones, *Canterbury Settlement and Other Early Essays*, 186.

17. Samuel Butler, *Unconscious Memory* (London: David Bogue, 1880), vol. 6 of *The Shrewsbury Edition of the Works of Samuel Butler* (London: Jonathan Cape, 1924), 12.

18. Darwin to an unidentified editor, March 24, 1863, in Jones, *Canterbury Settlement and Other Early Essays*, 184–85.

19. Samuel Butler, "Barrel-Organs," *Press* (Christchurch), January 17, 1863, reprinted in Jones, *Canterbury Settlement and Other Early Essays*, 196.

20. Samuel Butler, "Darwin Among the Machines," *Press* (Christchurch), June 13, 1863.

21. E. C. Richards, ed., *Diary of E. R. Chudleigh, 1862–1921* (Christchurch, 1950), 68.

22. Samuel Butler, "The Mechanical Creation," *Reasoner* (London), July 1, 1865, reprinted in Jones, *Canterbury Settlement and Other Early Essays*, 231–33.

23. Samuel Butler, note, June 1887, in Jones, *Samuel Butler: A Memoir*, 1:155.

24. Samuel Butler, 1901, in Jones, *Samuel Butler: A Memoir*, 1:158.

25. Jones, *Samuel Butler: A Memoir*, 1:155.

26. Butler to Darwin, May 11, 1872, in Jones, *Samuel Butler: A Memoir*, 1:156–57.

27. Butler to Darwin, May 30, 1872, in Jones, *Samuel Butler: A Memoir*, 1:158.

28. Samuel Butler, *The Fair Haven: A Work in Defence of the Miraculous Element in Our Lord's Ministry upon Earth, Both as Against Rationalistic Impugners and Certain Orthodox Defenders, by the Late John Pickard Owen, Edited by William Bickersteth Owen, with a Memoir of the Author* (London: Trübner, 1873)

29. John Butler Yeats, "Recollections of Samuel Butler," in *Essays, Irish and American* (Dublin: Talbot Press, 1918), 17.

30. Samuel Butler, *Evolution, Old and New; or, The Theories of Buffon, Dr. Erasmus Darwin, and Lamarck, as Compared with That of Charles Darwin* (London: Hardwicke & Bogue, 1879).

31. Darwin to Huxley, February 4, 1880, in Jones, *Samuel Butler: A Memoir*, 2:454.

32. Huxley to Darwin, February 3, 1880, Cambridge University Library.

33. *Saturday Review* (London), May 31, 1879, 682.

34. Erasmus Darwin, *Zoonomia; or, The Laws of Organic Life* (London: J. Johnson, 1794), 1:509.

35. Samuel Butler, *Luck, or Cunning, as the Main Means of Organic Modification? An Attempt to Throw Additional Light upon Darwin's Theory of Natural Selection* (London: Trübner, 1887), vol. 8 of *The Shrewsbury Edition of the Works of Samuel Butler* (London: Jonathan Cape, 1924), 61.

36. 同上 , 234.
37. Samuel Butler, *Life and Habit* (London: Trübner, 1878), 128–29.
38. Butler, *Unconscious Memory*, 57.
39. 同上 , 16.
40. Samuel Butler, *Erewhon; or, Over the Range* (London: Trübner, 1872), 189.（サミュエル・バトラー『エレホン』武藤浩史訳、新潮社、2020 年）
41. 同上 , 203.
42. Samuel Butler, "From our Mad Correspondent," *Press* (Christchurch), September 15, 1863, reprinted in Joseph Jones, *The Cradle of "Erewhon" : Samuel Butler in New Zealand* (Austin: University of Texas Press, 1959), 196–97.
43. Esther Dyson to Verena Huber-Dyson, October 24, 1967, GBD.
44. John von Neumann, *Lectures on Probabilistic Logics and the Synthesis of Reliable Organisms from Unreliable Components, from Notes by R. S. Pierce of Lectures at the California Institute of Technology, January 4–15, 1952, in Automata Studies* (Princeton, N.J.: Princeton University Press, 1956), 43–99.
45. George Dyson, 1980, GBD.
46. Stewart Brand, *Whole Earth Software Catalog* (Garden City, N.Y.: Doubleday, 1984), 13.
47. Julian H. Bigelow, "Theories of Memory," in *Science in the Sixties: The Tenth Anniversary AFOSR Scientific Seminar, Cloudcroft, New Mexico, June 1965*, ed. David L. Arm (Albuquerque: University of New Mexico Press), 86.
48. 同上 , 85–86.
49. Julian Bigelow, "Computer Development at the Institute for Advanced Study," in *A History of Computing in the Twentieth Century*, ed. Nicholas Metropolis, J. Howlett, and Gian-Carlo Rota (New York: Academic Press, 1980), 304.
50. Pomerene, interview with Nancy Stern, September 26, 1980, oral history 31, CBI.
51. Samuel Butler, "Material for *Erewhon Revisited*," in *The Note-Books of Samuel Butler*, ed. Henry Festing Jones (London: Fifield, 1912), 289.
52. Butler, *Erewhon*, 188–89.（バトラー『エレホン』）
53. 同上 , 198–99.（バトラー『エレホン』）
54. 同上 , 216–17.（バトラー『エレホン』）
55. Stanislaw Ulam, in *Mathematical Challenges to the Neo-Darwinian Interpretation of Evolution: A Symposium Held at the Wistar Institute, April 25–26, 1966*, ed. Paul S. Moorhead and Martin M. Kaplan (Philadelphia: Wistar Institute, 1966), 42.
56. Butler, *Erewhon*, 197.（バトラー『エレホン』）

第 8 章　時間は存在しない

1. G. W. Leibniz, *Discourse on the Natural Theology of the Chinese*, ed. and trans. Henry

Rosemont Jr. and Daniel J. Cook (Honolulu: University of Hawaii Press, 1977), 158.（ゴットフリート・ヴィルヘルム・ライプニッツ「中国自然神学論」山下正男訳、『ライプニッツ著作集 第1期第10巻』、工作舎、2019年所収）

2. G. W. Leibniz, "De Progressione Dyadica—Pars I" (MS, March 15, 1679), published in facsimile (with German translation) in *Herrn von Leibniz'Rechnung mit Null und Einz*, ed. Erich Hochstetter and Hermann-Josef Greve (Berlin: Siemens Aktiengesellschaft, 1966), 46–47. English translation by Verena Huber-Dyson, 1995.
3. Jack Rosenberg, "The Computer Project," unpublished draft, February 2, 2002, GBD.
4. Slutz, interview with Christopher Evans, June 1976, oral history 086, CBI.
5. J. H. Bigelow et al., *Interim Progress Report on the Physical Realization of an Electronic Computing Instrument*, January 1, 1947, 15–16, IAS.
6. Pomerene, interview with Nancy Stern, September 26, 1980, oral history 31, CBI.
7. Bigelow et al., *Interim Progress Report*, January 1, 1947, 54.
8. Julian Bigelow, "Computer Development at the Institute for Advanced Study," in *A History of Computing in the Twentieth Century*, ed. Nicholas Metropolis, J. Howlett, and Gian-Carlo Rota (New York: Academic Press, 1980), 297.
9. Institute for Advanced Study Electronic Computer Project, *Monthly Progress Report: July and August, 1947*, 2–3, IAS.
10. J. H. Bigelow et al., *Fifth Interim Progress Report on the Physical Realization of an Electronic Computing Instrument*, January 1, 1949, 31, IAS.
11. Bigelow, interview with Flo Conway and Jim Siegelman, October 30, 1999, courtesy of Flo Conway and Jim Siegelman.
12. John Aubrey, *Aubrey's Brief Lives: Edited from the Original Manuscripts by Oliver Lawson Dick* (Ann Arbor: University of Michigan Press, 1949), 167.
13. Hooke, May 7, 1673, in R. T. Gunther, *Early Science in Oxford* (Oxford: printed for the author, 1930), 7:412.
14. Aubrey, *Aubrey's Brief Lives*, 167.
15. Robert Hooke (1682), *The Posthumous Works of Robert Hooke, Containing His Cutlerian Lectures, and Other Discourses, Read at the Meetings of the Illustrious Royal Society*, ed. Richard Waller (London: Richard Waller, 1705), 140.
16. 同上。
17. 同上, 144.
18. 同上, 134.
19. *The Famous History of Frier Bacon, Containing the Wonderful Things That He Did in His Life; Also the Manner of His Death, with the Lives and Deaths of the Two Conjurers Bungey and Vandermast. Very Pleasant and Delightful to Be Read* (London: T. Passenger, 1679), 12–13.

20. 同上 , 15.

21. 同上 , 17.

22. Orders of Major General J. M. Schofield, issued under Lieutenant General Sheridan, General Orders No. 8, November 20, 1871, in *Report of the Commissioner of Indian Affairs for the Year 1871* (Washington, D.C.: Government Printing Office, 1872), 94.

23. 同上。

24. John Gregory Bourke, *On the Border with Crook* (New York: Scribner's, 1891), 213.

25. Orders of Schofield, issued under Sheridan, General Orders No. 8, November 20, 1871, 95.

26. George Crook, General Orders No. 14, April 9, 1873.

27. People's Republic of China, State Council, "Planning Outline for the Construction of a Social Credit System (2014–2020)," June 14, 2014, accessed October 7, 2018, as translated at www.chinalawtranslate.com/socialcreditsystem.

28. Von Neumann to Teller, October 7, 1946, Von Neumann Papers, Library of Congress.

第 9 章　連続体仮説

1. William Tecumseh Sherman, *Memoirs of General William T. Sherman* (New York: Appleton, 1889), 2:413.

2. 同上 , 1:11.

3. Jefferson to John Adams, April 20, 1812, National Archives, accessed April 11, 2019, founders.archives.gov/documents/Jefferson/03-04-02-0517.

4. Sherman, *Memoirs*, 1:19–20.

5. Sherman to Sheridan, October 7, 1872, microfilm reel no. 17, Sheridan Papers, in David D. Smits, "The Frontier Army and the Destruction of the Buffalo, 1865–1883," *Western Historical Quarterly* 25, no. 3 (Autumn 1994): 335.

6. Sherman, *Memoirs*, 2:413–14.

7. 同上 , 436.

8. William Temple Hornaday, *The Extermination of the American Bison, in Annual Report of the Smithsonian Institution* (Washington, D.C., 1889), 529.

9. 同上 , 530.

10. 同上 , 525, 545.

11. Schonchin, statement, ca. 1932, in Cora Du Bois, *The 1870 Ghost Dance* (Berkeley: University of California Press, 1939), 10.

12. McLaughlin, October 17, 1890, in James Mooney, *The Ghost-Dance Religion and the Sioux Outbreak of 1890, in Fourteenth Annual Report of the Bureau of Ethnology, Part 2* (Washington, D.C.: Government Printing Office, 1896), 787.

13. Mooney, *Ghost-Dance Religion and the Sioux Outbreak of 1890*, 657.

14. 同上, 870.

15. John W. Comfort (1892), in "Of Memory and Massacre: A Soldier's Firsthand Account of the 'Affair on Wounded Knee,'" ed. Karl Jacoby, *Princeton University Library Chronicle* 64, no. 2 (Winter 2003): 345–46.

16. 同上, 348–51.

17. Donald F. Danker, ed., "The Wounded Knee Interviews of Eli S. Ricker," *Nebraska History* 62, no. 2 (Summer 1981): 176–78.

18. Mooney, *Ghost-Dance Religion and the Sioux Outbreak of 1890*, 878–79.

19. 同上, 765.

20. Warner to Mooney, October 12, 1891, in 同上, 767.

21. Mooney, *Ghost-Dance Religion and the Sioux Outbreak of 1890*, 768.

22. 同上, 770.

23. 同上, 772–73.

24. 同上, 775–76.

25. Julian Bigelow, Arturo Rosenblueth, and Norbert Wiener, "Behavior, Purpose, and Teleology," *Philosophy of Science* 10, no. 1 (1943): 18–24.

26. Norbert Wiener, *God and Golem, Inc.* (Cambridge, Mass.: MIT Press, 1964), 69. (ノーバート・ウィーナー『科学と神：サイバネティックスと宗教』鎮目恭夫訳、みすず書房、1965年)

27. 以下の論文で引用されているウラムの発言。Gian-Carlo Rota, "The Barrier of Meaning," *Letters in Mathematical Physics* 10 (1985): 99.

28. Freeman Dyson to parents, March 29, 1943, FJD.

29. Kurt Gödel, "What Is Cantor's Continuum Problem?," *American Mathematical Monthly* 54 (1947): 516.

30. Von Neumann to Oswald Veblen, November 30, 1945, Veblen Papers, Library of Congress.

31. David Hilbert, "Mathematical Problems, Lecture Delivered Before the International Congress of Mathematicians at Paris in 1900," *Bulletin of the American Mathematical Society* 8 (July 1902): 446.

32. Kurt Gödel, *The Consistency of the Axiom of Choice and of the Generalized Continuum Hypothesis with the Axioms of Set Theory* (Princeton, N.J.: Princeton University Press, 1940), 35. (ゲーデル『数学基礎論』)

33. Leibniz to Simon Foucher, *Journal des Savans*, March 16, 1693, in *The Philosophical Works of Leibniz*, trans. George Martin Duncan (New Haven, Conn.: Tuttle, Morehouse & Taylor, 1890), 65.

著者紹介

ジョージ・ダイソン（George Dyson）

1953年生まれ。アメリカの科学史家。16歳で家出し、カナダのブリティッシュ・コロンビア州沿岸の森林に移り住む。地上30メートルのツリーハウスで暮らしながら、アラスカ先住民であるアリュート族のカヤック「バイダルカ」の復元に情熱を注ぐ。のち、科学史家に転身。著書に『チューリングの大聖堂』（ハヤカワ・ノンフィクション文庫、第49回日本翻訳出版文化賞受賞）、『バイダルカ』、*Darwin among the Machines*、*Project Orion*など。父は世界的な物理学者のフリーマン・ダイソン、姉は投資家でIT業界のオピニオンリーダーであるエスター・ダイソン。

監訳者紹介

服部 桂（Katsura Hattori）

1951年生まれ。ジャーナリスト。早稲田大学理工学部で修士取得後、1978年に朝日新聞社に入社。84年にAT&T通信ベンチャーに出向。87年から89年まで、MITメディアラボ客員研究員。科学部記者や雑誌編集者を経て2016年に定年退職。関西大学客員教授。早稲田大学、女子美術大学、大阪市立大学などで非常勤講師を務める。著書に『VR原論』『マクルーハンはメッセージ』『人工生命の世界』ほか。訳書にケリー『テクニウム』『〈インターネット〉の次に来るもの』、スタンデージ『ヴィクトリア朝時代のインターネット』など多数。

訳者紹介

橋本大也（Daiya Hashimoto）

デジタルハリウッド大学教授、同大学メディアライブラリー館長。ビッグデータと人工知能の技術ベンチャー企業であるデータセクション株式会社を2000年に創業。同社を上場させた後、顧問に就任し、教育とITの領域でイノベーションを追求している。多摩大学大学院客員教授。早稲田情報技術研究所取締役。著書に『英語は10000時間でモノになる』『データサイエンティスト』『情報力』など。洋書を紹介する書評ブログ「BOOKLOGIA」を執筆、『WIRED』などに書評を寄稿する。

アナロジア　ＡＩの次に来るもの

2023年５月25日　初版発行
2023年８月15日　再版発行

*

著　者　ジョージ・ダイソン
監訳者　服部　桂
訳　者　橋本大也
発行者　早川　浩

*

印刷所　精文堂印刷株式会社
製本所　大口製本印刷株式会社

*

発行所　株式会社　早川書房
東京都千代田区神田多町２−２
電話　03-3252-3111
振替　00160-3-47799
https://www.hayakawa-online.co.jp
定価はカバーに表示してあります
ISBN978-4-15-210237-9　C0004
Printed and bound in Japan
乱丁・落丁本は小社制作部宛お送り下さい。
送料小社負担にてお取りかえいたします。